# Vals alarm

MARELLE BOERSMA

# Vals alarm

Eerste druk, november 2011
Tweede druk, december 2011

© 2011 Uitgeverij Verbum Crime en Marelle Boersma
Omslagontwerp Cunera Joosten
Boekverzorging Michiel Niesen, ZetProducties, Haarlem
Foto omslag © Laflor

ISBN 978 90 6109 027 0
NUR 332

Meer informatie over Verbum Crime op www.verbumcrime.nl

Voor alle vrouwen voor wie deze fictie
een keiharde realiteit is

# Vandaag

Mijn lichaam schuift langzaam naar beneden, terwijl elk beeld in mijn hoofd vervaagt. Vochtig zand schuurt langs mijn wang, en een nat blad blijft plakken aan mijn mond. Ik spuug. Als ik me probeer op te duwen, blijken mijn benen te zwaar te zijn en niet gemaakt om mijn gewicht te dragen.

Ik sla om me heen tegen alles wat ik naast me voel. Hard en totaal ongecontroleerd. Alles doet zeer, maar ik stop niet. Ik wil beuken op een lijf dat ik ooit liefhad. Hij is slecht, zo in en in slecht. Het ergste is dat ik hem nooit heb doorzien. Kapot moet hij. Dood, wat mij betreft. Wat maakt het uit als deze man er niet meer is. Er is niets aan hem verloren. Hij moet van mijn liefste bezit afblijven.

'Nooit, nee nooit zal jij haar krijgen. Ik vermoord je! Hoor je me? Je bent niet veilig meer.' Ik gil het uit, maar kan mijn eigen stem nauwelijks onderscheiden.

Hoor ik nu een deur opengaan? Ik probeer mijn hoofd op te tillen, maar mijn hersens tollen in het rond. Ik graai om me heen en voel dat er iets scherps in de palm van mijn hand gedreven wordt. Waanzin neemt het over. De pijn schreeuw ik naar buiten. Ik grijp de pin en trek hem uit mijn hand. Het is een openbaring dat mijn lichamelijke pijn zomaar te dragen valt en in niets vergelijkbaar is met de kramp die op een lege plek in mijn borst zit. Ooit zat daar een gevoel dat diep bonzend verlangen op kon wekken. Nu is er niets.

Met de pin in mijn hand sla ik opnieuw om me heen. Ik raak verward in de struiken die langs de vochtige stenen van het grachtenpand omhoog klimmen. De stengels houden me tegen en beperken mijn bewegingen.

'Laat me los,' roep ik, terwijl ik me steeds machtelozer voel tegenover alles wat met Roderick te maken heeft. Ik probeer me te bevrijden, maar mijn spieren gehoorzamen niet. Al kronkelend langs de muur houd ik angstvallig de afgrond van de gracht in de gaten. Daarbeneden is het koud, vies en vooral donker. De opstijgende geur van mos en rottende bladeren belooft geen welkome opvang. Als ik mijn ogen sluit begint alles om me heen te draaien. Donkere sluiers wentelen mee en bedekken bekende contouren. Er lijkt zelfs een bekende stem te klinken. Donkere ogen die me aankijken.

'Roderick?'

'Ga weg. Maak dat je wegkomt.' Een fluistering vanuit de diepte.

Weggaan? Nooit. Mijn ogen trachten weer beelden op te vangen. Die smeerlap staat vast minachtend op me neer te kijken. Ik ken die blik. Altijd als ik beurs geslagen op de grond lag, bleef hij staan kijken. De vuilak!

Mijn hand schiet los uit de beklemmende greep van de klimop. De scherpe pin duw ik met kracht naar voren. Iets zachts vangt hem op. Nog een keer. Keer op keer steek ik toe.

'Je hebt het verdiend.'

Is dat hese gefluister mijn stem? De woede zakt weg, tot ik me niet meer voor kan stellen dat de hitte me zo heeft beïnvloed. De neiging om hem nog vaker te steken is op slag verdwenen. Ik sla mijn handen voor mijn gezicht in een poging me te verbergen voor zijn ogen. Hij hoeft niet te zien dat ik huil.

Het is opeens stil. Er is helemaal niemand om me heen, alleen die irritante nevels blijven hangen. Ik probeer ze weg te slaan, maar ze zijn taai en hardnekkig. Was het echt Roderick of slechts een spookbeeld? Het maakt me allemaal niet meer uit. Ik ben moe van het vechten tegen al het onrecht dat me is aangedaan. Niemand wil luisteren. Niemand helpt me. Het is alsof de hele wereld tegen me is, met Roderick als boze aanvoerder. Het gevecht is nu geleverd, en ik mag eindelijk uitrusten en de vermoeidheid toelaten.

Mijn hoofd legt zich neer op de kussens van mijn armen. Eindelijk rust. Ik zak weg op de zachtheid die mijn eigen lichaam me biedt.

Slechts vaag registreer ik dat iemand me onder mijn oksels pakt, me overeind trekt en me vervolgens meesleept. Er komt geen enkele reactie op mijn 'laat me los'. Mijn voeten kunnen geen houvast vinden. Steeds die harde grond die onder me door blijft bewegen.

Eindelijk mag ik weer liggen. Waar ben ik? Het maakt me eigenlijk niet uit. Ik wil alleen maar slapen. Met rust gelaten worden. Te moe.

Dan zijn er handen die aan mijn kleding trekken.

'Laat me. Wat wil je?'

Het antwoord komt in de vorm van grijpende vingers op plekken die van mij alleen zijn. Ze zijn als lastige insecten in de zomer. Wegslaan helpt niet, ze blijven terugkeren. Ik sluit mijn ogen en verdwijn. Dezelfde stilte die ik in de afgelopen maanden zo vervloekt heb, vangt me nu op.

# 1 Later

Mijn ogen weigeren dienst. Het enige wat ik registreer is kou. Een vochtige kou, die zich in mijn botten vastgezet heeft. Mijn vingers zoeken om me heen. Mijn dekbed is echter spoorloos.

Als ik mijn hoofd op wil tillen, wordt die door duizenden spijkers op de grond vastgepind in een staccato ritme dat me doet denken aan de houseparty's die ik vroeger met Ilse heb bezocht. Mijn hoofd staat nu niet naar feesten.

Het lukt me eindelijk om een van mijn ogen open te krijgen, de wimpers van mijn andere oog zijn hardnekkiger. Wat is er gebeurd? Het vroege ochtendlicht is schel, ondanks de dikke bewolking die ik boven me zie hangen. Wolken? Waar ben ik?

Een eerste blik naar mijn omgeving geeft de harde werkelijkheid weer: ik lig in een soort park dat ik niet direct herken. Het gras om me heen is bedekt met een deken van druppels, waarin het licht zacht glinstert. Een struik belemmert verder zicht, zodat ik mezelf omhoog moet tillen. De pijn ontwaakt samen met mij. Mijn lichaam huilt. Er zitten rauwe schaafplekken op mijn benen. Vol vuil. Tussen mijn benen voel ik een schrijnende pijn. De droge resten van wat eens een tong was, beginnen nu een smaak af te geven die ik in de afgelopen maanden al te vaak heb geproefd.

Ik kruip in elkaar om de kou en pijn minder ruimte te geven en trek de restanten van mijn kleding over mijn lichaam. Tussen de takken door zie ik de gracht die er net zo vies bruin uitziet als ik me voel. Ik wil niet denken aan de dingen die gebeurd zijn, hoewel de herinneringen onherroepelijk terugkomen. Zijn handen. De kracht waar ik niet tegenop kon. Mijn onmacht om hem tegen te houden. De stilte die me hielp. Nu schreeuwt alles in mij. Pijn, vuil en herinneringen die ik niet wil toelaten. Mannen zijn beesten.

Dan zie ik mijn handen; bedekt met bruine korsten. Is dat bloed? Ook de mouwen van mijn blouse zijn bedekt met grote rode vlekken. Ik zie een wond in de palm van mijn hand die weer begint te bloeden nu ik hem beweeg. Heb ik zo veel bloed verloren?

Behoedzaam, om de stekende messen in mijn lichaam zo min mogelijk kans te geven, ga ik staan. De wereld laat ik tot stilstand komen door me langdurig vast te grijpen aan de stam van een nabije boom. Als dat gelukt is, merk ik dat ik nog slechts een van mijn schoenen aanheb. In de struik die mij de afgelopen uren gezelschap heeft gehouden hangt een vochtig vod. Mijn jas.

'Rustig bewegen,' fluister ik mezelf toe, terwijl in mijn lichaam alle protestacties worden gevoerd die het maar kan bedenken.

Als ik mijn jas aanheb richt ik me op. Waar is mijn andere rode pump? Als ik de bosjes in de omgeving heb nagezocht en niets heb gevonden, kan ik het niet meer interessant vinden. Een schoen minder in mijn leven, ik heb al zoveel verloren. Ik moet naar huis. Douchen en huilen, hoewel ik niet weet of dat laatste gaat lukken. Rechtop en met de wie-doet-mij-iets blik strak op mijn gezicht geplakt, loop ik naar de weg langs het park. Ik heb het zo koud dat ik het rillen van mijn lichaam nauwelijks kan onderdrukken.

Onderweg naar mijn flatje kom ik slechts een paar mensen tegen. Hun afkeurende blik beantwoord ik met een hautain knikje. Zak toch in de stront, denk ik er steeds bij, terwijl ik de ongelijke tred van mijn blote en mijn beschoende voet probeer te verbergen.

Eindelijk ben ik bij de ingang van mijn flat. Zelfs de prikkelende urinelucht verwelkom ik met een immense opluchting. Ik ben bijna thuis. Dan kan ik de deur achter me dichtdoen en me afsluiten van alles wat mij zo intens kwetst. Waarom ziet niemand dat me onrecht wordt aangedaan?

Ik werp een blik onder de trap en zie opgelucht dat de portier niet aanwezig is. Als ik op de lift sta te wachten, zakken mijn schouders naar beneden, terwijl ik ertussen kruip en de ellende toelaat. De hooghartigheid is niet meer nodig. Ik ben er bijna. Rillend hup ik van de ene op de andere voet. De kou die mijn blote voet zowat gevoelloos heeft gemaakt is zelfs in de hal van mijn flat aanwezig. Waar blijft de lift? Welke idioot houdt op dit vroege tijdstip de lift bezet?

Dan zie ik het licht van de liftruimte door de spleet van de deur schijnen. Ik doe een stap naar voren. Bijna thuis. Terwijl de liftdeuren schokkerig openschuiven zie ik iemand staan. In een reflex stap ik achteruit. Het helpt echter niets. De bruine ogen nemen me in detail op en glijden vanaf mijn gezicht naar beneden. Ze tasten elke centimeter van mijn vervuilde lijf af.

Mijn ogen vluchten naar de grond.

'Dag schone Janna.' Dan loopt hij langs me heen, met jaloersmakend stevige passen, naar zijn eigen ruimte onder de trap.

Ik schiet de lift in en wacht trillend tot de deuren zich zullen sluiten.

## 2

Het water klettert op mijn hoofd. Met mijn ogen gesloten voel ik hoe mijn afgekoelde lijf de warmte opslurpt en het vuil van de afgelopen nacht loslaat. Binnen in mij ligt echter een brok verdriet waardoor mijn longen nauwelijks nog ruimte hebben. Hoe ben ik in dat park terechtgekomen? Wat is er allemaal gebeurd in de tijd die ergens in een zwart gat van mijn geheugen terecht is gekomen? Ik herinner me alleen nog vaag dat ik oneindig kwaad was. Dat ik geslagen heb. Zo hard als ik maar kon. De man die daarna kwam wil ik alleen maar vergeten.

Pas na lange tijd pak ik wat douchegel en begin te boenen. Eerst zacht om de wonden op mijn lichaam te ontzien, maar de smerigheid die mijn lichaam bezet is zo hardnekkig dat ik algauw met een spons op elk klein stukje huid aan het schrobben sla. Van het lichaam met te ronde vormen, waaraan Roderick zo'n hekel had, is allang niets meer over. Alsof het volkomen weggeteerd is.

De kreun komt ergens uit mijn lichaam. Ik voel de brandende pijn in mijn ogen maar weet niet of het door zeep of door tranen veroorzaakt wordt. Fel ga ik tekeer op mijn buik en borsten. Pas als ik aan de binnenkant van mijn dijen kom, vertragen mijn bewegingen. Met mijn vingers tast ik mijn intieme delen af. De schrijnende pijn die dit oplevert geeft aan dat iemand niet erg zachtzinnig bezig is geweest. Geen van de mannen die ik in de afgelopen periode toegestaan heb om de leegte via mijn meest intieme deel te vullen, heeft mij beschadigd. Gebruikt, dat wel. Maar heb ik daar niet zelf om gevraagd? Ik was blij met hun aanwezigheid omdat ik die schreeuwende stilte vele malen erger vond. Het bleef altijd mijn keuze, ook al gingen ze soms verder dan ik had willen gaan. Als ze maar niet weggingen en me alleen lieten.

Vannacht was het echter niet mijn keuze. Wie was het? Wat heeft hij allemaal met me gedaan voor hij me als oud vuil achterliet? De vraag of ik dat eigenlijk wel wil weten blijft hangen.

Als ik er eindelijk aan toekom om mijn handen te bekijken, zie ik slechts één wond. Hoe komt het dan dat zowel mijn handen als mijn blouse zo vol bloed zaten? Smerig, plakkerig en vooral veel was het. Het is een onooglijk klein gat en ik kan me zelfs niet meer herinneren hoe ik eraan kom.

Na misschien wel een uur kom ik er eindelijk toe de douche uit te zetten. Ik kies de ruigste handdoek uit om mezelf te laten voelen dat ik nog leef. Ik heb die gedachte nog niet toe durven laten, maar besef steeds meer dat ik geluk gehad heb.

'Geluk gehad.' Een schamper lachje schiet over mijn gebarsten lippen, terwijl ik dat gevoel meer gewicht probeer te geven. Mijn huid begint te gloeien, en ik praat op mezelf in. Dat doe ik de laatste maanden vaker bij gebrek aan iemand om me heen. Dan fluister ik tegen mijn spiegelbeeld, maar nu spreek ik hardop. Alsof ik echt tot mezelf door wil dringen.

'Janna, je moet veranderen. Als je zo doorgaat zul je Fleur nooit meer thuis krijgen.' De woorden galmen rond in de kale doucheruimte. Het klinkt goedkoop. Veranderen lijkt makkelijk. Het moet vanuit jezelf komen. Hou van jezelf. Dat zeggen al die therapeuten, terwijl ik die mooisprekers per definitie niet geloof. Toch treiteren de door mijzelf uitgesproken woorden. 'Ga er maar tegenin!' daag ik mezelf uit. 'Het klopt toch? Je moet willen veranderen.'

Ik ben zo moe van het vechten. Maar wat zwaarder weegt is dat ik niet meer wil voldoen aan al die eisen die gezinsvoogden en andere zogenaamd professionele hulpverleners stellen. Fleur is toch zeker mijn dochter? Niemand heeft iets over haar te zeggen. Ik hou van haar, en ik zal haar nooit iets aandoen, ook al beweren ze dat ze daar niet van overtuigd zijn. Ze willen geen risico lopen. Niet meer na de peuter Savanna. Haar geest zweeft als een angstbeeld rond in de jeugdzorg. Ze is een symbool geworden van de falende hulpverlening. Haar dood heeft het voor de rest van Nederland mooi verpest. Bij twijfel plaatsen ze een kind gewoon uit huis.

Als elk naadje van mijn lichaam afgedroogd is, loop ik in mijn blootje naar de slaapkamer. De rechte lijn die ik zou willen lopen, golft voor mijn ogen. Mijn hoofd vecht tegen al die donkere nevels die ik eerder heb gezien. De angst om me weer op te laten slokken wordt enigszins gedimd als ik mijn eigen bed zie. In mijn bed is het veilig. Daar kan ik mijn gekwetste lichaam de rust geven waar het om bedelt. Het zachte dekbed is een weldaad die me opnieuw emotioneel maakt. Tranen duwen achter mijn gesloten ogen als ik me uitstrek en mijn spieren kan loslaten. Ik ben in mijn eigen woning waar ik zo lang een hekel aan gehad heb, maar wat nu opeens als een veilig fort voelt in de vijandelijke buitenwereld. Ik pak mijn kussen en druk het tegen mijn borst aan waar mijn hart langzaam minder fel begint te kloppen. In gedachten omhels ik mijn kleine meisje. Hoe gaat het met haar? Wie is er nu bij haar? Heeft ze verdriet of is ze juist tevreden? Ze moeten allemaal van haar afblijven. Ze is van mij! Het ergste is dat ik niet eens meer weet wat er in haar omgaat.

Mijn hoofd is er erger aan toe dan ik dacht, is mijn eerste gedachte als ik hard gebons waarneem. Het is licht in de slaapkamer. De wekker geeft dubbele cijfers aan. Eind van de middag?

Alles wat er is gebeurd komt terug, alsof er een memorycard in mijn hoofd geduwd wordt. Ik leg mijn hoofd weer neer en sluit mijn ogen. Ik wil niet wakker zijn. Niet na moeten denken. Niemand wacht op mij.

Weer klinkt er hard gebons. Is dat op mijn voordeur? Waarom gebruiken ze de bel niet?

'Doe open. Politie.' De stem dreunt door de gang.

Nu ben ik wakker. Fleur, schiet direct door mijn hoofd. Er is iets met Fleur.

Met een snelheid die mijn lichaam niet waardeert, schiet ik een ochtendjas aan. Ondanks de jagende angst om Fleur, kijk ik toch eerst even langs het gordijntje bij de deur. Ik wil niet verrast worden.

Twee agenten. Een oudere man, zijn handen onder zijn buik gevouwen, en een jongere vrouwelijke agente, die met een strak gezicht voor zich uit kijkt. Ik doe zonder enige aarzeling de deur open.

'Bent u mevrouw Janna Bervoets?' Grijze ogen kijken mij vanonder een dik wenkbrauwenbos aan.

Ik knik, hoewel Rodericks achternaam niet meer de mijne is.

'Is er iets met Fleur?' Mijn adem gaat oppervlakkig. Er kan nauwelijks lucht in mijn longen, zo knijpt de angst mijn borst samen. Roderick is te ver gegaan. Hij heeft haar…

'Wij zijn van de Utrechtse recherche. Ik ben Knaap en dit is mijn collega Kusters, mogen we even binnenkomen?'

Zonder verdere plichtplegingen stappen de twee langs me heen.

'Is ze…?' Het is als een scenario uit een film. De standaardzin zal zo komen. Ik wil het niet horen. Niet weten. Dus druk ik mijn handpalmen op mijn oren.

De grijze ogen drukken echter geen ongemak of verlegenheid uit. Ze nemen me zelfs onderzoekend op.

'Kunt u ons zeggen waar u vannacht was?'

'Is Fleur ongedeerd?' Ik stoot het naar buiten.

Een blik wordt uitgewisseld. Verstandhouding? Of toestemming om het zwarte bericht te mogen noemen?

'Fleur, mijn dochter. Ze is toch wel in orde?' Ik kijk ze om de beurt aan. Ze geven geen krimp.

'Wij komen niet voor Fleur. We komen voor u. Wilt u ons vertellen waar u vannacht was?' De stem klinkt iets minder streng.

'Thuis,' zeg ik zonder enige aarzeling. Niemand hoeft te weten hoe ik vannacht vernederd ben. Aangifte doen van mishandeling of verkrachting heeft geen zin, dat heb ik allang ervaren. Goede contacten zijn bepalend.

'Heeft u uw ex-man recentelijk nog gezien?'

Zie je wel, het was Roderick. Wat heeft hij gedaan? Waarom ben ik gestopt met vechten? Ik was de enige die Fleur kon beschermen, de anderen wisten niet hoe hij was. Ze zagen alleen dat masker van hem.

Pas als een van de wenkbrauwen van de agent omhoog beweegt, besef ik dat ik hem al een tijdje aanstaar. Heeft hij wat gevraagd?

'Het lijkt me goed als u even meegaat naar het bureau. U heeft het recht te zwijgen. Alles wat u zegt…'

'Maar waarom? Wat is er aan de hand?'

De agent dreunt eerst de standaardzinnen op die ik herken van de politieseries op tv.

'Ik begrijp het niet.'

'Kleedt u zich maar aan. We wachten hier op u.' De man kijkt rond in mijn kamer en gaat dan op een van de eetkamerstoelen zitten.

'Is er iets met Roderick aan de hand? Wat heeft hij nu weer geflikt?'

De vrouw die tot dan toe met stijve lippen alles heeft gadegeslagen laat nu een glimlachje over haar gezicht glijden. 'Zal ik u even helpen?'

We staren elkaar een tijdje aan, tot ik besef dat er verder geen informatie zal komen.

'Als u me wilt excuseren?' Ik glip mijn slaapkamer binnen. *Waar was u vannacht?* De vraag geeft een insinuatie die me nu pas opvalt. Ik heb Roderick vannacht helemaal niet gezien. Toch? Haastig trek ik de spijkerbroek en trui aan die toevallig nog op een stoel hangen en spoel wat koud water over mijn gezicht.

Een paar minuten later stap ik naar buiten. De twee agenten wachten tot ik mijn woning op slot heb gedaan. Ik adem de frisse buitenlucht diep in terwijl ik voor hen uit naar de lift loop. Intussen probeer ik koortsachtig herinneringen op te diepen die ergens onder de sluier van de alcoholverdoving verborgen liggen. Waar was ik vannacht?

# 3

De handen van de agente tasten elke hobbel op mijn lichaam af. Haar handen zijn kil op mijn blote huid. Zelfs de beugels van mijn bh worden grondig bevoeld en er wordt aan de sluiting getrokken. Elke millimeter van mijn lichaam wordt betast, ik kan alleen maar denken aan de vorige nacht. Kil, confronterend en pijnlijk. Ik wil haar vingers wegslaan. Niemand mag aan mijn lichaam zitten zonder toestemming, ik heb het al te vaak weggegeven. Het is genoeg.

Ik kronkel van haar weg, maar ze trekt haar stijve lippen samen en geeft een knikje naar haar collega die me al die tijd met zijn grijze ogen heeft gadegeslagen. Hij grijpt me vast en houdt me in bedwang, terwijl Stijflip verder gaat met fouilleren. Het is alsof de vorige nacht in de herhaling is gezet. Ik wil het niet voelen, niet zien en vooral niet meemaken. Ik ben alles al kwijtgeraakt. Het ergste is dat ik nu ook niets meer te zeggen heb over het enige wat ik nog over heb: mijn eigen lichaam.

Het lijkt uren te duren voor Stijflip klaar is met haar voelwerk. Ik bekijk haar en vraag me af of dit de reden is dat vrouwen agent worden: genieten van dominantie.

Nog steeds hebben de twee sterke vuisten van Grijsoog mijn armen vast. Ik voel me naakter dan ooit tevoren. Ik spartel niet meer tegen, maar het is moeilijk om te berusten in deze beschamende positie. Wanneer is deze belachelijke vertoning voorbij? Ze zullen nu toch wel beseffen dat ze compleet fout zitten? Ik heb niets te vertellen en dat zal ik ook niet doen. Waarover zou ik wat moeten vertellen? Over dat shitleven dat ik gekregen heb sinds Roderick zijn macht heeft laten gelden?

Stijflip gaat nu verder met mijn kleren. Ze worden grondig doorzocht en alles wat ook maar enigszins los zit wordt eruit gehaald, voordat ik ze terugkrijg. Op tafel ligt een plastic zak met mijn persoonlijke bezittingen. Alles hebben ze afgenomen, mijn telefoon, mijn horloge, mijn sleutels, mijn sieraden, alles verdwijnt in die zak.

'Wat gaat er gebeuren?'

'Wacht maar rustig af.'

'Waar brengen jullie me heen?'

'Dat zul je vanzelf zien.'

'Wat willen jullie weten? Waarom ben ik hier? Wat is er eigenlijk aan de hand?'

Elke vraag die ik stel wordt omzeild. Het lijkt alsof ze erop getraind zijn om vooral geen informatie te geven.

Ik word door Grijsoog bij mijn arm gegrepen. 'Kom maar mee.'

Stijflip loopt voor ons uit. Het valt me op dat ze een pleister op de hak van haar voet heeft zitten. Last van blaren in haar dienstschoenen? Het is haar eerste menselijke trekje. Misschien is ze de kwaadste niet. Ze doet ook maar gewoon haar werk.

Als ze stopt voel ik dat mijn spieren zich aanspannen. Wat gaan ze met me doen? Er wordt een deur geopend. Een grijs hokje van één bij één, ingericht met een betonnen bankje, wordt zichtbaar.

'Naar binnen.'

Nadat de deur met een doffe klap achter me sluit, hoor ik hoe de sleutel wordt omgedraaid. Het bankje in de arrestantencel dwingt me bijna om te gaan zitten, maar ik weiger eraan toe te geven. Als ik dan als een identiteitsloos object vast moet worden gezet is dat tot daaraan toe, maar volgzaam doen wat ze hier willen gaat me net te ver.

Opeens ben ik alleen met mijn gedachten, die steeds weer draaien om die ene vraag die herhaaldelijk gesteld werd: waar was u vannacht?

Wat willen ze van me? Hoe kunnen ze iemand zomaar oppakken, op een afschuwelijke manier fouilleren en dan opsluiten als een crimineel? Wanneer komen ze erachter dat ik niets gedaan heb? Het is me niet eens duidelijk wat ik gedaan zou moeten hebben. Waartegen ik me zou moeten verdedigen. Is er iets met Roderick? Heeft hij weer iets nieuws bedacht om me te pakken te nemen? Wat nu weer? Heb ik nog niet genoeg geleden?

Ik snak naar een borrel. Iets waardoor mijn hoofd niet zo verdomd helder zou zijn. Het vreet aan me om alles zo keihard te beseffen, maar tegelijkertijd niet te weten wat ze willen. Ik staar naar de dichte deur. Gek, aan de binnenkant zit geen sleutelgat.

De uren zijn kaler dan de cel. Natuurlijk ben ik uiteindelijk toch maar gaan zitten op dat ijskoude betonnen bankje. Mijn leven is teruggebracht tot wachten. Ik heb geen enkele zeggenschap meer over wat dan ook. Niets meer zelf te beslissen. Mijn leven zit op slot en het is de vraag of ik ooit de sleutel terug zal krijgen.

Hoe laat is het? Is het al avond? Nacht misschien zelfs? Het zijn vragen waarop geen antwoord te bedenken is. Waar geen houvast voor is. Ik kan zelfs niet meer bedenken hoe laat het was toen ik thuis opgehaald werd. Mijn lichaam, dat normaal gesproken wel een gevoel van honger of slaap doorgeeft, is stil.

Er is geschreeuw op de gang. Een man die verwensingen uitkraamt die ik nooit eerder heb gehoord. De agressie die eruit spreekt laat me rillen. Ik hoor hier niet thuis. Wanneer zullen ze dat eindelijk beseffen?

Opeens hoor ik iemand om een dokter roepen. Wat is er gebeurd? Is er iemand gewond? Is er een echte gevangene losgebroken? Of is iemand in een andere cel onwel geworden? Rennende voetstappen. Stilte. Geen informatie. Ik kan niets zien, heb geen idee wat er buiten dit kleine hokje gebeurt.

Dan zwaait de deur open. Twee jonge agenten staan in de deuropening. Eindelijk, ik mag naar huis. Met een diepe zucht sta ik op. Ik moet me vastgrijpen aan de wand omdat een duizeling me bevangt.

'Meekomen.' Een simpel bevel.

Wacht, dit klopt niet. Ik mag toch zeker wel naar huis? Ze zullen nu toch wel doorhebben dat ze een fout maken?

'Wat gaat er gebeuren?' Mijn stem galmt door de gang.

Zelfs deze jonge knapen doen mee met de wedstrijd nietszeggende antwoorden geven.

'Waarom ben ik hier?'

Ze kijken me niet eens aan.

Pas als ik in een arrestantenbus word geduwd en in mijn eigen kleine, afgesloten ruimte achter in de bus zit, besef ik dat ik niet naar huis gebracht word. Ik gluur tussen de kieren door naar buiten. Het is donker. We rijden Utrecht uit, maar verder is het niet te volgen waar ze me naartoe brengen.

'Zeker je eerste keer?' zegt een meisje met warrig zwart haar dat in een andere deelcel zit. Haar make-up is doorgelopen maar haar ogen flonkeren fel in het spaarzame licht dat van de straatlantaarns naar binnen schijnt.

Ik knik slechts. Ik heb geen zin om met haar te praten. Wie weet wat ze uitgespookt heeft? Daar hoor ik niet bij.

'Die klootzakken vertellen je niets. Allemaal smerige tactiek. Ik heb geleerd dat terugzwijgen je enige wapen is.'

Dus zwijg ik en staar naar buiten, waar het leven gewoon doordraait.

# 4

De geelgroene muren zitten vol vegen. Holle klanken van sloten worden begeleid door onregelmatig geschreeuw van andere gevangenen. Het moet al weer uren geleden zijn dat ik hier ingesloten ben. Ik voel me oneindig moe, maar kan mezelf er niet toe zetten om te gaan liggen op het betonnen bed waarop een matras met een dikke plastic hoes ligt. Het papieren laken dat ik heb gekregen is volstrekt ontoereikend om me op een of andere manier comfort te bieden.

Met de verstrijkende uren ben ik me steeds zieker gaan voelen. Opnieuw golft een vlaag van misselijkheid door mijn buik en laat mijn lichaam samenkrimpen. Meer dan een beetje gal komt er niet uit, het kokhalzen doet zo veel pijn dat het mijn misselijke gevoel alleen maar versterkt.

Als de samentrekkingen rond mijn maag wegebben, kruip ik helemaal in elkaar in de hoek tegen de muur. De cel is vergeven van de zure lucht van kots, maar ik weiger om een bewaker te roepen.

Ik heb geen idee wat er allemaal te gebeuren staat. Bij aankomst ben ik opnieuw gefouilleerd. Verder geen informatie. Wel weer een cel, als ik het kot van twee bij anderhalve meter zo mag noemen. Er zit een onverwoestbare deur in met een kijkluik en een doorgeefluik. Zou ik hierdoor mijn eten en drinken aangereikt krijgen, als een varken dat ook nog dankbaar moet knorren?

Het is vreemd om geen idee van tijd te hebben. Nog erger is het dat er niet naar me geluisterd wordt. Niets blijkt te mogen, en niets blijkt te kunnen. Zelfs een advocaat mogen ze blijkbaar niet oproepen midden in de nacht. Het enige wat ik kan doen is al die informatie accepteren als de waarheid. Maar ik blijf me afvragen of ik me nu iets laat wijsmaken of dat dit echt de normale gang van zaken is. Ik probeer me te herinneren of Roderick, die ook advocaat is, weleens midden in de nacht werd opgeroepen? Kwam hij daarom soms niet thuis? Ik heb geen idee meer. Het enige wat duidelijk is: alleen hun regels gelden, ook al zijn die me onbekend.

Hoe kwaad ik er ook om kan worden, het heeft totaal geen zin. Ik zal moeten wachten, ziek als een hond en dorstig als een vis op het droge, tot zij weer iets van mij willen. Mijn enige wapen is zwijgen, dreunt door me heen. Maar zullen ze me niet vergeten als ik blijf zwijgen? Is dat niet nóg erger dan weggestopt te worden zonder te weten waarom?

Het geluid van het luikje dat in een cel verderop in de gang geopend wordt, klinkt hol door de nachtelijke stilte. Mijn buurman begint te schreeuwen om een sigaret. De scheldwoorden die hij hierbij door de gang smijt zijn vol uitwerpselen. Er komt geen antwoord. Even is het stil, dan klinkt het volgende luikje. Het is een terugkerende riedel die elk uur opnieuw start aan het begin van de gang. Elk uur? Of zit er langer tussen?

Na een eindeloze herhaling van het metalige geluid is mijn buurman aan de beurt. Hij eist nu een sigaret. Het luikje gaat zonder antwoord dicht. Het stelselmatig negeren is voor hem aanleiding om zijn cel te verbouwen. Hoe hij het doet is me een raadsel. Er is helemaal niets wat los zit. De roestvrijstalen wc heeft zelfs geen bril om op te zitten. Toch maakt hij een hels kabaal dat beangstigend dichtbij klinkt en nog erger is omdat ik zelf machteloos opgesloten ben en nergens heen kan. Mijn herinnering aan de losse handen van Roderick wordt hier levend gehouden.

Ik schrik me rot als mijn luikje opengaat. Heel stil blijf ik zitten, in elkaar gedoken op de grond. Ik weiger op te kijken. Ik ben er niet, houd ik mezelf voor. In de stilte die volgt houd ik mijn adem in. Stel dat ik hier dood zou gaan, zouden ze me dan gewoon laten liggen? Wie staat er achter dat vreselijke gat in mijn kot naar me te staren? Wat denken die gewetenloze agenten als ze mij hier in de hoek zien zitten? Of denken ze niets? Ben ik in hun ogen geen gewoon mens meer, maar een vuil object waarvan ze alleen maar hoeven te controleren of het nog ademt? Een onwillekeurige rilling zet mijn spieren in beweging. Dat is genoeg, want het luikje klapt dicht. Ik ben weer alleen.

De luikjesestafette wordt voortgezet door de gang. Ik richt me op en kijk naar het fonteintje. Had ik maar zeep. Het is onvoorstelbaar hoe je kunt verlangen naar zoiets simpels. Ik voel me inderdaad een vies object. Mijn kleren stinken naar zweet en de douche die ik toch nog niet zo lang geleden heb genomen, lijkt al eeuwen terug.

Ik leun boven de rand van de roestvrijstalen bak, maar het stomme pisstraaltje dat uit het fonteintje komt is nauwelijks voldoende om mijn gezicht nat te maken. Bovendien stopt het waterstraaltje als ik het knopje loslaat. Het lijkt op een aaneenschakeling van pesterig gedrag. Alsof ze er een studie van hebben gemaakt om gevangenen met allerlei simpele maar doeltreffende trucjes te breken. Alles is toegestaan als het straks het verhoor maar kan verkorten, en ze op tijd naar hun eigen vrouwtje terug kunnen. Geef alles maar toe, wij hebben toch gelijk. Of we krijgen het.

Mijn ogen branden. Vermoeidheid? Ik wil opeens slapen. De uren kapotslaan door gewoon even weg te vluchten in een diepe slaap. De botten van mijn heupen protesteren als ik me uitstrek op het betonnen bed. Zelfs het doodse licht dat de verlatenheid van mijn verplichte onderkomen benadrukt, kan me niet deren. Al hadden ze een schijnwerper op me gezet, als ik mijn ogen sluit ben ik even binnen in mezelf. Het geeft me rust, hoewel de vragen opeens harder gaan doordraaien. Heftige oprispingen van mijn verwarde brein. Wat doe ik in de gevangenis? Hoe kom ik hier terecht? Maar nog dwingender: hoe kom ik hier weer uit?

Net als ik dreig weg te zakken, begint de luikenronde opnieuw. Klang. Luikje open, en weer dicht. Steeds dichterbij. Het geschreeuw om die klotesigaret begint al ver voordat ze bij mijn buurman zijn aangekomen. Het naait me op. Ik wil slapen om te kunnen ontsnappen uit deze godvergeten hel vol oordelende ogen. Het gaat hier niet om schuld. Het gaat om uithoudingsvermogen. Dat staat me helder voor ogen.

Wanneer gaat die deur eindelijk eens open omdat ze me willen vertellen dat ze een vergissing hebben gemaakt? Dat ik gewoon vrijgelaten word. Maar terwijl het luikjesgeluid dichterbij komt, tikken die rotseconden door zonder dat er iets gebeurt.

'Mevrouw Van Dongen, waar was u gisternacht?' Grijsoog zit tegenover me en typt met twee vingers elk woord dat ik zeg. Hij noemt me in ieder geval nu bij mijn meisjesnaam.

'Thuis. Ik was thuis.'

'Er zijn mensen die u in het centrum van Utrecht hebben gezien.'

'Ik was thuis,' schreeuw ik naar die irritant rustige ogen. Zijn vingers weten de toetsen met moeite te vinden. Het is zeker al de vijfde keer dat ik hetzelfde tegen hem zeg, waarom kopieert hij het niet gewoon? Probeert hij mijn geduld op de proef te stellen? Ik ben geduldig, verdomme, supergeduldig. Ik heb niets te verliezen. Bovendien, al was ik wel in het centrum, wat dan nog? Niemand heeft in de afgelopen maanden naar me omgekeken of zich zorgen gemaakt. Waarom nu dan ineens wel?

De agente zit aan een ander tafeltje, en lijkt zich niet voor het gesprek te interesseren. Met moeite houd ik een opmerking aan haar adres in. Wees rustig en beleefd, fluister ik tegen mezelf, dat zal me helpen om hen er eindelijk van te overtuigen dat ze de verkeerde opgepakt hebben.

'Ik word niet goed van dat computersysteem,' moppert de oudere agent. 'Ik lig er alweer uit.'

'Dat krijg je met al die bezuinigingen. Ik heb dorst, zal ik even koffie halen?' vraagt Stijflip.

Dorst. Het is een uitdrukking die nauwelijks voldoende aangeeft waar ik naar verlang.

'Ja, graag, geef mevrouw ook een kopje.'

De minachtende blik waarmee Stijflip naar me kijkt snijdt naar binnen. Het maakt mij duidelijk dat ik me op Grijsoog moet richten, van deze dame heb ik niets te verwachten.

Er gaan minuten voorbij, waarin het klikken van de muis het enige geluid is.

'Aha, daar zijn we weer. Goed, u was dus thuis, beweert u.'

'Waarom ben ik hier?' Het kost me moeite om mijn stem rustig te laten klinken.

De oudere agent tegenover me legt zijn handen onder zijn kin en kijkt me onderzoekend aan. 'Weet u dat dan niet? Het gaat over uw ex-echtgenoot.'

'Koffie voor mevrouw.' De sarcastische klank probeer ik te negeren.

'Mijn ex? Roderick? Wat heeft hij nu weer voor leugens bedacht?'

In de stilte die volgt neem ik een slok. De koffie is sterk en zoet.

'Meneer Bervoets is gevonden bij zijn huis aan de gracht. We gaan uit van een misdrijf.'

# 5 Eerder

Mijn vingers tikken een zenuwachtig ritme op het stuur, terwijl ik onafgebroken naar het stoplicht staar. 'Rood, altijd maar rood,' zucht ik. Het stoplicht dat met het irritatie opwekkende rood het complete verkeer vast lijkt te zetten in het overvolle centrum van Utrecht, versterkt mijn onrust alleen maar.

Vandaag is het me alweer niet gelukt om Fleur op tijd op te halen bij de buitenschoolse opvang. Ik ben blij dat mijn vriendin Ilse altijd bereid is in te springen. Het blijft kaatsenballen met alle functies die ik in mijn leven heb gestouwd. Medewerker, moeder en echtgenote. Het eerste geeft voldoening en het tweede is een lang gekoesterde wens die me met warmte vervuld, maar aan het laatste moet ik bewust werken. Ik neem me voor om Roderick binnenkort weer eens over te halen samen uit te gaan. Ook over huwelijkse aangelegenheden is het goed om regelmatig een soort van functioneringsgesprek te voeren. Beiden een drukke baan is niet erg bevorderlijk voor de liefde. Roderick is de laatste tijd vaak weg. De afgelopen twee nachten is hij niet eens thuisgekomen. Hij is zelfs vergeten om me een sms te sturen.

Ik probeer het te begrijpen. Een succesvol advocaat wordt veel gevraagd, en dus is hij vaak weg om zaken te behartigen, rechtszaken bij te wonen, dossiers door te nemen of met verdachten te spreken. En dat kan niet alleen tijdens kantooruren. Het vervelende is echter dat bij hem die drukte zijn tol eist. Hij raakt overprikkeld en krijgt dan vaker driftaanvallen. Op goed gekozen momenten heb ik hem gevraagd om rustiger werk te zoeken. Maar hij wil er niets van weten.

Gelukkig loopt het op mijn eigen werk erg goed. Die bespreking vanmiddag ging fantastisch. Zo lang is het nog niet geleden dat Roderick me attendeerde op deze functie bij een tennismaat van hem. Werken bij een schoonmaakbedrijf klonk niet erg opwindend, maar nu ik hogerop ben gekomen voel ik me steeds meer gewaardeerd. In een betrekkelijk korte tijd heb ik al veel bereikt, maar ik wil nog meer. Met een beetje mazzel sleep ik binnenkort weer een promotie binnen. Wat zal Roderick dan trots op me zijn. Dat drijft me voort.

Het is al ver over zevenen als ik eindelijk voor het huis van Ilse parkeer. Als ik de motor uitzet blijf ik nog even zitten, leg mijn armen op het stuur en strek mijn nekspieren. Pas bij het uitstappen tracht ik de rest van de vermoeidheid uit mijn schouders te schudden.

De onderzoekende blik van Ilse tast mijn gezicht af. 'Zeg maar niets, Janna. Druk gehad, zeker.' Met een omhelzing trekt ze me de warmte van haar woning binnen. De huiselijke geur van bloemkool brengt mij bijna in tranen.

In de kamer zitten Fleur en Dennis te plakken aan de grote eettafel. Ik krijg een afwezige kus van mijn dochter. Zo belangrijk als ik me op mijn werk voelde, terwijl ik fanatiek mijn denkbeelden over de naderende ontslagprocedure verdedigde, zo onbetekenend lijkt mijn aanwezigheid hier. Het relativeert.

Ik loop achter Ilse aan. 'Fijn dat je Fleur kon ophalen. Gaf het geen problemen?'

De lach van Ilse strijkt de druk op mijn hart weg. 'Nee, hoor. Het was goed dat je opgebeld had. Leyla was bezig, dus heb ik het aan die magere doorgegeven. Die is het makkelijkst.'

'Die denkt alleen maar aan eten,' beaam ik terwijl ik doorloop naar de zithoek, waar loungemuziek de rustige sfeer in een lekker ritme zet.

'Aan niet-eten, bedoel je. De kledingkeuze van die meiden was wel weer... apart. Ze zetten echt alles in de uitverkoop, en zijn dan nog verontwaardigd als mannenogen aan dat goedgevulde decolleté blijven hangen. Waarom kopen ze niet wat beter passende kleding? Een lekker lichaam moet je wel netjes opbergen.'

Ik kijk naar mijn beste vriendin. Haar warrige blonde stekelhaar geeft vrij zicht op haar zwaar verzilverde oren. De rode lippenstift zou ik nooit opdoen, maar bij Ilse past het perfect. Haar verontwaardiging is niet gespeeld. Ze is een recht-voor-zijn-raap vrouw.

Ik moet lachen om de gebruikte bewoordingen. 'Je hebt gelijk. Mijn dochter zou ook niet zo naar haar werk mogen, maar het zijn gewoon leuke meiden. Bovendien gaan ze lief met de kinderen om, dat vind ik belangrijker.' De spanning die zich tijdens mijn werk heeft opgebouwd drijft weg.

'Heb je trouwens gezien wat Leyla gister aanhad?' gaat Ilse gewoon verder. 'Een dikke paarse kabeltrui. Die meid is echt een geval apart. Hoe kan ze zoiets dragen? Misschien moet ze er dan een bijpassend paars montuur bij opzetten.'

We schieten tegelijk in de lach. Ik zie het gezicht van Leyla voor me, grotendeels bepaald door een dik montuur.

'Ga effe lekker zitten. Is verder alles goed met je? Je ziet wat bleek,' informeert Ilse, terwijl ze zonder te vragen een wijntje inschenkt.

'Het gaat prima, hoor. Vandaag kreeg ik zowaar complimenten. Daar zijn ze meestal niet zo scheutig mee.'

'Is Roderick op reis?'

Er schiet een band om mijn maag. 'Heeft Fleur dat verteld?'

'Hmm,' humt ze bevestigend. De rust op haar gezicht als ze genietend een slok neemt is opeens jaloersmakend.

Voor ik antwoord geef nip ik aan de drank. De rosé is net niet te zoet. 'Hij blijft de laatste tijd soms op kantoor. Hij is zo druk.'

'Júllie zijn druk.' Haar intonatie geeft de woorden een andere betekenis. 'Maar daarom blijf jij toch ook niet zomaar twee nachten weg? Hoewel het ook wel rustig is als hij even weg is, toch?'

'Ja, misschien wel.' Het komt er aarzelend uit. Het voelt ook zo dubbel. Zonder enige twijfel is het zonder hem rustiger thuis. Heerlijk keutelen met Fleur, lang voorlezen, samen een tv-programma kijken en als Fleur naar bed is nog wat tijd aan mijn werk besteden. Ik denk er weleens aan hoe het zou zijn om bij hem weg te gaan. Maar toch… alleen de gedachte al. Het maakt me benauwd. Ik heb hem toch niet voor niets eeuwige trouw beloofd? In goede en in slechte tijden. Ik weet nog zo goed dat ik die woorden uitsprak, ik voelde ze echt diep in mij. Nee, die belofte zal ik nooit breken. Ik hou toch van hem?

Mijn glas is opeens leeg. Zonder vragen wordt hij bijgevuld.

'Mannen zijn klootzakken,' oordeelt Ilse hard.

Ik realiseer me dat ik hem dezelfde benaming heb toegedicht toen ik de afgelopen nacht weer in mijn eentje in bed lag, me af-vragend waar hij zou zijn. Of bij wie? Me opvretend van angst en woede om zijn stilzwijgende afwezigheid.

'Je moet niet alles pikken,' moppert Ilse naast me. 'Die man is jou niet waard.'

Net als ik haar tegen wil spreken, komt er een sms binnen. 'Ro-derick,' fluister ik.

'Aha, meneer heeft je zeker nodig. Hoe laat ben je thuis? Heb je boodschappen gedaan? Hoe laat is het eten klaar?' Haar nabootss-stem klinkt belachelijk, maar ik besef dat ze zomaar gelijk kan heb-ben.

ZORG DAT JE ROND ETENSTIJD THUIS BENT. IK KOM WAT SPULLEN OPHALEN.

Ik trek een veelbetekenend gezicht en geef mijn gsm aan Ilse.

Fleur hangt over mijn stoelleuning. 'Is pappa al thuis?'

Ik knuffel haar. 'Ga je zo mee naar huis? We moeten op tijd eten.' Weg is ze weer.

'Als je wilt kun je hier wel blijven eten,' biedt Ilse aan. 'Het is al bijna klaar. Jaap komt toch niet thuis, die heeft een etentje van zijn werk.' Ilse schenkt zichzelf nog eens bij.

Het is verleidelijk. Zeker na die bevelende oproep. Rodericks pij-pen zijn al zo lang mijn danspartner geweest. Het zou heerlijk zijn gewoon hier te blijven en bij te kletsen met Ilse. Resoluut schud ik mijn hoofd. 'Ik heb de boodschappen al in de auto liggen.'

'Ik begrijp jou niet. Hij is twee dagen weggeweest! Daarna ont-
biedt hij jou gewoon thuis en jij rent je rot.' Ilse geeft mijn telefoon
terug.

Natuurlijk heeft Ilse gelijk, maar ze weet niet alles. 'Misschien wil
hij wel iets overleggen.' Ik drink mijn glas leeg.

'Spullen ophalen klinkt niet erg overleggerig. Hij heeft toch zelf
een sleutel? Laat hem maar eens voelen hoe het is om niet te weten
waar iemand uithangt.'

Ik wil tegen haar ingaan. Zo erg is het niet. Hij slaapt in zijn eigen
appartement, in de buurt van zijn kantoor. Daar ga ik tenminste
van uit. Ik knijp mijn lippen op elkaar. Natuurlijk begrijp ik haar
kwaadheid, voor die van Roderick ben ik echter beducht. Ik kan
maar beter maken dat ik thuiskom. Hij zal me vast uit kunnen leggen waar hij is geweest.

'Alle mannen zijn eikels,' bromt Ilse naast me.

Ik omhels haar.

'Eikels worden soms prachtige bomen.'

'Daar heb je gelijk in, maar dat kost jaren van kneden, snoeien en
aandacht geven.' Ze lacht nu voluit.

Zo zie ik haar het liefst. Los en vrolijk, niet belerend zoals net.
Dan graaft ze in iets waar ik niemand bij laat. Zelfs mijn beste
vriendin niet. We hadden nooit kunnen dromen dat we, ondanks
onze verschillende karakters, ook in ons volwassen leven zo close
zouden blijven toen we ons bloedritueel hielden en elkaar levens-
lange trouw beloofden in de fietsenkelder van school. Toch is er in
die jaren een kleine reserve ontstaan.

'*I owe you,*' zeg ik bij de voordeur. 'Als de ergste drukte op mijn
werk voorbij is, trakteer ik je op een etentje.'

'Zorg goed voor jezelf,' fluistert ze me toe terwijl Fleur langs ons
heen naar buiten glipt.

Het is fijn dat het zo lekker lang licht is. De eerste voorjaarsbloemen zijn al weer uitgebloeid en de bomen staan vol in het frisse
groen. Het is een stuk rustiger op de weg, waardoor ik lekker kan

doorrijden. Mijn onrust geeft meer gas dan nodig, maar over een bekeuring heb ik me nog nooit druk gemaakt. Geld genoeg, maar tijd te kort. Het maakt de keuze makkelijk.

Fleur en ik zingen onderweg allerlei liedjes; haar vrolijkheid is besmettelijk. Pas als ik de bocht naar het Wilhelminapark neem, haal ik mijn voet van het gas en laat ik mijn cabriolet in een zacht vaartje de laatste meters naar ons grote herenhuis afleggen. De mooie, oude vensters beneden en het vakwerkgedeelte op de eerste verdieping. Ik voel me nog steeds blij dat we dit huis hebben kunnen kopen. Het is heerlijk om hier te wonen. Misschien wel de mooiste plek in Utrecht. Uitzicht op het park, en toch dicht bij het centrum. Zou Roderick er al zijn?

'We hebben vandaag op school een filmpje gezien over vogels.'

'Vogels? Daar ben je gek op.'

'Ik ga straks een eendje voor jou maken.' De woorden van Fleur kabbelen.

'Lief van je, meiske.' Een vluchtige blik op mijn horloge. Het valt mee. Ik moet maar snel beginnen met koken, dan kan ik het eten klaar hebben voor Roderick thuiskomt. Dat zal hij vast prettig vinden. Ik parkeer voor het huis, grijp de boodschappentas en loop naar de voordeur.

Fleur blijft echter staan.

'Ga je mee? Je zou toch een vogel voor me maken?'

'Mam, wat is dat?'

Ik gun mezelf opeens geen tijd meer. 'Nu niet, ik moet beginnen met koken.'

Snel loop ik naar de keuken en begin de spullen uit te stallen op het aanrecht.

Dan staat Fleur naast me en strijkt haar herfstrode krullen uit haar gezicht. Ze blijft naar me staan kijken, stil en afwachtend.

'Wat is er?'

'Er staat een bord in de tuin.'

Waar heeft ze het over?

Ze grijpt mijn hand en trekt me mee naar buiten. Door deze voor haar ongewone aanpak komt het niet eens in me op om te protesteren.

'Kijk mam, dat bord stond er vanmorgen toch nog niet?'

Mijn maag verkrampt. Fleur blijft me stijf vasthouden. Hand in hand staan we voor het bord. De dikgedrukte letters geven de boodschap weer: TE KOOP.

# 6

Hoe ben ik eigenlijk de avond doorgekomen? Nu ik in bed naar de schimmige contouren van de kamer lig te staren, kan ik me de afgelopen uren niet eens meer voor de geest halen. Alsof er nauwelijks tijd is verstreken tussen het kale eten met alleen Fleur en mijn beslissing om dan maar in mijn eentje naar bed gaan. De avond is voorbijgegleden, gevuld met een stilte die vooral dreigend was.

Ik heb geen idee waarom hij toch niet op is komen dagen. Had ik eerder op zijn sms moeten reageren? Was ik te laat thuis? Toen ik later op de avond een paar voorzichtige sms'jes stuurde, kreeg ik geen reactie. Ook een ingesproken bericht op zijn voicemail bleef onbeantwoord.

Het vreemde makelaarsbord zit me helemaal niet lekker. Natuurlijk heb ik geprobeerd om de makelaar te pakken te krijgen. Zinloos natuurlijk. Antwoordapparaat. Er moet een fout gemaakt zijn. Hoe bizar is het dat ons huis zomaar opeens te koop staat? Roderick zal het vast wel regelen. Zoals hij altijd alles voor ons regelt.

Al vanaf het moment dat ik hem heb leren kennen, merkte ik zijn betrokkenheid. Ik voelde me gestreeld doordat zo'n aantrekkelijke man aandacht voor mij had. Die intense blik, de weerbarstige krullen erboven, de intelligentie die uit elke zin sprak. Het was zo fijn om iemand te hebben met wie ik kon praten. Ik had me al zo lang alleen gevoeld. Ik hoorde nergens bij. Bovendien bleek hij goed te kunnen luisteren, een competentie die in zijn werk als advocaat van pas komt. Natuurlijk merkte ik later wel dat híj de beslissingen nam, dat híj bepaalde wat er gekocht werd en waar we op vakantie heen gingen, en dat zíjn wil wet was. Het maakte me niet uit. Hij zorgde voor mij, dat was belangrijk. Ik was niet meer alleen en voelde me niet meer verloren, zoals in die eerste tijd na het ongeluk.

Dertien minuten over twee. De rode cijfers van de wekkerradio lichten op in de nacht. Ze geven feilloos aan hoe lang ik wakker lig. Als ik mijn hoofd draai zie ik de leegte naast me. Daar hoort Roderick te liggen, zijn hoofd diep tussen zijn schouders. Rug gekromd, als een onschuldig kind. Waar is hij? Ik wil het weten, maar tegelijkertijd ook niet.

De irritatie groeit, hoewel ik weet dat alles verdampt op het moment dat hij voor me staat. De minuten glijden traag weg naar het verleden. Ik wil slapen. Moet slapen. Morgen moet ik een belangrijke presentatie geven. Als ik die carrièrevrouw wil zijn, moet ik dat ook uitstralen. Niemand zit te wachten op een vrouw met rode ogen van vermoeidheid. En vooral niet laten zien dat ik wakker lig van persoonlijke problemen. Medewerkers in het bedrijfsleven hebben geen privéleven.

Ik moet ontspannen, houd ik mezelf voor de zoveelste keer voor. Ik staar naar het plafond dat in de grauwe duisternis boven me hangt. De nacht geeft nauwelijks details prijs. Toch weet ik dat in de hoek bruine kringen zitten, veroorzaakt door een lekkage van vorig jaar zomer. De belofte van Roderick om een schilder te regelen is blijven hangen, samen met mijn schuldgevoel omdat ik geen nieuwe gordijnen heb laten maken. Zelfs in het donker is duidelijk te zien dat de haken op verschillende plekken los zijn geraakt. Alsof zelfs de nacht me wil wijzen op mijn tekortkomingen. Júllie zijn druk, zei Ilse. Ze heeft gelijk. Mijn ambitie zorgt voor gratis stress.

Vierentwintig minuten over twee. De nacht tikt door. Ik denk terug aan de tips die ik ooit van Ilse kreeg tegen slapeloosheid. Ademhaling is het toverwoord. Concentratie op iets wat onbewust hoort te gaan, maar wat je dan bewust overneemt. Vreemd fenomeen, je zou toch denken dat het goed is om je gedachten te laten uitwaaieren, in plaats van focussen. Ik zucht diep. Ik mis de ademhaling van Roderick, een zacht knorrend geluid.

Twaalf minuten voor drie. Ik leg mijn beide handen op mijn buik. Adem in en adem uit. Ben ik zelf tevreden? Vroeger kwam die vraag niet eens in me op. Dat was niet belangrijk. We hebben het goed samen. We hebben een prachtig huis, twee auto's voor de deur en er is ruim voldoende geld om alles te kopen wat maar in me opkomt. Roderick verdient de laatste jaren echt goud geld. We hebben een huishoudster, een tuinman, en voor Fleur een plek bij de beste naschoolse opvang van de stad. Ik zou tevreden moeten zijn. Toch blijven die verbijsterende momenten aanwezig. Die onvoorspelbare aanvallen begonnen nadat ik weer was gaan werken. Had ik moeten wachten tot Fleur oud genoeg was? Roderick houdt niet van kinderen. Ik zag hoe hij worstelde met zijn gevoel, net alsof hij geen idee had hoe hij vaderliefde kon tonen.

Ik denk terug aan die nacht dat hij over zijn jeugd vertelde. Het was de eerste en naar later bleek ook de laatste keer. We waren pas drie maanden samen, en lagen na een ontspannen vrijpartij stil tegen elkaar aan in het donker. De woorden die hij gebruikte om de mishandelingen te beschrijven, waren eentonig en vlak. Zijn vader had hem stelselmatig geslagen, waarbij zijn vuisten afgewisseld werden met een dikke stok, die al in de hal op Roderick stond te wachten als hij uit school kwam. Ik durfde op dat moment nauwelijks adem te halen, bang om de sfeer van verbondenheid en vertrouwen te doorbreken. Nadat hij zijn verhaal had gedaan, eindigde hij met de boodschap dat hij geen traan had gelaten toen zijn vader al op jonge leeftijd aan een hartaanval overleed.

Elke keer als ik later een toespeling maakte door zijn gedrag te vergelijken met dat van zijn vader, werd ik ruw onderbroken. 'Jij kunt daar niet over oordelen', was het enige wat hij dan zei. En dan hield ik mijn mond maar weer.

Opnieuw probeer ik me op mijn ademhaling te richten. Ik adem langzaam uit en onder mijn duimen voel ik mijn ribben verschijnen. Langzaam zakken mijn schouders in het matras. Zo is het goed. Nu inademen door mijn neus. Ik moet slapen.

# 7

Fleur staat naast het aanrecht terwijl ik de uien aan het snijden ben. De complimenten van Bram hebben me de hele dag laten stralen. Ik had dan ook een flitsende presentatie gemaakt, en het was puur genieten om te zien hoe al mijn collega's rechtop bleven zitten in plaats van langzaam weg te zakken in desinteresse. Het is een van de leukste kanten van mijn baan als HR-adviseur van het schoonmaakbedrijf. Mijn inzichten op een creatieve manier presenteren kan ik wel. Ik weet dat deze kracht me kan helpen om hogerop te komen.

Als ik nou ook nog wat slims kan bedenken om niet steeds allerlei zaken te vergeten, zou me dat heel wat waard zijn. Op mijn werk bleek de accu van mijn mobiel leeg en de oplader lag natuurlijk thuis. Stom natuurlijk. Maar ja, het gaf me wel een ongestoorde werkdag.

'Wat eten we?'

'Lasagne,' antwoord ik.

'Alweer?'

'Dat vindt pappa lekker.'

'Maar pappa is er toch niet?'

'Pappa komt zo.'

Pas op het moment dat ik onze straat in reed kwamen alle problemen terug. Alsof ik een poort naar een bewolkte wereld doorreed.

Fleur kijkt me aan met haar lichtblauwe ogen, serieus als altijd.

'Het bord staat er nog steeds. Dat vind jij ook vreemd, hè?'

Ik zwijg omdat ze me weer eens raakt met haar feilloze observatie. Pas toen ik bij thuiskomst het bord zag staan, besefte ik dat ik het vandaag totaal verdrongen had. Sindsdien lijkt het niet meer weg te krijgen uit mijn hoofd, als een flikkerende reclamezuil. Wil hij me verrassen met een ander huis? Is dat het? Dat zal hij me straks vast vertellen. Dat moet het zijn.

'Waarom huil je, mamma?'

'Dat komt door de uien,' zucht ik.

Ik verwacht dat Roderick zo naar binnen komt stappen, alsof er niets aan de hand is. Zo gaat dat meestal. Daarna zal ik hem verwennen met zijn lievelingskostje. De geur van lasagne kringelt over een kwartiertje wel door het huis. Dat zal hem gunstig stemmen.

Een uur later is mijn hoop verdwenen in een koude klets die geen lasagne meer mag heten. Vragen beginnen een steeds prominentere rol te spelen in mijn hoofd. De zekerheden vervliegen. Waar blijft hij? Waarom dat bord in de tuin? Het is in die tussentijd veranderd in een vuurtoren die waarschuwende signalen uitzend.

Ik moet opnieuw bellen. Bij het makelaarskantoor van Van Hartendonck wordt zowaar opgenomen. Maar als ik vijf minuten later ophang ben ik verwarder dan ooit. Het is geen vergissing. Sterker nog, er schijnt die middag zelfs een bezichtiging te zijn geweest. In ons huis! Onmogelijk. Ons huis staat toch niet te koop? Roderick is me een verklaring schuldig.

Verstild vanbinnen kijk ik de ruime woonkamer rond. De glazen salontafel staat met haar sierlijk gekrulde poten op het beige kleed. De geaderde plavuizen eronder zijn warm in de winter en koel in de zomer. Tegenover me aan de muur hangt een groot televisiescherm, met ernaast de klok. Ik blijf kijken naar de wijzers die traag over de glazen wijzerplaat bewegen.

Op het withouten buffet verschuif ik de vaas met bloemen, veeg wat afgevallen bloemblaadjes opzij en gooi ze in de lege prullenbak. De kranten van de afgelopen drie dagen liggen te wachten. De post op een stapeltje ernaast. Allemaal zoals hij het het liefst heeft. Fleur zit nog aan de keukentafel te plakken. Ze moet eigenlijk naar bed, maar ze is zo lief bezig dat ik het alleen maar gezellig vind. Ik loop naar het toilet, maar als ik ga zitten besef ik dat ik in het afgelopen uur al drie keer geweest ben.

Terug in de keuken bekijk ik het glimmende aanrecht, pak het doekje en poets de druppels uit de gootsteen. Dan wacht ik tot het Nespresso-apparaat de laatste druppels koffie in mijn kopje heeft geprutteld. Onrust bedekken met cafeïne, er zijn vast betere manieren, maar die kan ik nu even niet bedenken.

Als ik de sleutel in de voordeur hoor, loop ik snel naar de woonkamer. Mijn ogen schieten automatisch door de ruimte.

'Waar was je vanmiddag?' begint Roderick zodra hij me ziet staan.

De vraag verrast me. 'Op mijn werk. Hoezo?'

Hij gooit een onbekende sporttas op de grond. 'Gelukkig had Van Hartendonck een sleutel en kon hij erin.'

Ik herken de naam, maar weiger te geloven wat hij zegt.

'Ik heb je niet voor niets vanmorgen een sms'je gestuurd. Je had op zijn minst even een uurtje naar huis kunnen gaan.' Er klopt een ader ergens op zijn slaap.

Ik zwijg over mijn dode telefoon, en de vergeten oplader. In zijn ogen vergeet ik te vaak belangrijke dingen. Mijn handen zijn tot vuisten gebald.

'Van Hartendonck belde me net op een erg ongelegen moment. Je weet toch dat ik niet zomaar weg kan van mijn werk.' Het klinkt alsof het mijn schuld is.

Ik geef mezelf drie tellen om rustig te worden. 'Waarom staat ons huis te koop?'

Hij blijft me secondelang stoïcijns aankijken. Schudt dan zijn hoofd, grijpt zijn tas en loopt naar de muziekinstallatie. Daar begint hij cd's in de tas te laden.

Ik kijk naar zijn donkere haar dat achterop het hoofd langere krullen heeft, zijn subtiele ringbaardje dat hij elke dag nauwgezet bijwerkt, zijn perfect gevormde wenkbrauwen die zijn ogen een vrolijke uitstraling geven, ook als hij kwaad is. Hij kijkt op. Zijn blauwe ogen zijn donker, een mondhoek trekt licht omhoog. 'Het huis staat niet meer te koop.'

De lucht stroomt langzaam uit mijn volgezogen longen.

'Het is vanmiddag verkocht.'

Mijn vuisten schieten los.

'Ik begrijp het niet. Waar gaan we dan wonen?'

'Judith zei al dat je het niet zou begrijpen.'

'Judith?' De naam prikt als azijn in een open wond.

Hij schiet in de lach, draait zich van me af en trekt een lade open.

'Het moet jou toch ook duidelijk zijn dat we niet meer bij elkaar passen. Ik ben nu een succesvol advocaat.'

Op dat moment haat ik dat superieure lachje. 'Niet bij elkaar passen? Wil je daarmee zeggen...'

'Deze vogel is voor jou.' Fleur kiest dit moment om haar kunstwerk aan me te geven. Ik ben haar helemaal vergeten.

Mijn ogen flitsen naar Roderick, die duidelijk geïrriteerd is, en ik schraap mijn keel. 'Wat is het voor vogel?'

'Het is een eend. Dat zie je toch?'

'Ga naar bed, Fleur.' Rodericks stem klinkt gevaarlijk laag.

Er schiet een waarschuwingssignaal door mijn lijf. 'Ga maar vast naar boven, dan kom ik zo.' Ze moet hier weg.

Fleur heeft nu haar ogen strak op haar vader gericht, maar ze verzet geen stap. 'Pappa?'

'Ga naar bed, Fleur.' Roderick komt langzaam overeind.

Behoedzaam probeer ik haar naar de trap te loodsen. Ze glipt echter tussen mijn armen door.

'Gaan we ergens anders wonen?'

Ik grijp Fleur en duw haar achter me. Maar het is te laat. Roderick schiet naar voren en grijpt haar bij haar bovenarmen. 'Ik zei, naar bed!' Hij sleurt haar mee.

Ik gil. Voordat ik iets kan doen is hij al onderaan de trap. Fleurs benen zie ik als slappe slierten onder zijn armen hangen. Zijn passen dreunen op de trap.

'Laat haar los.' Ik ren hem achterna en wil op de onderste trede springen. Mis. Ik stoot mijn scheenbeen. De pijn schiet door mijn rechterarm als ik mij vastgrijp aan de leuning. Alleen de rode haren van Fleur zijn nog een kort moment zichtbaar op de overloop. Ik hoor haar gillen. Dan wordt er een deur hard dichtgeslagen. De stilte dreunt na.

Mijn angst om Fleur drijft me de trap op. Als ik de overloop opstap zie ik hem. Leunend tegen haar slaapkamerdeur waarop het harlekijntje nog heen en weer schommelt. Gelukkig, Fleur is veilig op haar kamer. Mijn oren proberen elk geluid van haar op te vangen. Complete stilte.

Normaal is dit het moment om te flemen. De stemming om te draaien. Af en toe lukt het om zijn humeur te beïnvloeden en laat hij het er verder bij zitten. Vandaag ligt het anders. Mijn eigen woede zit me in de weg. De naam Judith trilt door mijn buik. Het huis. De vuilak. De kracht die ik normaal gesproken op kan brengen om het niet uit de hand te laten lopen, is nu volslagen afwezig. Er knaagt iets aan mijn hart.

'Het is beter dat je gaat,' breng ik uit, na wat een eeuwigheid lijkt. Mijn stem trilt. Nog nooit heb ik dat tegen hem gezegd. Zo stom ben ik niet. Maar op dit moment wil ik alleen maar dat hij verdwijnt. Ik wil hem even helemaal niet meer zien.

Hij heeft een ander, gaat steeds weer door me heen. De rest kan ik nog niet plaatsen. Hij is opeens een vreemde voor me, zoals hij daar staat met zijn armen over elkaar.

'Jaag je me uit mijn eigen huis?' Te rustig.

'Natuurlijk niet, maar…'

'Wat bedoelde je dan?'

De manier waarop hij me nu aankijkt stilt mijn kwaadheid en laat het veranderen in angst. Hij moet weg bij Fleurs kamer. 'Zullen we beneden verder praten?'

Een uitval in mijn richting laat me mijn handen in een zwak verweer opsteken.

'Stop, raak me niet aan.' De angst schiet mee naar buiten en wordt omgezet in een dreiging die ik nooit waar kan maken. 'Ik zal ervoor zorgen dat je opgepakt wordt.'

Ik zie de verandering in zijn ogen.

Fout, kan ik nog net denken. Dan staat hij briesend voor me.

De eerste dreunen tegen mijn lichaam voel ik nog afzonderlijk. Daarna gaat het te snel. Ik heb de tegenwoordigheid van geest om mijn hoofd met mijn armen te beschermen. Tot die ook beurs geslagen worden. Al snel heb ik geen idee meer of het vuisten of voeten zijn die me raken. De pijn houdt me bij kennis tot ik niet meer weet waar ik ben. Wie ik ben. Of wat me op dat moment overkomt.

# 8

Vaag word ik me bewust van een aanraking op mijn schouder.

'Wakker worden.' Een fluistering.

Mijn oogleden willen elkaar niet loslaten.

'Ik moet naar school.'

Fleurs hand schudt aan mijn schouder. Zacht. Toch is de hel losgebroken in mijn lijf.

'Ik...' Mijn lippen zijn droog. Pas als ik merk dat ik beneden op de bank lig, herinner ik wat flarden.

'Ik moet naar school, mam.'

Naar school. Hoe moet dat? Ik schraap mijn keel. 'Heb je al gegeten?'

Ze knikt. Een rode haarlok valt voor haar ogen.

'Hoe laat is het?' Ik hoop even weg te kunnen vluchten van haar blik.

'Tien over acht,' zegt ze, zonder op de klok te kijken.

Behoedzaam beweeg ik wat ledematen. Een misselijkheid overvalt me. Ik moet opstaan. Doorgaan. Net als anders.

Als ik met veel moeite overeind ben gaan zitten, zie ik dat Fleur al heeft ontbeten en nu bezig is haar rugzak in te pakken. Ze loopt naar de keuken, een fragiel popje in het te felle licht. Ze blijft staan bij de afvalbak. Is opeens onbewegelijk. Haar handje met een leeg ligapapiertje zweeft boven de bak. Ze staart naar de inhoud van de vuilniszak.

Dan begint ze zomaar te huilen.

'Mamma?'

Ik weet opeens wat ze gezien heeft. Haar verdriet doet meer zeer dan welke klap ook die ik van Roderick heb moeten opvangen. Ik besef dat de tijd van verzwijgen voorbij is. Ik moet hulp vragen.

'Wil je me de telefoon even geven?' Ik laat me terugzakken op de kussens.

Als de bel gaat zie ik Fleur opspringen.

'Ha skattie! Moet je weer...' Ilse wervelt de kamer binnen. Als ze me ziet verstart ze. 'Wat heeft... Mijn god, hoe kan hij zoiets...' Ze slaat een arm om Fleur heen. 'Kom, ik breng je naar school. Dennis wacht al in de auto.'

Een kus van Fleur, oneindig zacht op mijn ongeschonden wang.

'Dag lieverd. Goed je best doen.' Het lukt me niet om kracht in mijn stem te leggen.

Fleur knikt, haar gezicht serieus. Sporen van de tranen nog zichtbaar op haar wangen.

Ilse voert haar mee en graait in het voorbijgaan mijn sleutels van het kastje. Met een 'verroer je niet, ik ben zo terug' neemt ze afscheid. Alsof ik een rondje wil gaan joggen.

De voordeur valt dicht en ik ben weer alleen. Verbaasd dat Ilse zo snel zag wat er aan de hand was. Ik denk terug aan het gezicht van Fleur toen ze in de vuilnisbak keek. Er druppen tranen op mijn handen die gebald in mijn schoot liggen. Ze verdient die sluier niet die nu ongewild over haar leven is gelegd. Iedere moeder wil toch dat haar kind gelukkig is?

Ik duw me voorzichtig op uit de kussens. Nooit geweten dat ik zo veel spieren had, nu ze met de hele bups in één keer protesteren. Toch laat ik me niet tegenhouden. Ik moet in beweging zien te komen, mijn gezicht zien, en vooral die vuilnisbak legen.

Hoe behoedzaam ik ook beweeg, ik kan niet voorkomen dat mijn ribben alle kanten op lijken te springen, met mijn benen als een blubberige massa eronder. Ik krijg nauwelijks adem, hoe oppervlakkig ik ook probeer te ademen.

Ik staar in de vuilnisbak en begrijp waarom Fleur geschrokken is. De plukken haar zijn nu bedekt met korsten opgedroogd bloed.

Het is veel meer dan ik gisternacht in de gaten heb gehad. Stom om het hier weg te gooien.

Ik klem mijn kiezen op elkaar, maar steeds als ik de zak iets op wil tillen, lijkt de pijn mijn lichaam bijna in tweeën te splijten. Hoe kan dat ding zo zwaar zijn? Uitgeput besluit ik hem alleen dicht te knopen. Ilse moet me straks maar helpen om hem in de container te gooien.

Bij de achterdeur hangt een spiegel. Ik aarzel, maar moet dan van mezelf kijken. Had ik dat vannacht ook niet gedaan? De normaal vrolijke sproeten zijn nu kille eilandjes in een wit vlak. Mijn ogen lijken uitgeblust, maar zijn tegelijkertijd roodomrand. Pas als ik mijn hoofd wat draai zie ik de wonden, waar mijn haren met wortel en al uit mijn hoofd zijn getrokken. Zo erg is Roderick nog nooit tekeergegaan.

Met mijn vingers probeer ik de klitten uit mijn haar te verwijderen. Met wat geluk kan ik de rest van mijn haar zo opsteken dat het niemand op zal vallen. Mijn armen zijn echter zwaarder dan ze ooit geweest zijn.

Dan hoor ik de sleutel in de voordeur. Een geluid dat me automatisch in elkaar laat krimpen.

'De klootzak.' Ilse loopt met haar oneindig lange benen langs me heen, direct door naar de keuken. 'Jij ook wat sterke drek?'

Ik laat de adem los die ik onbewust vastgezet heb. Mijn hoofd duizelt en ik heb geen idee waar ze het over heeft. Het schijnt niets uit te maken. Ilse is al in de keuken en ik hoor haar mopperen en met van alles rammelen.

'Wat een eikel. Ik heb er schijt aan dat ik te laat kom op mijn werk. Al vallen ze met het hele stel hier voor mij op de knietjes, jij gaat even voor. Je wilt toch wel een bak?' Haar hoge stem schalt door het stille huis.

Ergens in mijn lichaam ontstaat zowaar een lichte gniffel om de heerlijke energie die ze in mijn huis verspreidt.

'Hier, drinken. Je ziet eruit alsof een volle kan nog niet genoeg is.' Ilse zet de koffie voor me neer. Mijn hele voorraad koffie lijkt in dat ene kopje te zitten.

Ze gaat naast me zitten en bestudeert mijn gezicht. Ze tilt voorzichtig de plukken haar op die ik zonet zorgvuldig over mijn wonden heb gedrapeerd. Als ik kon zou ik wegzakken in de kussens.

'Pijn?' Haar ogen staan zo meelevend dat ik me het liefst als een klein kind in haar armen zou werpen om me te laten vertroetelen. Met behoedzame bewegingen knik ik slechts.

Ilse gooit met een agressief gebaar een fikse slok achterover, haalt haar vingers door haar blonde stekelhaar en loopt dan naar het raam.

'Ik ben laaiend!' hoor ik ergens achter me.

Voor ik om kan kijken staat ze al weer voor me. Waarom gaat ze niet rustig zitten? Alles trilt achter mijn ogen.

'Je hebt zeker niets te zeggen.' Ze kijkt me doordringend aan, haalt haar sigaretten tevoorschijn en steekt er demonstratief een op.

Ik ben te moe om te protesteren.

Ze loopt naar de buffetkast en ik zie haar rommelen tussen de cd's.

'En, hoe zit het?' vraagt ze als de donkere basmuziek is gestart.

Eindelijk komt ze naast me zitten. De koffie vreet zich intussen in mijn lege maag.

'Waarom zeg je niets?'

'Shit, Ilse.'

'Wanneer is dit gebeurd?'

Het valt me op dat haar tikkende voet ongelijk gaat met de muziek.

'Gisteravond.' Mijn stem klinkt vervormd.

'Dit is echt niet normaal. Hij heeft dat al vaker geflikt, hè? Ik wist het wel. Die klootzak.' Een felle teug aan haar sigaret.

Ik zie dat de rook in het ritme van haar woorden uit haar mond komt.

'Hoor je wat ik zeg?'

'Ja.'

'Heb je gezien hoe je eruitziet?'

Ik kijk haar slechts aan.

'Je beweegt als een luiaard op vakantie. Je moet aangifte doen.' De sigaret wordt met geweld uitgedrukt.

'Dat heeft geen zin.' Ik weet ook niet of ik dat wel wil, maar ik pas er wel voor op om dat nu te zeggen.

'En wat doet dat bord in de tuin? Sinds wanneer staat jullie huis te koop?'

Ze luistert met open mond als ik vertel over die vreemde vrouw – de naam Judith krijg ik niet over mijn lippen – en het telefoongesprek met makelaar Van Hartendonck.

'Is die kwal helemaal besodemietert. Zijn die mensen echt wezen kijken?'

Ik knik, wat me het gevoel geeft dat mijn hersens losjes meedeinen in mijn schedel. 'Dat kwam Roderick me vertellen. Het huis schijnt zelfs verkocht te zijn.'

'Verkocht?' Ilse spuugt het naar buiten. 'Meneer heeft dus een of andere del opgepikt en verkoopt dan het huis? Dat kan niet! Het is toch ook jouw eigendom?'

Ze brengt dingen onder woorden die bij mij nog nauwelijks doorgedrongen zijn. Wil Roderick me echt verlaten? 'Je begrijpt het niet.' Maar wat ze niet begrijpt kan ik niet onder woorden brengen.

Mijn gsm piept. Ik zie de naam Roderick en de misselijkheid golft door mijn maag.

'Laat die eikel wapperen.'

Natuurlijk luister ik niet naar haar. Verlangen en boosheid vermengen zich tot een nieuwsgierigheid die niet te bedwingen is.

IK HEB NET DE PAPIEREN ONDERTEKEND. JE MOET OVER DRIE WEKEN HET HUIS UIT ZIJN.

De boodschap dringt nauwelijks door. Het lijkt onmogelijk dat dit gebeurt.

Ilse leest het bericht, barst los in nog heftiger gescheld, en steekt een nieuwe sigaret op. De rook irriteert, maar ik durf niet te hoesten.

Ik kijk naar de klok en schrik. 'Ik moet naar mijn werk.'

'Ben je besodemieterd. Ik niet naar mijn werk, dan jij al helemaal niet. We gaan aangifte doen. Die klootzak moet gestraft worden.' Ze slaat de rest van haar koffie achterover, hangt haar peuk in haar mondhoek en helpt me onvoorstelbaar zacht overeind.

Zonder Ilse ben ik nergens. Het lijkt alsof zij mijn identiteit in haar handen heeft en die beschermt tegen de buitenwereld. Zegt ze: ga mee, dan ga ik mee. Ga zitten en ik zit al. Doe aangifte, en ik doe het zonder te vragen.

Het bezoek aan de politie heeft me echter gesloopt. Ik voel me zo rot dat ik het liefst als een kat weg zou kruipen in een donker hol. Liggen en nooit meer gevonden worden. Hoe heeft het zover kunnen komen? Steeds weer heb ik de hoop gehad dat het echt de laatste keer was. Dat Roderick zou stoppen, zoals hij me elke keer beloofde.

'Je jas kan uit.'

Ik draai me naar haar toe, mijn armen half opgeheven.

'Het ligt niet aan jou,' zegt Ilse terwijl ze de jas over een stoel hangt.

'Ik had gister niet tegen hem moeten zeggen dat...'

'Kom op, Janna. Die vent vindt altijd wel een aanleiding om jou in elkaar te rammen.'

Hoe weet ze dat hij dat eerder deed? We hebben het er nooit over gehad. Maar dat ze gelijk heeft, besef ik nu wel.

'Je wonden moeten behandeld worden.' Haar stem klinkt zacht.

'Ik wil niet naar de huisarts.' Ik wil helemaal niets meer. Alleen maar rust. Niets aan mijn hoofd. Geen vragen die ik toch niet kan beantwoorden.

'Ga dan in ieder geval even douchen.'

Zonder iets te zeggen duwt ze me in de richting van de trap. Pas halverwege realiseer ik me dat ze vlak achter me loopt, alsof ze bang is dat ik zal vallen. Als ze me ook de badkamer in volgt, verwart het me.

Ilse zet de douche aan en voelt het water.

'Spoel al die ellende maar lekker van je af. Roep je als er wat is?'
Dan is ze weg.

Uiterst voorzichtig trek ik mijn kleren uit. Mijn ogen prikken als
ik in de spiegel mijn beschadigde lichaam zie. Ik leg mijn armen
om mijn middel en voel dat ik in elkaar duik. Is het vanwege de lichamelijke pijn of zit het vooral vanbinnen?

Als ik onder de warme waterstralen ga staan, spoelt alles van me
af. De smerige bewoordingen die diep in mijn huid zitten, de denigrerende blikken die mij peilend opnamen, de voetafdrukken op
mijn rug en zij.

Ik sluit mijn ogen en draai rond. Mijn hoofd bonkt en de wonden op mijn hoofdhuid schrijnen. De warmte neemt langzaam de
ruimte in van de pijn. De wetenschap dat Ilse er is als ik haar roep,
laat me terugdenken aan mijn moeder. Zij verzorgde me als ik het
moeilijk had. Het is lang geleden dat haar beeld in mij opgedoken
is. Ze was niet welkom in mijn hoofd, ze mocht niet zien hoe mijn
leven was geworden. Schaamte. Schuldgevoel. Door haar buiten te
sluiten hoopte ik dat ze het nooit te weten zou komen. Nu is ze er
opeens weer, in de gedaante van Ilse. Er is niemand anders meer
om mij te helpen.

Als ik later rozig van de warmte languit op de bank lig, wervelt
Ilse om me heen. Koffie, een boterham, alles zou me goed doen,
zegt ze. Mijn hoofd tolt echter en de wil om wakker te blijven is
compleet afwezig. Slapen. Wegzakken. Nergens meer aan hoeven
denken.

'Ik ben heel even weg. De meiden van kantoor belden net. Ga
maar lekker slapen, ik zal straks Fleur ophalen. Maak je maar geen
zorgen.'

Het dringt nauwelijks tot me door. Alleen de naam Fleur komt
binnen. Hoe zou het met haar zijn? Ik heb niet eens gekeken of Roderick haar pijn gedaan heeft. Zie je wel dat ik een egoïstisch kreng
ben. Zelfs mijn dochter laat ik aan haar lot over. Hoe heeft het zover kunnen komen?

Op het moment dat ik de voordeur dicht hoor slaan duwen de tranen zich tussen mijn dichte oogleden. Zacht loopt de eerste langs de zijkant van mijn gezicht en komt terecht in mijn oor. Lieve Fleurtje.

Ik probeer het moment te vinden waarop de houding van Roderick is veranderd. Was dat al meteen na de geboorte? Roderick wilde geen kind. Daarin was hij duidelijk, maar ik heb altijd gedacht dat hij wel bij zou trekken. Pas nadat ik weer aan het werk was gegaan, kwam hij erachter wat 'een kind hebben' betekent. Fleur was in zijn ogen steeds vaker lastig. Ze moest stil zijn, en gehoorzaam. Fleur heeft alleen maar kunnen lachen, schreeuwen en spelen toen ze heel jong was. Daarna werd ze serieuzer en meegaander, zeker als haar vader in de buurt was. Het meest opvallend uit die eerste tijd zijn Fleurs ogen. Helderblauw en groot. Die registreerden alles.

Ze is zo totaal anders dan ik was op die leeftijd. Fleur is zeven. Ik was ook zeven toen mijn eigen leven op z'n kop gezet werd. Alles veranderde op zevenentwintig oktober. Dat afschuwelijke ongeluk. Niet aan denken. Ik heb altijd gedaan alsof het een gewone dag was. Roderick wist ervan maar vroeg er nooit naar. Hij is het vast vergeten, zoals wel meer dingen.

De kamer ligt er stil en vreemd bij. Nu ik weer alleen ben besef ik wat er allemaal is gebeurd. De aangifte. Shit, waarom heb ik me daartoe laten overhalen? De politie moet hem nu vast al benaderd hebben. Hij moet intens kwaad zijn. En terecht! Wat zal hij gaan doen?

De eerste klap die ik van Roderick kreeg staat me nog helder voor de geest. Ik was net een paar maanden aan het werk, Fleur was moe en jengelig. Ik klaagde erover dat hij er nooit was, dat zijn tennismaten belangrijker waren dan zijn dochter en zíjn werk altijd op de eerste plaats kwam, terwijl ik nooit meer toekwam aan tijd voor mezelf. Na die klap, waar hij net zo van leek te schrikken als ik, toonde hij zich de meest liefdevolle echtgenoot die ik me maar kon wensen. Hij was zo lief voor me, toonde berouw en bleek zorgzamer dan ooit. Die avond vreeën we urenlang, vol hartstocht.

Ik voel me opeens warm worden bij die herinnering. Zie je wel, Roderick is niet zo slecht als Ilse zegt. Hoe kan het anders dat hij op die momenten zo lief voor me was? In ieder huwelijk zijn toch problemen? Roderick is gewoon een temperamentvolle man. Juist die levendigheid en het vuur in zijn karakter maken hem zo aantrekkelijk.

En nu heb ik aangifte tegen hem gedaan. Waarom heb ik me daartoe laten verleiden? Hij moet pislink zijn.

# 9

Gemorrel aan de voordeur. Ik schrik wakker uit de sluiers van een droom. Roderick! Ik zit al rechtop en graai naast me. Met het kussen voor mijn buik zit ik verstijfd op de bank, staar naar de kamerdeur en wacht af.

Opnieuw de sleutel. Gebonk op de deur.

'Janna! Doe eens open.'

Mijn schouders zakken centimeters als ik de stem van Ilse herken.

'Zo, je hebt aardig lopen rondspoken,' zegt Ilse met een blik op de verzameling grendels.

Ze duwt de twee kinderen voor zich uit naar binnen. Dennis rent direct door naar de speelkamer, die aan de tuinkant van het huis zit. Ik zie dat Fleur me onderzoekend opneemt. Het is een vreemde gewaarwording om me bijna naakt te voelen onder de ogen van mijn eigen dochter.

'Heb je een fijne dag gehad?'

Ze blijft me aankijken, knikt dan bijna onzichtbaar en loopt naar de hal. Ik kijk haar na, en zie hoe ze haar rugzakje weglegt. De behoedzame manier waarop ze beweegt verraadt een verzwegen pijn. Het doet zeer om te zien hoe mijn kleine dochter worstelt. Ik was te laat om haar te beschermen.

'Gaat het, meiske?'

Slechts stil knikken. Als ze zich naast me op de bank laat zakken omhels ik haar. Er is een terughoudendheid die ik feilloos aanvoel.

'Leyla had een boek over vogels. Welke vogel vind jij het mooist, mamma?'

'Meeuwen.' Ik hoef er niet over na te denken.

'Waarom?'

'Ze maken me blij. Meeuwen lachen altijd.' Het geschreeuw van de brutale vogels brengt me altijd terug naar die laatste vakantie. Schiermonnikoog, de duinen en de zee die oneindig leek. Net als de toekomst.

'Zal ik een meeuw voor je maken?'

'Heel graag.'

'Ik heb Leyla verteld dat je van vogels houdt.'

'Was het wel gezellig bij Leyla?'

'Ik moest van haar lachen.'

'Was ze zo grappig?' Ik ben verbaasd, de leidster is de stijfheid ten top, maar ze is wel heel lief voor de kinderen.

'Nee, niet óm haar maar ván haar. Zij heeft zich vroeger ook vaak gestoten, zei ze.' Fleur kijkt naar de grond.

'Dat doet pijn, hè?' Ik trek haar wat dichter tegen me aan.

'Ja, dat weet jij ook, hè mamma?'

Ik hoor mezelf slikken. 'Maar denken aan de meeuwen helpt me altijd.'

'Dan ga ik heel veel meeuwen voor je maken.' Ze huppelt de kamer uit.

Ik wacht tot ze weg is, voordat ik me weer tegen de leuning laat vallen. Het lukt me niet om de kreun tegen te houden als een onverwachte steek door mijn schouder schiet.

Ilse staat naast me. Uitdagende ogen, haar felgestifte lippen in een dunne streep.

'Ik heb eten gehaald. Hou je van chicken masala?'

'Maar ik kan zelf...'

'Ik kook voor je. En ik heb een verrassing voor vanavond.'

'Ik weet precies wat jij nu nodig hebt.' Ilse kijkt me met haar zwartomrande ogen olijk aan.

'O ja?'

Beide kinderen liggen boven in bed. Het is een tijd geleden dat ik zo gelachen heb aan tafel. Ilse functioneert goed als bliksemafleider van problemen. Fleur schaterde het uit door haar belachelijke bewegingen. Het eten gleed als vanzelf bij de kinderen naar binnen. Mijn enige honger was de vrolijkheid in Fleurs ogen, daar kreeg ik geen genoeg van.

'We gaan het vanavond eens ouderwets gezellig maken.' Met een fikse klap zet ze een fles wodka op tafel.

Ik schrik. 'Ik weet niet...'

'Nou, ik weet het wel,' onderbreekt Ilse me en ze loopt kordaat naar de buffetkast. 'Dennis en Fleur slapen, er loopt geen vent meer rond je kont, dus wie kan ons wat maken?'

Ik hoop alleen maar dat Ilse gelijk heeft.

'Maar ik moet morgen werken.' Ik breng het voorzichtig naar voren, terwijl ik denk aan het telefoongesprek met Bram. Alleen al die speciale klank in zijn stem wakkerde mijn schuldgevoel aan. Hij wenste me wel beterschap, maar eigenlijk zei hij heel wat anders.

'Morgen? Dat is nog zoooo ver weg.'

Ilse zet twee glazen neer en schenkt ze belachelijk vol. 'Hier meis, drinken. We kunnen wel wat leut gebruiken.'

'Wat maakt het ook uit.' Ik neem een grote slok, voel de enorme brand die dat veroorzaakt en moet zo hard hoesten dat ik bang ben dat mijn ribben uiteindelijk toch nog breken. Met tranen in mijn ogen kijk ik naar Ilse, die het glas in één keer achteroverslaat zonder dat er iets aan haar te zien is.

'Mooi, de kop is eraf.' Ze smakt met haar lippen. 'De volgende kop is van die kerel van jou.'

'Daar drink ik op.' Ik voel me overmoedig worden. Is het dan toch goed dat we aangifte hebben gedaan? Roderick zal verhoord worden. Natuurlijk is hij dit keer te ver gegaan. Veel te ver. Maar wat gaat er daarna gebeuren?

Het lijkt alsof Ilse op alles een antwoord heeft. 'Intussen gaan we op zoek naar wat juridische ondersteuning. Roderick kan het huis natuurlijk niet zomaar onder jouw gat verkopen.'

Het huis. Shit, wat zei hij ook weer? Over drie weken moet ik eruit zijn. Ik kan me niet voorstellen dat dit echt zijn woorden zijn.

'Denk je echt dat ik sterk sta?'

'Dat is zo klaar als mijn kontje.' Ze slaat met haar hand op haar jaloersmakend mooie heupen en giert het daarna uit. 'Morgen grijpen we hem.'

'Morgen? Dat duurt nog heeeel lang.' Als ik Ilses verbaasde uitdrukking zie schiet ik toch ook in een zenuwachtig lachje.

We hangen nu elk aan een kant van de bank, de benen door elkaar gevlochten. Mijn schouder klopt heftig, maar geen lichamelijke pijn kan tippen aan de paniek die ik tracht te benevelen. Morgen moet ik direct een slotenmaker laten komen. Als Roderick binnen kan komen, ben ik mijn leven niet zeker.

Ik houd mijn lege glas op. Niet nadenken.

Ilse komt kreunend overeind en schenkt mijn glas opnieuw vol.

'Zal ik je eens wat vertellen?'

'Hmm.' Mijn keel gloeit en de warmte verspreidt zich heerlijk door mijn lijf. Zo zou het altijd moeten zijn.

'Jaap is ooit ook vreemdgegaan.'

'Dat meen je niet.'

'Ik vond een pakje condooms in zijn nachtkastje.' Haar gezicht staat serieuzer dan ik ooit gezien heb.

'Maar hoe weet je…?'

'Wij gebruikten die kloterubbertjes nooit. Te veel gedoe vond Jaap altijd.' Ze schiet in de lach en zet haar lege glas tussen haar kleine borsten, waar het echter direct dreigt om te vallen. 'Te weinig houvast,' grinnikt ze.

'Dus hij had een vriendin?'

'Mannen zijn klootzakken, en mijn Jaap is er ook eentje. Maar wel een lieve! Ach meid, ik heb het hem allang vergeven.' Ze neemt een nieuwe slok.

Ik weet niet wat ik moet zeggen. Ik ben al die tijd alleen maar bezig geweest met het overleven in mijn eigen jungle. Jaap en Ilse zijn misschien een apart stel, maar je kunt zien dat ze gek op elkaar zijn. In het begin begreep ik niet wat ze in hem zag. Jaap is geen knappe vent, maar zijn olijke ogen beginnen te glimmen als hij het over zijn favoriete onderwerp heeft: seks. En daar is Ilse nu eenmaal ook gek op. Dat laat ze me vaak genoeg merken.

'Mijn levensmotto klopt dus gewoon,' gaat Ilse verder. 'Mannen rennen hun pik achterna, zelfs als ze dat ding in latex moeten hullen. Gedoe is dan opeens geen probleem meer.'

'Dat heb je me nooit verteld.' Ik schaam me dat ik er nooit naar gevraagd heb.

'Jaap zit er meer mee dan ik. Als ik zeg dat ik het hem vergeef, dan is dat zo. Dan hoef ik niet jaren zielig te gaan zitten doen. Totaal geen zin in.'

Ik grinnik. Ilse en zielig doen.

'Bovendien komt het mij soms wel goed uit. Schuldgevoel knaagt meer dan vrouwengezeur,' gaat ze verder.

Knagen? In mijn optiek neemt schuldgevoel te vaak gulzige happen uit mijn hart, maar dat zeg ik Ilse maar niet.

'Weet je, ik ben er nu wel achter dat de hersens van mannen geregeerd worden door dat kleine wormpje van ze.'

Ze beweegt daarbij zo stompzinnig met haar pink voor haar gezicht dat ik in lachen uitbarst.

'Wormpje… Ik zie het al voor me. Dat kleine ding van Roderick…'

Ilse trekt haar benen naar zich toe en lacht nu voluit. 'Heeft hij zo'n kleine?'

'Ja, echt niets waard.' Mijn buik doet zeer, maar ik kan me niet inhouden. 'En dan maar stoer doen met die middelvinger opsteken.' De tranen lopen nu over mijn wangen.

'Dat gebaar moet wel door mannen uitgevonden zijn.' Ilse trappelt met haar benen. 'Een middelvinger. Mochten ze willen!'

Ik kan niets meer uitbrengen. Alles doet zeer, maar het voelt oneindig goed. Nadat ik uitgelachen ben, houd ik mijn glas weer omhoog. 'Schenk nog maar eens in. Op het vrije leven!'

# 10

Het matras voelt aan als een spijkerbed. Bij elke beweging worden honderden naalden in mijn spieren gedreven. Ik voel naast me in het enorme bed. Niemand. Tussen de nevels van mijn onderbewustzijn ontstaat een helderheid die ik niet wil zien. Ik ben alleen, met een kater die ik liever kwijt ben.

Ilse wilde gisteravond per se naar huis. 'Ik slaap het lekkerst tegen het warme lijf van Jaap aan' gaf ze als verklaring, waar ik natuurlijk niet tegenin ging. Die drie blokken waren gelukkig te lopen, hoewel ze zelfs de auto nog wilde pakken. 'Die domme regeltjes zijn niet voor mij gemaakt' was haar weerwoord toen ik haar op de wet wees. Uiteindelijk struikelde ze toch op haar immens hoge hakken de nacht in, Dennis als een koalabeertje om haar heen geklemd.

De rode cijfers van mijn wekker zijn vandaag coulant met me. Nog uren de tijd voor ik naar mijn werk moet. Ik kauw twee pijnstillers tot gruis en slik het weg met water waarvan ik me niet herinner wanneer ik het naast mijn bed heb gezet. Ik hoop er maar het beste van. Met mijn ogen dicht wacht ik op betere tijden.

Nauwelijks een kwartier later laat ik me uit bed glijden. Van slapen komt niets meer, dus ga ik naar beneden om een kop koffie te maken. De verwarming verdrijft de kilte uit huis, rustige muziek verbergt de stilte en de koffie ondersteunt de paracetamol. Zo moet het.

Roderick is weg. Wees blij, riep Ilse uit, dan heb je eindelijk rust. Moet ik opgelucht zijn? Ik probeer het gevoel op te roepen, maar het lukt niet. Ik hou van hem, zo hoort dat. We zijn al zo lang samen, dat gooi je toch niet zomaar weg? Ik weet niet wat ik zonder hem moet. Hij geeft de richting aan ons leven. Door zijn succes als advocaat hebben we geen financiële zorgen, waardoor we Fleur alles kunnen geven wat haar hartje begeert.

Dan weet ik wat ik moet doen: de aangifte intrekken. Wedden dat hij dan terugkomt? Net als Jaap heeft hij even zijn vizier op iets jongs gericht. Ik zal het hem vergeven, net als Ilse deed. Niet zeuren. Zo moet ik het doen. Ik mis mijn klootzak.

Een onzichtbare hand duwt me naar de hoek van de kamer waar ik mijn ladekastje heb staan. Elk laatje herbergt een herinnering die de belangrijke momenten van mijn leven markeren. Mijn verleden komt tot leven als ik naar de verschillende foto's, briefjes of voorwerpen kijk. De herinnering aan onze trouwdag, gevangen in de vorm van het bruidspaar dat bovenop de zeslaags taart heeft gestaan. In gedachten voel ik de zelfverzekerde druk van Rodericks hand op de mijne, terwijl we samen het mes door de zachte cake duwen. Ik weet nog hoe stralend gelukkig ik me voelde, maar tegelijkertijd nog steeds verbaasd dat de meest aantrekkelijke man voor mij gekozen had. Hij heeft mij het mooiste geschenk gegeven dat ik mijn hele leven zal koesteren: een kind.

Na een korte aarzeling trek ik een van de onderste laatjes open. Meestal laat ik die dicht, want hoe vaker ik naar de hierin gestopte foto kijk, hoe minder het beeld tot leven komt. Vanochtend heb ik het zo hard nodig dat ik mijn aarzeling opzijzet.

Het roestbruine haar is het eerste wat ik zie, dan haar ogen. Ze raken me. Ik streel met mijn vinger over de sproeten die elke zomer als een uitbarsting van vrolijkheid op haar gezicht verschenen. Mijn moeder lacht zorgeloos naar de camera, terwijl mijn vader achter haar toekijkt. Het moment waarop ik de foto nam staat in mijn geheugen gegrift. Als ik mijn ogen sluit zie ik de zee die onstuimig schuim over het zand duwt, ik hoor de meeuwen die brutaal krijsend boven ons picknickkleed zweven. De zilte geur waarmee Schiermonnikoog doordrenkt is, dringt feilloos in mijn neus. Het kleine dorp zonder auto's, de simpelheid van geluk. Mijn zevende zomer. Twee maanden later kregen ze het ongeluk.

Op slag dood. Hun zorgeloze lach verstild in een foto.

Ik vraag me weleens af hoe mijn leven verlopen zou zijn als ze waren blijven leven. Als die vrachtwagenchauffeur niet in slaap was gevallen. Als ik onder de beschermende vleugels van mijn ouders had kunnen blijven schuilen, in plaats van een plek te krijgen bij mijn tante voor wie haar eigen kinderen al een last waren. Ik mocht er niet zijn. Hoe vaak heb ik niet gedacht dat het beter was geweest als ik bij mijn ouders in de auto had gezeten? Nu heb ik Fleur en wil ik niets liever dan haar de liefde geven die ik heb gemist.

Ik leg de foto terug en sluit het laatje. Mijn handen leg ik op de zachte stof die ik op het kastje heb geplakt, als een wolkendek op hun leven. Zo blijf ik zitten, tot de muziek stopt en de stilte me omringt.

Het is niet makkelijk om me te concentreren op mijn werk, maar de afspraak met mijn baas verzetten gaat me net te ver.

Bram zit onderuit in zijn bureaustoel terwijl hij me aanhoort. Ik voel de onzekerheid drukken. Ik doe mijn best om krachtige woorden te vinden, want als niemand opkomt voor de schoonmakers die het vuile werk opknappen, zitten die straks met een uitkering thuis. Het blijkt echter moeilijk om de juiste woorden op te diepen.

'Natuurlijk zijn offers niet te vermijden,' zeg ik met een overtuiging die na gisteren niet meer te vinden is. 'Er is weinig rek in het personeelsbestand. Toch is een goede afvloeiingsregeling belangrijk.'

'Een sociaal plan kost geld.'

Hiermee helpt hij me terug in het zadel. Mijn schouders bewegen automatisch naar achteren en de zekerheid begint te groeien. Natuurlijk kost een sociaal plan geld. Veel geld. Maar het geeft op termijn een enorme besparing als ze hun medewerkers niet ontslaan, maar juist voor het geld laten werken. Daarmee creëer je een gezond arbeidsklimaat. Bovendien wil ik me sterk maken voor de echte arbeiders, ze een stem geven in de top. Dat verdienen ze.

Als ik naar Bram toeloop weet ik dat mijn lichaamstaal de juiste woorden spreekt. Nu moet Bram nog luisteren. Hij moet me steunen, alleen dan kan ik al die ontslagen voorkomen. Bovendien maak ik dan kans op die hogere functie. Ik schuif de zware fauteuil zo dat ik tegenover hem kom te zitten.

'Bram, hoe lang werken we nu al samen?'

'Zo'n zeven jaar,' bromt hij.

'Heb je ooit mijn inzichten in twijfel moeten trekken?' Het is als schaken. Steeds een zet doen, tot de koning klem staat. Bij Bram werkt dat.

'Nee.' Toch komt het er nog aarzelend uit.

'Wat denk je dat er gebeurt als je de onderste laag van het personeelsbestand ontslaat?'

Hij gaat rechtop zitten. Zwijgt.

'Dan begin je met een pas achteruit, in plaats van een fikse stap naar een sterke toekomst. Je hebt die harde werkers nodig. Ik ben bezig met een sociaal plan dat zelfs de eventueel overbodige werkkrachten zal helpen om een nieuwe werkkring te zoeken. Dan hoef je ook de kosten voor de uitkeringen niet te dragen.' Ik ga verzitten, mijn ribben spelen op.

Bram bestudeert zijn handen zo grondig dat ik even denk dat hij een verdachte moedervlek heeft ontdekt. Hij draait aan de zegelring die hem verbindt met de andere mannen van het tennisnetwerk. Roderick heeft dezelfde.

'Ik waardeer jouw sociale inzicht, Janna, maar je weet toch dat ik eraan toe ben om uit de business te stappen?'

'Jouw vertrekbonus is het uitgangspunt van het plan. Daar hebben we het uitgebreid over gehad. Ik zou een personeelsplan maken, zodat jij een gouden handdruk zou krijgen. Daartegenover staat dat jij zou regelen dat ik onderdirecteur word van het nieuwe bedrijf. Zo hadden we het toch besproken?' Ik leun achterover en sla mijn armen over elkaar, mijn nagels in mijn handpalmen drijvend om de pijn te kunnen hanteren.

'Ja, dat klopt wel, maar...'

'Laat mij dan mijn werk doen,' onderbreek ik hem direct. 'Ik zie goede mogelijkheden om een belangrijk deel van ons personeel te behouden. Hooguit zullen er wat ontslagen vallen in de facilitaire en managementafdelingen. Dat zijn dure mensen, maar die komen vast weer snel aan een nieuwe baan, daarover heb ik al contacten met zusterbedrijven. Ik laat niemand zomaar vallen.'

Bram strijkt door zijn grijze haar en gaat rechtop zitten. Hij trekt zijn jasje recht en schikt zijn manchetknopen. Nu heb ik hem. Hij gaat akkoord. Het jubelt al in me voordat hij iets gezegd heeft. Ik ken hem al zo lang. Nog voordat ik bij hem werkte had hij het er al over als hij bij ons over de vloer kwam. Onder het genot van een goede whisky boomden Roderick en hij over hun toekomstplannen. 'Nog een paar jaar, Roderick,' zei hij dan altijd. 'Nog een paar jaar en dan geef ik mezelf een gouden handdruk.' Ik wist dat ik me daarop moest richten. Zoek de zwakke plek in de onderhandelingen, dat heeft Roderick me geleerd.

'Ik zal onze mensen begeleiden en mijn netwerk inzetten.' Ik leun wat voorover, dat werkt bij mannen.

'Het is goed, Janna. Ik zal je steunen. Jij je baan, ik mijn handdruk.'

'En Barbara?'

'Barbara wordt geen onderdirecteur.'

'Zij heeft de juiste papieren.'

'Papieren zijn minder waard dan ervaring. Ze is te onervaren om die baan aan te kunnen.'

'Dat weet je zeker?'

'Zorg jij nu maar dat je die fusie regelt, zonder grote problemen, zonder acties, en vooral zonder verlies van klanten. Ik zorg voor de rest.'

'Ik weet dat ik het kan.' Ik adem langzaam uit. De spanning verlaat mijn lichaam en ik voel euforie borrelen. Ik mag trots zijn op mezelf. Gister een wrak, nu een overwinning, zo snel kan het gaan. In het afgelopen halfuur heb ik een grote groep mensen behoed voor ontslag. Als Roderick dit hoort moet hij trots op me zijn.

Mijn cabriolet laat ik tot stilstand komen voor ons huis. Ik zie dat de knoppen van de grote rododendronstruik op uitbarsten staan, mijn hoofd geeft eenzelfde gevoel. Ik verlang naar rust en een pijnstiller.

Fleur blijft net als ik in de auto zitten.

'Komt pappa niet meer thuis?'

Ik knijp in het stuur en klem tegelijkertijd mijn kiezen op elkaar. Het is moeilijk om te onderscheiden of er hoop of gemis in Fleurs stem ligt.

'Ik weet het niet, lieverd,' antwoord ik naar waarheid, terwijl ik uit de auto stap.

'Gaan we verhuizen?'

'Wil je mij helpen om deze tas met papieren naar binnen te dragen?' Mijn toegeknepen keel vervormt mijn stem. Fleur neemt met een serieus gezicht mijn documentatiekoffer over terwijl ik me ontferm over mijn notebook en de twee ordners met artikelen die ik vanavond nodig heb om de vergadering voor te bereiden.

Mijn hakken komen kwaad neer op de straattegels. Waarom heeft Roderick niet gereageerd op mijn excuses?

Als Fleur naar de speelkamer is vertrokken om te gamen, sta ik nog in de keuken. Ik moet koken, maar de vragen zitten me dwars. Is Roderick definitief weg? Wat wil ik eigenlijk zelf? Wil ik hem wel vergeven, net als de andere keren? Of kan ik beter alleen verdergaan?

Staat het bord nog in de tuin? Misschien is het wel weggehaald. Ik kan me nog steeds niet voorstellen dat Roderick ons huis zomaar verkocht heeft.

In plaats van te gaan koken loop ik door de hal naar buiten. Een zwoele wind waait door mijn dunne kleding, terwijl de geur van bloesems mijn neus prikkelt. Bloemen in de tuin, daar kon ik altijd zo van genieten. Maar nu ben ik alleen maar gericht op het makelaarsbord. Het staat er nog. Pas als ik de tekst zie, trekt er een rilling door mijn lijf.

Verkocht.

Het staat in kapitale letters dwars over het te koop-bord heen. Het dringt nu pas echt door: Roderick komt niet terug. Ik sla mijn armen om mijn middel, om mijn trillende lijf vast te houden. Pas als ik zie dat ik mijn nagels diep in mijn bovenarmen heb geduwd, begrijp ik waarom het pijn doet. De woede vormt een hittefront dat langzaam naar mijn hoofd stijgt. Verkocht? Is hij helemaal belazerd! Ik geef een harde trap tegen het bord. Het heeft totaal geen effect. Dan bewerk ik het met mijn vuisten. Krab net zo lang met mijn nagels aan het papier tot ik er grip op krijg. Trekken. Weg. Het moet weg! Mijn huis is niet verkocht. Dat mag niet. Kan niet. Het bonkt in mijn hoofd, terwijl ik tekeer blijf gaan.

Pas als het niet meer leesbaar is kom ik tot rust. Ik draai het bord mijn rug toe, loop terug naar de voordeur en blijf dan abrupt staan. Ik staar naar de glimmend gouden knop, het mahoniekleurige hout, de sierranden die een klein raam van geribbeld glas vasthouden. Alles registreer ik. Dit was míjn toegang tot míjn domein. Dat kan hij me toch niet zomaar afpakken?

# 11 Later

Volkomen leeg en uitgeput zit ik weer in mijn cel, die zo mogelijk nog leger lijkt dan een uurtje geleden. Roderick is gevonden. Hij is vermoord.

Ze hebben me gewoon teruggestopt omdat ze naar een andere afspraak moesten. Geen tijd voor mijn uitleg en voor de woorden die ik opeens wist te vinden. Geen tijd voor mijn uiteindelijke openbaring dat ik verkracht was. De tijd is mijn vijand. Tijd die ik hier in deze arrestantencel in overvloed blijk te hebben omdat de uren langer duren dan ik ooit in mijn leven heb meegemaakt. Ze sluiten me op en ik heb geen idee wanneer er weer iemand opduikt om me te woord te staan. Geen benul of er nu eindelijk iets gedaan wordt met mijn verzoek om een advocaat.

'Ik ben verkracht,' heb ik ze toegeschreeuwd. Stijflip wendde haar hoofd af en in de grijze ogen van de man van wie ik hoopte dat er iets aan normaal contact mogelijk zou zijn, zag ik alleen maar wantrouwen.

Ik sla mijn armen om mijn benen en voel dat de kou mijn lichaam laat trillen als een verslaafde die afkickverschijnselen heeft. Al die tijd heb ik Roderick dood gewenst. Steeds als hij op mijn pad kwam gebeurde er iets ellendigs. Maar dat hij zelfs met zijn dood mij nog kon raken, had ik nooit kunnen bedenken.

Ik word verdacht van moord. Een zin die mijn leven opnieuw op zijn kop zet.

Zelfs nu ik weer in de betrekkelijke rust van een cel zit, dreunen de repeterende vragen van het verhoor door mijn hoofd. Insinuerende vragen die ik niet kan beantwoorden. Ik heb niets met zijn dood te maken. Ik ben een slachtoffer, geen dader!

De koffie tast als een brandend zuur mijn maag aan, jaagt mijn hart op tot een marathontempo, en laat mijn darmen alle resten van de afgelopen dagen uitspuwen. De onzekerheid over wat me nu te gebeuren staat, is overweldigend. Ik ben niet verantwoordelijk voor de dood van Roderick. Ik heb hem niet gezien. Of wel?

Met mijn gezicht verborgen in mijn armen probeer ik de beelden van die nacht tegen te houden. Ik wil niet weten of er een gevecht was en waar al dat bloed vandaan is gekomen. Wat is er echt gebeurd? Mijn geest speelt een spel met me waarvan de regels volkomen onduidelijk zijn. Ik voel opnieuw mijn dolle woede tegenover Roderick. Ik haat hem om wat hij mij heeft aangedaan. Ik wil hem dood. Ik zou hem inderdaad kunnen vermoorden. Dat gevoel is zo intens dat het me beangstigt en zorgt voor een vreemde verwarring.

Een hard, metalig geluid. Het doorgeefluik gaat open en een bord met eten wordt naar binnen geschoven. Ik wacht af of ze me opnieuw komen halen voor verhoor, maar er gebeurt verder niets. Geen contact. Niemand die wat van me wil weten. En al helemaal niemand die me komt vertellen dat ze een vergissing hebben begaan, of dat ze de verkrachting aan het onderzoeken zijn. Het lijkt alsof ze me totaal vergeten zijn. Ze houden me in leven met een maaltijd van wit kauwgumbrood met plastic kaas en suikerwater met een theekleurtje. Niet zeuren.

Intussen word ik compleet gestoord van de muziek die steeds harder lijkt te klinken. Aangezien ik geen andere bezigheden heb in deze afgesloten wereld, richt ik me op het paneel naast de deur. Er zitten drie onverwoestbare knopjes op, maar ik heb geen idee waar ze voor dienen.

Na wat gedraai aan de knopjes blijk ik een verwarming te kunnen bedienen, het licht fel of minder fel te kunnen zetten – een uitknopje bestaat hier niet – en kan ik kiezen uit drie zenders die snoeihard of keihard door mijn cel heen loeien. Die radio kan ik wel uitzetten, maar dan neemt de suizende airco mijn oren in gijzeling en mengt het met ganggeluiden waarvan ik verre van vrolijk word.

Uiteindelijk keer ik terug naar mijn betonnen bedje. Ik ben moe en in de war. Er zit een intense angst in mijn lichaam en niets lijkt meer normaal te functioneren. Zelfs dit simpele eten valt verkeerd. Door de pijn in mijn buik lig ik gekromd op het plastic matras, met mijn armen stijf om me heen geslagen. Resten plakbrood kleven aan mijn gehemelte. Ik wil wat drinken, iets anders dan thee.

Met mijn ogen dicht wieg ik mijn lichaam heen en weer. Fleurs gezicht duikt in mijn gedachten op. Ze lacht naar me, het voelt alsof we samen even ontsnappen aan alle ellende. Alsof we elkaar troosten zonder fysiek bij elkaar te zijn. Zou ze al weten dat haar vader er niet meer is? Voelt ze zich opgelucht of is een kind zo verbonden met een ouder dat verdriet de boventoon voert?

Met een ruk kom ik overeind. Hebben ze Fleur verteld dat ik… Nee, dat zullen ze toch niet gedaan hebben? Wat zal dat met een kind doen? Zal ze me gaan haten? Ik moet haar zien en spreken. Ik wil haar zeggen dat ik het niet geweest ben. Ze moet me geloven! Als ik maar even haar ogen kon zien, dan wist ik wat er in haar hoofdje omgaat. Nu weet ik alleen maar dat ik niet bij haar kan zijn, sterker nog, ik weet niet eens of ik haar binnenkort weer mag zien.

Ik word gek van de vragen en onzekerheden die in deze ruimte de boventoon voeren. Ik wil weten wat er gaat gebeuren. Waar ik aan toe ben. Komen ze vandaag nog terug voor een nieuw verhoor? Komt er eindelijk een advocaat? Of laten ze me hier gewoon zitten? Ze moeten er nu toch wel achter zijn dat ik niets met de dood van die klootzak te maken heb. Zou hij zijn eigen dood in scène gezet hebben? Is er wel een lijk? Is hij wel echt dood? Hoezeer ik dat ook gewenst heb, nu zou ik willen dat hij eventjes weer gewoon zou leven. In ieder geval lang genoeg om mij vrij te pleiten van deze waanzinnige aanklacht. Daarna mag hij verzuipen, geplet worden door een trein of doodvallen van de Domtoren. Het maakt me niet uit. Alleen al het vooruitzicht dat hij eindelijk definitief uit mijn leven zal verdwijnen is heerlijk. Nu lijkt zijn dood echter een weerhaak die in mijn lijf is geslagen, waaraan ze mij proberen binnen te trekken in een wereld waar niemand wil zijn. Achter een dichte deur.

Ik schrik wakker door een hoop herrie die ik niet direct thuis kan brengen. Gedurende een paar tellen heb ik geen idee waar ik ben, ook al heb ik voor mijn gevoel maar een paar minuten geslapen. Het te schelle licht geeft de erbarmelijke situatie al snel weer feilloos aan. Het lawaai komt uit de plee die met veel watergeweld doorgespoeld wordt. Niet gewoon een paar seconden. Die idiote pestkoppen die gevangenisbewaarders heten, hebben bedacht dat minutenlang doorspoelen een prima wekmechanisme is. Bovendien raken ze alle zooi kwijt die in de afgelopen nacht in de kille bakken gedeponeerd is.

Als ik mijn benen strek tintelt mijn linkervoet. Ik voel me slap en volkomen leeg. De aangeboden hap warm eten heb ik de vorige avond laten staan, bang om mijn maag ermee te belasten. Dorst had ik wel, maar het enige wat ik kreeg was water. Veel water. En dat lijkt nu allemaal in mijn benen te zijn gaan zitten, zo zompig zijn ze.

Terwijl mijn lijf ontwaakt gaan mijn gedachten terug naar de vorige avond. Er was bezoek voor mij. Er flitsten allerlei namen door mijn verwarde hoofd, maar bezoek ontvangen blijkt helemaal niet te kunnen. Wel bleek er een advocaat in de persoon van een begripvolle man te zijn. Het overdonderde mij dat deze Jan Donselaar mijn woorden niet direct in twijfel trok. Ik merkte dat ik na zijn bezoek rustiger was, alleen al doordat hij op de hoogte was van de volslagen onduidelijke regels in dit verplichte onderkomen.

Het is me niet duidelijk waarom ik wakker gemaakt ben. Er gebeurt helemaal niets. Geen ontbijt, geen verhoor en al helemaal geen verlossend woord dat ze eindelijk beseffen dat ik het mikpunt ben van een vreemde verwisseling van dader en slachtoffer. Wel hoor ik dat in de verte de luikjesparade weer begint. Ik begin te tellen, een vaardigheid die ik nooit eerder heb ontwikkeld, maar die me hier iets van houvast geeft. Het aantal cellen naast de mijne lijkt opeens belangrijk. Het geeft me een vastigheid in deze losse wereld waar niets duidelijk is tot je iets verteld wordt. Het liefst houden ze je in het ongewisse.

Het is zeker een uur later als ik door mijn voederluik mijn kleefbrood toegeschoven krijg. Er komt zowaar damp van mijn thee.

'Dankjewel,' mompel ik automatisch.

Als antwoord klapt het luikje weer dicht. Ik trek mijn eten naar me toe en probeer te voelen of ik trek heb.

'Ik wil een sigaret,' schreeuwt mijn buurman. Zijn bord belandt tegen de muur die tussen ons in staat en waar ik ineens toch wel dankbaar voor ben.

Terwijl de suikerthee mijn smaakpapillen overuren bezorgt, overdenk ik mijn korte gesprek met Jan Donselaar. Ik realiseer me dat ik een volkomen onsamenhangend verhaal heb verteld. Toch blijkt het gevoel dat er eindelijk iemand voor mij aanwezig was, iemand die naar me luisterde en me in eerste instantie geloofde, al voldoende te zijn om me een stuk beter te voelen. Hij beloofde zelfs Ilse te bellen om schone kleren langs te brengen.

Ik pulk aan de plak kaas die op mijn brood ligt. Het is niet duidelijk of de plastic smaak misschien van een vergeten laagje verpakkingsmateriaal komt.

'Hallo mevrouw Van Dongen, hier Jan Donselaar.'

Ik kijk om me heen, maar zie niets anders dan lege wanden waarvan de anti-graffiti coating glimt in het doodse licht.

'Ik heb uw vriendin gesproken. Ze gaf aan dat ze haar best zou doen om wat kleding te komen afgeven. Het klonk echter niet erg overtuigend.' Uit de speaker van Skyradio komt opeens de stem van mijn advocaat.

Ik mompel een antwoord, maar de advocaat is al weer in de te vaak gehoorde muziek veranderd. Haar best doen? Zou Ilse dat niet voor me overhebben?

Er schieten tranen in mijn ogen. Ik zit al twee dagen en nachten in dezelfde kleren zonder een mogelijkheid om me te douchen. De laatste uren klem ik mijn armen tegen mijn lijf om mijn eigen zweetlucht niet te hoeven ruiken. De jeuk maakt me gek, maar ik heb nog net de tegenwoordigheid van geest om niet te krabben. Een simpele douche, of slechts een stukje zeep, het is opeens enorm belangrijk. En Ilse weet niet of het haar zal lukken? Ik besef dat ik het de laatste tijd behoorlijk bont gemaakt heb bij haar, maar als ze hoort dat ik hier zit zal ze me toch niet in de steek laten?

Het is al erg als agenten je niet geloven, je zelfs op geen enkele manier tegemoetkomen, maar als je beste vriendin niet eens weet of ze een tasje kleren kan komen brengen, dan doet dat gemeen zeer. Het lijkt alsof er nu echt niemand meer is die zich ervoor interesseert wat er met mij gebeurt. Al word ik voor maanden of jaren weggeborgen, niemand lijkt daar wakker van te liggen. Hoe kan het zover zijn gekomen? Is het pas een halfjaar geleden dat het heel normaal was dat ik Fleur om me heen had? Dat ik me druk maakte over een presentatie voor mijn werk? Over het lievelingseten van Roderick? Of over de laksheid van mijn huishoudster? Toen had ik een inloopkast gevuld met kleding, die groter was dan mijn huidige leefwereld.

Opeens word ik kwaad op mezelf. Ik zit hier een portie te grienen als een klein kind. Alsof dat helpt! Ik moet wat gaan doen. Geen idee wat. Maar als ik hier niet knettermesjokke wil worden, dan zal ik toch echt wat om handen moeten hebben, want mijn gedachten kennen maar twee standen: draaien of kronkelen.

Om te beginnen moet ik die kleremuziek een toontje lager laten zingen. Die initieert onrust. En dus begin ik opnieuw aan de knopjes te draaien en te drukken. Soms tegelijkertijd, soms apart of in een bepaalde volgorde. Het helpt niets. De muziek blijft te hard staan. Ik laat mijn ogen door mijn cel dwalen of er toch niet iets is wat ik kan gebruiken. Mijn papieren laken, mijn papieren handdoekje, wat tijdschriften en wc-papier. Daar moet ik het mee doen.

Na een uurtje prutsen heb ik van wat wc-papier een natte drab gemaakt die ik op de luidsprekers geplakt heb. Dat dimt eindelijk de schelle tonen, waardoor de Skyradio-herrie tot achtergrondmuziek gedegradeerd is.

Tevreden met mezelf pak ik een van de bladen die in een hoek liggen. Damesbladen die nog nooit mijn aandacht hebben weten vast te houden, omdat ik me er de tijd niet voor gunde. Nu heb ik de tijd. Te veel tijd zelfs. En zo blader ik door een tijdschrift met een zomerse cover, terwijl het in mijn verre herinnering toch echt winter was. Hier in de afgesloten wereld maakt dat niets uit. Het geeft afleiding. Me richten op de ellende van anderen, in plaats van die van mezelf.

# 12 Eerder

'Wees eens rustig,' schreeuwt Ilse door de telefoon.

'Rustig? Je vertelt me net dat het huis nooit van mij is geweest. Hoe kan ik dan rustig blijven?' Allerlei gedachten razen door mijn hoofd. Haar informatie geeft aan dat mijn wereld een domino-bouwwerk blijkt te zijn. Eén duwtje en alles wat zorgvuldig is opgebouwd stort in een razend tempo in.

Ik neem een grote slok wijn, maar de rustgevende werking blijft uit.

'Het komt heus vaker voor,' zegt ze nu zachter.

'Staat het huis echt alleen op zijn naam?' Zelfs als ik de woorden herhaal kan ik ze niet geloven.

'Rijke mannen zijn eikels van het ergste soort.'

Ik ga er niet op in. Rijk of niet, we hadden het goed, dacht ik.

'Ik heb er dus helemaal niets over te zeggen?'

'Sorry, ik wou dat ik beter nieuws had.'

De informatie van Ilse is gewoon niet te bevatten. Ik klem mijn kaken op elkaar tot het zeer gaat doen. Ik besef nu hoe onnozel ik ben geweest. Ik voel me genaaid.

'Ik zal hem uitknijpen. Dokken zal-ie. Ik eis een fikse alimentatie, niet alleen voor Fleur, maar ook voor mezelf.'

'Heb je niet geluisterd?'

Nee, ik wil niet luisteren. Ik houd de telefoon ver van mijn hoofd. Zwijgen moet ze. Hoe kan het dat ik er zo ingetrapt ben? Dat ik hem niet doorzien heb? Een naïeve trut, dat ben ik.

Dan duikt de scène in mijn hoofd op van slechts een paar weken geleden. Alles is gewoon van tevoren door Roderick opgezet.

Wie weet hoe lang hij al met die griet heeft gerommeld zonder dat ik het wist. Ik heb vol vertrouwen alles ondertekend waar hij om vroeg. Het moment staat me zo helder voor de geest. Zijn handen die plotseling op mijn schouders lagen en ze begonnen te masseren. Mijn verschrikte reactie.

'Je bent veel te gespannen, straks krijg je weer migraine.' Ik hoor zelfs zijn stem nog vlak bij mijn oor. 'Ik heb de administratie net gedaan, ik heb alleen nog een paar handtekeningen van jou nodig.'

'Zeker voor de belastingaangifte.'

'Nee, dat gaat met jouw DigiD, bovendien heb ik die een paar weken geleden al ingevuld.'

'Met de nodige creativiteit, neem ik aan?'

'Natuurlijk, je kent me. Bram heeft me de fijne kneepjes van het vak geleerd.' Hij laat mijn schouders los, en ik hoor hem gniffelen.

Ik lach mee. 'Wil je die handtekeningen nu direct hebben?'

'Ja, graag.' Roderick legt een paar papieren voor me neer. Dan buigt hij over me heen en kijkt op mijn scherm. 'Ben je bezig met de personeelsplannen voor de fusie?'

Ik verbaas me erover dat hij zomaar naar mijn werk vraagt.

'Ik mag een sociaal plan maken.' De trots kan ik niet verbergen.

'Niet makkelijk, maar ik weet dat jij het kan. Als jij die regeling uitzoekt, komt het helemaal goed. Jij zorgt dat niemand onder die fusie te lijden zal hebben. Hieronder, alsjeblieft.'

Zijn gezicht staat ontspannen. Ik pak zijn pen en zet mijn handtekening op de plaats die hij aanwijst.

'En hier nog eentje.'

'Waar is het eigenlijk voor?'

'Er zijn weer wat wijzigingen bij de bank. Ze willen dat we een akkoordverklaring ondertekenen om de veiligheid van ons spaargeld te waarborgen.'

'Veiligheid van ons spaargeld,' sputter ik.

'Dit is de laatste,' zegt hij, terwijl hij een deel van het papier optilt en de plek aanwijst waar ik moet tekenen.

Ik wil het papier pakken, maar Roderick heeft het stevig vast.

'Die fusie kan toch nooit helemaal zonder ontslagen doorgaan?' begint hij opnieuw over mijn werk. Zijn adem strijkt langs mijn haar. Hij is wel erg geïnteresseerd. 'Misschien wil je me er later wat over vertellen, bij een glaasje wijn. Straks word je nog een grotere workaholic dan ik.' Zijn lach klatert als een waterval van mijn haren op mijn schouders. Dan wijst hij weer op het papier. 'Dit is de laatste, schatje.' Ik teken braaf en leun dan naar achteren.

Ik heb getekend. Alles. Zonder te kijken waar het over ging. Volkomen vertrouwend op zijn woorden. Ik was als een loopse hond blij met zijn aandacht voor mijn werk. Kwispelde bijna van dankbaarheid. Maar het ging die smeerlap alleen maar om die krabbel van mij onder al die zorgvuldig opgestelde documenten. En reken maar dat ze juridisch kloppen, daar heeft hij als advocaat wel voor gezorgd.

'Dus ook naar die alimentatie kan ik fluiten?' roep ik tegen de telefoon die ik nog steeds zo ver mogelijk weghoud. 'Hoe kan ik het ongedaan maken? Ik wist toch helemaal niet…' Ik leeg mijn glas en gooi de telefoon van me af. Dan barst ik in huilen uit. In plaats van een wijntje drinken met mijn echtgenoot – hoe blind kun je zijn? – wil ik nu het liefst de telefoon tegen zijn hoofd kapotslaan.

'Wat een lul. Ik hoop dat de politie hem veroordeelt, dat zal hem als advocaat nekken,' mopper ik verder, terwijl ik met mijn vingers een kussen van zijn versiersels ontdoe. 'Hij verdient het. Mij een beetje in elkaar trimmen en me dan ook nog berooid achterlaten. Durft-ie wel? Flinke vent, hoor.' Tegelijkertijd scheld ik mezelf de huid vol dat ik die aangifte ingetrokken heb. Ik had naar Ilse moeten luisteren.

In een opwelling mik ik het kussen ver van me af. De vaas die hem opvangt overleeft het niet. De schrille klanken van glas dat op de plavuizen valt doet me goed tot ik besef dat ook mijn hele leven in scherven ligt.

Ik schenk opnieuw mijn glas vol. De wijn begint te smaken. Wie weet is het wel een heel dure? Het etiket kan ik echter met de beste wil van de wereld niet lezen.

'Janna? Hé, ben je er nog?' Een vage stem komt ergens uit mijn bank.

Ik ga op zoek.

'Wat een ellende. Hoe ben je erachter gekomen?' vraag ik als ik haar eindelijk opgediept heb.

'Allemaal oude vriendjes die ik in kan schakelen. Ze helpen me liever aan dit soort informatie dan dat ik een boekje over hen opendoe.' Ik hoor een zacht gegrinnik. Het irriteert me.

'Kan ik er niet onderuit? Gewoon alles verscheuren?' Het is het enige wat in me opkomt.

'Het spijt me, maar het huis heeft nooit op jouw naam gestaan. En in die documenten staat zwart op wit dat je afziet van alimentatie, alles ondertekend en wel. Hij staat gewoon in zijn recht.'

Nu ze het opnieuw onder woorden brengt besef ik hoe diep ik in de problemen zit.

'Het huis is al verkocht,' zeg ik ontmoedigd. 'Ik sta dus echt binnen drie weken op straat.'

Het blijft stil aan de andere kant.

'Besef je dat? Op straat,' zeg ik opnieuw. 'Hoe kom ik in vredesnaam aan woonruimte in Utrecht, de stad met de meeste woningzoekenden van heel Nederland?'

'Natuurlijk kun je een tijdje bij ons wonen.'

Ik voel dat ik zelfs kwaad op Ilse word. Begrijpt ze mijn probleem niet?

Dan weet ik wat ik moet doen. 'Ik moet Roderick vinden. Dit kan hij niet maken.'

Ik hoor Ilse zuchten. 'Wat wil je dan doen?'

'Met hem praten. Hij moet toch enige rechtvaardigheid in die achterlijke advocatenkop van hem hebben?'

'Weet je dan waar hij zit?'

'Ik neem aan bij die sloerie van hem.'

'Dat vriendje van me vertelde dat hij net een pand aan de Kromme Nieuwegracht gekocht heeft.' Ze noemt een nummer. 'Mannen zijn klootzakken, dat heb ik je toch gezegd?'

'Hij heeft al een nieuw huis gekocht?' De onwaarschijnlijkheden stapelen zich op.

Ilse zucht diep. 'Jaap zou het niet moeten flikken.'

'Roderick wel dan?'

Hoe stiller het blijft aan de andere kant, hoe kwader ik word. 'Hij is gewoon bezig om met ons gezamenlijke geld een of andere jonge trut met sieraden te behangen.' Ik voel de hitte als een vuurbal in mijn lijf. 'Ik ga naar hem toe. Ik zal hem...'

'In elkaar slaan?' vult Ilse mij aan.

'Erger. Ik haat die man zo erg dat ik hem wel kan...' In gedachten vul ik het aan. Nog nooit heb ik me zo machteloos gevoeld. Als een lam vogeltje dat haar vleugels uit wil slaan, maar vastzit aan duizenden draden. Ik moet iets doen. Ik kan niet thuis blijven zitten en alles maar over me heen laten komen.

Ik verbreek de verbinding en loop naar de keuken. Tot mijn opluchting zie ik dat ik nog een nieuwe fles wijn heb staan. Het is goed de woede een beetje te blussen, ook al heeft Ilse groot gelijk. Mannen zijn klootzakken en Roderick is de allerergste.

Hoewel het al laat is als ik de Kromme Nieuwegracht oploop, ben ik niet de enige nachtbraker. Meisjes met minirokjes die ik zelfs tien jaar geleden niet had durven dragen, komen me tegemoet. Heeft hij zo'n jonge griet aan de haak geslagen?

Een stille nacht in een studentenstad als Utrecht is betrekkelijk. Gerammel van fietsen en een ver geknetter van een brommer wiens uitlaat over de stenen lijkt te stuiteren, zorgt dat ik me gesterkt voel. Ik ben niet alleen. Hij kan me niets doen. De stad kijkt toe.

'Oeps,' mompel ik als de hak van mijn schoen opzij zwikt. Die stenen zijn volgens mij nog nooit zo ongelijk geweest.

Mijn kwaadheid is niet gezakt, ik weet wat me te doen staat. Die zak zit in een van deze hoge grachtenpanden, die hij voor zijn nieuwe liefje heeft gekocht. Ik zal hem vinden en hem precies vertellen wat ik van hem denk. Op straat durft hij toch geen vinger naar me uit te steken.

Achter me hoor ik stemmen. Gelach klinkt. Er valt niets te lachen, wil ik de studenten toeschreeuwen die langs de met fietsen omzoomde rand van de gracht lopen. Was ik nog maar net zo zorgeloos als dit drietal, schiet opeens door mijn hoofd.

Als ik het juiste huisnummer heb gevonden, is van mijn dappere voornemen hem mijn ongezouten mening te vertellen niet veel overgebleven. Mijn voeten lijken me niet naar de voordeur te willen brengen. Als ik echter terugdenk aan de vuile manier waarop Roderick mij uit zijn leven wil bannen, functioneert mijn lichaam weer als vanouds.

Ik bons met mijn vuisten op het hout. 'Doe open.'

Niets.

'Roderick, ben je daar, vuilak!' De bel die op ooghoogte hangt druk ik in alsof ik een stressballetje bewerk.

In de deur gaat een klein luikje open. Ik zie zijn ogen glinsteren.

'Wat heb je allemaal achter mijn rug om geregeld, smeerlap?'

'Doe rustig, Janna.'

'Rustig? Waarom?' Ik ga expres harder praten. 'Hoe kan ik rustig zijn als jij mij alles afpakt?'

'Doe niet zo dramatisch.'

Ik haat het kleine luikje. Wil het liefst zijn ogen uitkrabben. 'Als ik jou je gang laat gaan heb ik straks niets meer.'

'Je had ook niets toen ik je leerde kennen.'

Het moment van verwarring duurt slechts kort. 'Ik was zestien!' Mijn stem schiet de hoogte in.

'Ik heb al dat geld verdiend, dat weet jij ook wel.'

'Ik niet dan! Wat denk je wel niet.' Ik schreeuw opeens alle scheldwoorden naar buiten die in mijn hoofd opkomen.

'Stil! Wees stil, Janna,' probeert hij me te sussen.

'Ik zou niet weten waarom,' gil ik verder.

Ik voel me waanzinnig sterk nu hij een machteloosheid laat zien die ik nog nooit eerder bij hem heb waargenomen.

Als ik me omdraai naar de stad open ik mijn armen alsof ik op een wijds toneel sta. 'Hier woont de bekende advocaat Roderick

Bervoets. Ooit van gehoord, dames en heren? Het is de meest on-eerlijke man van heel Utrecht. Hij verlaat zijn vrouw en kind voor een jong mokkel en weigert de financiële consequenties te dragen.'

Er blijft een jong stel staan. De man probeert zijn vrouw mee te trekken, maar die lijkt vastbesloten om van dit gratis drama te genieten.

Natuurlijk wend ik me tot haar. 'Pas maar op, lieve dame. Ooit leek ik ook gelukkig. Maar wat heeft deze zogenaamd nette advocaat gedaan?'

Achter me hoor ik een sleutel die omgedraaid wordt.

'Hij heeft me volledig in elkaar geslagen en nu wil hij me zonder één cent...'

Ik voel een stevige hand om mijn arm. 'Zo is het genoeg, Janna.' Hij trekt me hardhandig opzij.

'Au, au! Zien jullie wat hij doet?' Mijn stem schiet alle kanten op, deels door de pijn in mijn schouder, deels door de overdreven dramatiek.

Roderick laat me direct los. 'Wil je nu stoppen met dit toneel-stukje,' sist hij me toe.

Ik draai me om en bijt hem toe: 'Voor mij is het geen theater, Roderick. Jij hebt me al die jaren voorgelogen. Ik dacht dat we sa-men een leven hadden opgebouwd. Maar jij...' Ik draai me terug naar de straat. 'Hij heeft me in elkaar geslagen en daarna al ons geld meegenomen. Zelfs voor zijn dochter heeft hij geen rooie cent over. Geld is alles voor hem, belangrijker dan liefde. Hij koopt ge-woon een nieuw jong ding dat bereid is haar benen wijd te doen voor dat kleine dingetje van hem.' Ik grinnik als ik de pink van Ilse weer voor me zie.

'Het schouwspel is voorbij,' roept Roderick in de richting van de straat waar nog meer mensen zijn blijven staan. 'Mijn vrouw heeft een beetje te veel op.'

Hij wil me aan mijn arm naar binnen trekken, maar ik zet me schrap. Dat gaat me niet gebeuren. Als ik achter die dikke houten deur verdwijn ben ik hulpeloos verloren.

'Laat me los. Jouw geld stinkt.' Ik hoor wat reacties vanaf de straat. Is dat voor mij? Ik ruk me los en draai me om. 'Niemand hoeft medelijden met me te hebben. Ik kom er wel, ook zonder meneer de advocaat. Ik ben sterk en kan heus wel voor mezelf zorgen. En voor ons dochtertje. Ik zal mijn verantwoordelijkheid niet uit de weg gaan.' Er trekt een duizeling door me heen. 'Ja, mijn verantwoordelijkheid,' herhaal ik zacht.

Rechtop blijven, spreek ik mezelf toe. Ik kijk naar Roderick en kan me opeens niet voorstellen dat ik ooit van deze man gehouden heb. Ik zie zijn mond bewegen, hoor woorden, maar mis de betekenis. Het is een leeg omhulsel van iemand die ik ooit zag als de invulling van mijn levensdroom: een gelukkig gezinnetje. Hij is echter niets waard. De stilte rukt op in mijn hoofd, een misselijkheid bezet mijn maag. Ik moet naar huis. Wat doe ik hier? Waarom zou ik nog energie verspillen aan deze prekende vleeszak.

Als laatste groet duw ik mijn wijsvinger priemend in zijn gezicht. De stad lijkt zijn adem in te houden.

'Als je denkt dat je goed bezig bent, bedenk dan dit: voor mij is er vanaf dit moment nog maar één persoon belangrijk in mijn leven, míjn dochter. Met al het geld van de hele wereld kun je haar liefde niet kopen. Met deze smerige handtekeningenactie ben je niet alleen mij, maar ook je kind kwijtgeraakt.'

Tot mijn verbijstering barst hij in lachen uit. 'Je bent zo dom,' hikt hij na.

Zijn opmerking is krenkend als altijd.

'Als je Fleur ooit nog met één vinger aanraakt, krijg je haar zelfs nooit meer te zien. Ik zal haar met mijn leven verdedigen.'

Dan draai ik hem mijn rug toe. Tranen duwen en die gun ik hem niet. Driftig slikkend loop ik langs de groep mensen die ademloos heeft staan toeluisteren. Ik zie een vrouw haar handen uit haar zakken halen. Dan begint ze te applaudisseren. Eerst langzaam, maar al snel vallen een paar anderen in. Ik veeg de tranen weg die ik helemaal niet wil laten zien. Met een snotterige lach bedank ik hen, terwijl ik verder loop. Ik moet hier weg. In mijn binnenste knijpt de wetenschap dat het nu echt afgelopen is tussen Roderick en mij. Zal het me lukken om mijn leven in mijn eentje goed op de rails te krijgen? Kan ik ooit vergeten wat hij mij heeft aangedaan?

# 13 Later

Het is vreemd om zomaar naar buiten te mogen lopen. Ik adem de vettige verkeerslucht van de grote stad in, toch lijkt het alsof er een frisse wind door mijn hoofd waait. Hoe lang ben ik opgesloten geweest? Twee dagen? Vier? Ik voel me binnenstebuiten gekeerd en gezandstraald, waardoor het velletje dat om me heen zit niet meer het mijne is. Het moet weer comfortabel gaan voelen. De wonden die door insinuerende woorden en fouillerende handen zijn veroorzaakt zullen genezen.

'Wat een langdurig gezemel in die rechtbank,' moppert Ilse die door de wind moeite heeft haar sigaret aan te steken.

Ik zwijg. Alsof zij weet wat langdurig is. Of hoe het voelt om dagenlang vastgehouden te worden terwijl je weet dat het onterecht is. Hoe lang nachten duren als er geen enkele afwisseling is, geen verlossende slaap door de luikjesherrie, en geen douche omdat er geen schone kleren gebracht zijn. Pas toen ik meegenomen werd naar de rechtbank kreeg ik het plastic tasje met mijn persoonlijke spullen terug. Met een setje schone kleren. Sorry, vergeten door te geven, was hun enige uitleg.

'Niet hier.'

Ik schrik van de basstem naast me, al afgehard door commando's. Niet mogen praten of juist moeten antwoorden. Moet ik terug?

'Oké, rustig maar. Ik steek 'm hier niet op,' zegt Ilse verontwaardigd tegen de agent die haar sigaret wil afpakken. De man laat zijn ogen in haar diepe decolleté glijden. Ik zie dat Ilse direct met hem speelt, en vroeger zou ik meegenieten. Nu wil ik echter alleen maar weg. Deze mannen zijn geen speelkameraadjes om mee te flirten. Ze zijn de vijand die ervoor kan zorgen dat ik mijn vrijheid kwijtraak.

Met mijn vingers tast ik naar het artikel dat ik uit het tijdschrift heb gescheurd en daarna in de rand van mijn slipje heb verborgen, stijf opgerold. *Sterker door verlies?* was de titel van het artikel dat mij raakte. Mooie diepgang. Herkenning. Ik heb dan ook veel verloren. 'De moeilijkste momenten in je leven kun je niet van tevoren bedenken. Die overkomen je. Leven wordt dan overleven.' De zinnen ken ik uit mijn hoofd, daar heb ik dat artikel niet meer voor nodig. Wel wilde ik genoegdoening voor de strenge fouilleringen, mensonterend bijna. Vandaar mijn actie om de uitgescheurde bladzijden mee naar buiten te smokkelen.

Vechtende vrouwen tegen kanker, onrecht of verlies. Ik heb elk woord gelezen. Op dat moment, daar in die klotecel, nam ik me voor dat ik het anders moest aanpakken. Het nog steeds aanwezige rolletje papier op mijn lijf voelt als een eerste stap. Ze hebben het niet ontdekt. Ik ben slimmer dan zij.

Een enorme beukenboom iets verderop langs de drukke weg toont dat het voorjaar in aantocht is. Takken vol knoppen die op uitbarsten staan.

'Ga je mee? Ik heb weinig tijd, want ik moet Dennis nog ophalen.' Ilse neemt ongeduldige trekjes van haar sigaret. De rook wervelt omhoog, een en al vrijheid en ruimte. Geen benauwde cel waar je zo hard kunt gillen als je wilt zonder dat er acht op geslagen wordt. Waar de kou diep in de muren zit.

Een vrouw met kort asblond haar en een uilenbrilletje dat in de zeventiger jaren modern was, komt op ons aflopen. 'Mevrouw Van Dongen?' Ondanks haar wat hangende oogleden nemen de donkerblauwe ogen mij onderzoekend op.

'Ja?' Ik merk dat ik op mijn hoede ben.

'Mag ik mij voorstellen? Ik ben journaliste van…'

'Geen schrijfwijven. Kom mee, Janna, ik moet echt weg.' Ilse grijpt mijn arm en wil me meetrekken.

'Journaliste van wat?' Er ligt iets in de ogen van de vrouw wat me trekt.

'Ik ben Fenna Faassen, journaliste van het magazine *Ogen-blik*. Ik doe onderzoek naar...'

'Geen tijd,' onderbreekt Ilse pinnig. Dan naar mij: 'Een journaliste. Daar zit je niet op te wachten, neem ik aan.' Ze loopt bij me weg. Ik kijk afwisselend naar mijn vriendin en de journaliste die nu in haar tas rommelt.

'Hier, mijn kaartje. Ik denk dat ik je kan helpen. Neem maar contact op als je meer tijd hebt.'

Meer tijd. Ik kijk achterom. Daar was tijd een abstract gegeven, iedereen had de tijd, maar niemand nam de tijd. Om te luisteren, bijvoorbeeld. Om echt interesse te tonen en open te staan voor het feit dat er vergissingen gemaakt konden zijn. Maar vind ik dat wel bij een journaliste? Zijn die niet juist uit op een smeuïg verhaal? Sterker door verlies? Het meegesmokkelde artikel prikt in mijn onderbuik.

In een opwelling pak ik het kaartje aan en laat het in mijn jaszak glijden. Dan loop ik snel achter Ilse aan.

De geur is een tekenend welkom. Schraal en zurig. Nu ik een paar dagen niet in mijn flatje ben geweest merk ik pas in welke omstandigheden ik daar geleefd heb.

Zonder iets te zeggen loopt Ilse langs me heen, gooit allerlei ramen en deuren tegen elkaar open. 'Hoe houd je het in deze vuilcontainer uit.'

Ik vraag me hetzelfde af, maar zeg niets.

'Heb je koffie in huis?' Ze loopt naar het donkere hok dat keuken heet.

In plaats van dichtslaande kastdeurtjes hoor ik een gedempte kreet. Daarna het geluid van omvallende flessen als bowlingkegels bij een strike. 'Shit, wat heb jij...' De stilte die daarna valt is zwaarder dan de beschuldiging die ze had kunnen uiten.

Ik doe de voordeur dicht. De herinneringen die mee naar binnen zijn gekomen halen het laatste moment terug dat ik hier liep. Afgevoerd als een levensgevaarlijke crimineel. Burenogen veroordeelden zonder enige vorm van clementie. Het voelt zo klote dat er tranen in mijn ooghoeken opwellen, als vechters tegen de machteloosheid die ik in de afgelopen dagen van zo dichtbij heb meegemaakt.

Nu ik mijn appartementje met nieuwe ogen bekijk valt me de moedeloosheid op die uit het bijeengeraapte zooitje spreekt. Ooit had ik designmeubels, een kleed waarvan het merklabel alleen al een klein fortuin kostte, en een huishoudster die het allemaal fris en schoon hield.

'Werkt dat apparaat nog wel?' Ilse steekt haar hoofd om de hoek van de keuken. Terwijl ze op mijn antwoord wacht blaast ze mooi gevormde rondjes rook de kamer in. De sigarettenrook is beter dan de geur van schrale eenzaamheid. De beelden van de arrestatie vervagen. Het rookgordijn helpt.

'Ik heb geen idee. Ik zal wel thee zetten.'

Ik zie dat Ilse direct terugloopt naar de woonkamer. Ze kijkt rond met een viezig trekje om haar lippen. Alsof elke stoel in mijn kamer niet goed genoeg is om haar welgestelde billen op te leggen.

De zin om daadwerkelijk die thee te gaan maken drijft weg op haar sigarettenrook.

'Ik ben blij dat je uit... dat je weer thuis bent,' zegt ze na wat een eindeloze stilte lijkt.

'Ik heb het niet gedaan.'

'Je bent zeker wel opgelucht.'

'Ik heb het niet gedaan,' zeg ik nu harder.

'Gelukkig heeft het niet lang geduurd.' Haar ogen blijven de mijne ontwijken.

'Het was té lang. Ik ben onschuldig en dat zal ik bewijzen ook.'

'Ik moet naar huis. Ik heb Dennis beloofd om...'

'Dat is goed, ga maar,' onderbreek ik haar. Waarom zegt ze niet gewoon waar het op staat? Ze is nog nooit vies geweest van directheid.

'Ik wil hem niet laten wachten.'

'Nee, natuurlijk niet.' Beleefd tegenover mijn vriendin, zover moest het dus komen. Ik zie hoe ze met de teen van haar te puntige laars de franje van het groezelige kleed bespeelt.

'Pas maar op dat je laars niet vies wordt,' zeg ik hard.

Ze trekt haar voet weg, maar durft me niet aan te kijken.

'Nou, dan ga ik maar.'

'Ja, dankjewel dat je me op kwam halen.'

'Natuurlijk, dat doe je toch voor vrienden.'

'Ja, dat doe je voor vrienden.'

Ze loopt naar de voordeur, draait zich om en opent haar mond. Dan kijkt ze weg en zegt: 'Mannen zijn eikels.'

'Ja, maar gelukkig is er nu eentje minder.' Ik weersta de neiging om de deur met een harde klap achter haar zachtwollen jas dicht te kwakken.

Ik wacht tot haar hakgetrippel wegsterft op de galerij.

'Ik heb het niet gedaan,' gil ik dan tegen de dichte deur die nu als een blokkade tussen mij en mijn enige vriendin zit. 'Ik ben onschuldig. Geloof me, alsjeblieft!'

Dan ren ik naar de keuken en graai een halfvolle fles van het aanrecht. Met een krachtige zwaai mik ik hem achter haar aan. De deur houdt hem tegen. Scherven vliegen rond. Als in een vertraagde opname lopen de druppels drank naar beneden alsof de deur verdovende tranen huilt. Ik ram met mijn vuisten tegen het harde hout, tot mijn polsen zeer doen. Er ontstaan rode vlekken op het grauwe oppervlak.

'Laat me niet alleen, alsjeblieft.' Mijn stem huilt de pijn eruit. Mijn hoofd dreunt tegen het kille oppervlak alsof het een tweede fles is die uit elkaar moet klappen. Nu zijn het echte tranen die beginnen te lopen. 'Ik kan het toch niet gedaan hebben? Ik ben geen moordenaar.' Langzaam glijd ik naar beneden tot ik op de vuile mat beland. Beelden van die mistige nacht zweven langs mijn dichte ogen, maar ik weet niet meer of ze werkelijkheid of ingebeelde wens zijn.

De afgelopen uren heb ik staan schrobben. Eerst mijn eigen lijf en daarna mijn omgeving. Beide waren hard nodig. De schrale lucht is verdreven en de synthetische lucht van schoonmaakmiddel heeft zich nu in mijn appartement genesteld. De twee stoelen en de bank die mijn woonkamer rijk is zitten nu alleen nog vol vlekken die met de aftandse stofzuiger niet te verwijderen waren. Stap voor stap. Niet rennen.

Het gezicht van Ilse blijft hangen in mijn hoofd. Hoe heeft het zover kunnen komen dat ik alleen nog maar wantrouwen lees? Ooit was ze mijn beste vriendin, tegen wie ik alles durfde te zeggen omdat ze me nooit zou veroordelen. We kennen elkaar al zo lang. Het was altijd weten in plaats van vermoeden. Dat is nu andersom. Ik ben door de officier van justitie vrijgelaten, er was geen bewijs tegen me te vinden, maar ik voel me veroordeeld door haar. Ik weet niet wat erger is.

Ik wil weer contact hebben, met wie dan ook. Opgesloten zijn en af moeten wachten tot iemand anders de moeite neemt om iets voor je te doen is een ervaring die ik nooit meer mee wil maken. Alsof mijn leven op slot zat en elk lijntje met de buitenwereld was doorgesneden.

Ik word gek van mezelf. Wil geen zelfmedelijden meer voelen. Ik ben in deze positie terechtgekomen, maar ik wil er niet in berusten. Ik zou toch gaan vechten? Nou dan.

De accu van mijn telefoon blijkt compleet leeg. Ik voel me net zo. Eerst moet ik mijn oude energie weer terug zien te krijgen. Kon ik mezelf maar aan de lader leggen.

Ik gooi mijn nog vochtige krullen naar achteren. Schud ze op met mijn handen. De rode gloed die op mijn haren glansde was altijd mijn trots. Dat gevoel moet ik zien terug te krijgen. Trots op mezelf. Ik ben het waard om er te zijn.

Ook al is mijn kamer nu schoner dan ooit, ik voel me er opgesloten. Ik wil naar buiten, frisse lucht, ruimte. Het gevoel alles te kunnen doen wat ik wil en niet af te moeten wachten tot iemand een deur of een luikje openmaakt.

Op mijn tafeltje ligt het visitekaartje. Ik pak het op en draai het om en om. Fenna Faassen, magazine *Ogen-blik*. Het logo bestaat uit een groen oog dat me kritisch aankijkt. Het doet me denken aan de ogen van de journaliste, ook al is de kleur anders. Er lag iets in verborgen dat me vertrouwen gaf. Geen idee waarom. Zal ik haar bellen? Gewoon alleen maar vragen waarom ze daar op me stond te wachten?

Nadat ik mijn mobiel aan de stroom heb gelegd, kies ik het nummer op het kaartje. Als ik mezelf vrij wil pleiten en die belachelijke verdenking wil wegwassen, heb ik alle hulp nodig die ik kan krijgen. Een journaliste is per definitie nieuwsgierig en graaft graag allerlei informatie op. Zo iemand zou me zomaar verder kunnen helpen. Het is alleen de vraag of ik die hulp moet zoeken in een vrouw van middelbare leeftijd.

Dan klinkt een krachtige stem. Dat is het laatste duwtje om volledig overstag te gaan.

'Ik wil graag afspreken.'

# 14

Het is heerlijk om op het station van Utrecht Centraal rond te lopen. Mensen die me passeren zonder me aan te kijken. Ik maak deel uit van een menigte zonder beschouwd te worden als slecht of gevaarlijk. Ik zou zelfs zo in een trein kunnen stappen, ongeacht de bestemming, niemand die me zal tegenhouden. Dat is vrijheid.

Op dat moment vang ik een bewonderende blik van een blonde dertiger op. Er glijdt een niet tegen te houden glimlach over mijn gezicht. Het is opeens niet meer één tegen de rest van de wereld. Ook al is treinpubliek zo anoniem als het maar kan, het voelt als een beschermend cordon tegen de kwade beschuldigingen.

Zo sta ik een kwartier te vroeg onder het aankondigingenbord in de centrale hal. Ik drapeer als een volleerd model mijn rode krullen over de kraag van mijn jas en kijk rond. Mensen kijken vertwijfeld op het bord boven me, waarna ze rennend naar een perron vertrekken. Overal haast. Ik heb de tijd. Ik kan doen wat ik wil, maar wacht gewoon rustig op journaliste Fenna.

Een man stopt naast me. Hij bekijkt me van top tot teen. Pas als hij dat blijft herhalen begint het me te benauwen.

'Is er wat?' Ik merk dat ik pinnig klink.

'Wacht je soms op een date?' Hij komt nog dichter bij me staan.

'Hoe kom je daarbij?'

Een blik omhoog is voldoende, hét ontmoetingspunt.

'Als hij niet komt, heb je dan misschien zin...'

'Ga toch spelen en zoek een ander slachtoffer.'

Het woord floept er zonder nadenken uit, maar blijft daarna irritant in mijn hoofd hangen. Waarom blijf ik mezelf toch zo zien?

De onrust is terug. Ik ga een stukje verderop staan. Blijf heen en weer lopen. Werp een blik op de klok. Tien uur. Met mijn ogen tast ik alle gezichten in mijn omgeving af. Eindelijk zie ik haar aan komen lopen.

'Dag Janna. Fijn dat je me wilde spreken.' Fenna's pientere ogen nemen me op.

'Ik weet nog niet of ik hier goed aan doe.'

'Je zult er in ieder geval niet slechter van worden.'

'Ook dat weet ik niet.'

'Hoe gaat het met je?'

'Goed, hoor.'

'Is dat waar? Gaat het goed met je?' Ze blijft me aankijken. Zegt niets.

Mijn ogen vluchten naar de grond. Met de punten van mijn laarzen schuif ik een verloren treinkaartje heen en weer. Met moeite slik ik de taaie brok door die opeens in mijn keel zit. Het is lang geleden dat iemand echt gevraagd heeft hoe het met me ging. En wachtte op een antwoord.

'Zullen we een kop koffie gaan drinken?' Haar stem, opvallend laag voor een vrouwenstem, klinkt zo begripvol dat ik niets anders kan doen dan stom knikken. Ik laat mijn ogen even over haar gezicht flitsen en zie tot mijn opluchting dat ze niet meer op mij let.

Als we een tafeltje gevonden hebben en er twee grote koppen cappuccino voor ons neergezet zijn, steekt Fenna van wal. 'Ik doe onderzoek naar uithuisplaatsingen en iemand tipte mij dat jij hier ook mee te maken hebt gehad.'

'Wie was dat?' Het komt vreemd op me over dat ik dik een halfjaar nadat Fleur bij me weggehaald is door iemand genoemd zou worden.

'Dat doet niet ter zake. Hij gaf aan dat er verkeerde stappen zijn ondernomen.'

'Hij?' Ilse vervaagt.

'Je bent niet de enige die dit meemaakt. Sinds ik in deze materie gedoken ben, krijg ik echt hele schrijnende verhalen te horen.'

'Onterechte uithuisplaatsingen,' mompel ik voor me uit.

'Het gebeurt vaker dan je beseft. En soms op manieren die je in de zwartste scenario's nooit had kunnen schetsen.'

Ik zwijg. Op een of andere manier doet het me niets. Er is maar één kind belangrijk.

'Ik heb een aantal mensen gesproken. Kennelijk kan het zomaar gebeuren.'

'Vertel mij wat.'

'Waar ik nog meer van geschrokken ben is de nieuwe wetgeving op dit gebied. Een lid van de Tweede Kamer heeft mij alle informatie doorgegeven. Ze wil dat dit bekend wordt, maar ze is zelf niet bij machte om er iets aan te veranderen, behalve steeds weer kritische vragen stellen. Zij is gebonden aan politieke restricties.'

'De politiek?'

'Ja, die nieuwe wet maakt het allemaal nog erger. Ze wil dat er ingegrepen wordt.'

Het lijkt alsof mijn lichaam in wisselbaden van achterdocht en hoop gedoopt wordt. Wat willen ze van me?

'Waarom zoek je contact met mij?'

'Hoe meer mensen hun verhaal vertellen, hoe duidelijker het wordt dat het niet om een enkeling gaat. Het is een structureel probleem. De jeugdzorg handelt uit angst. Het stomme is dat het niet meer zozeer gaat om de kinderen, maar eerder om hun eigen hachje. Ze grijpen steeds vaker in terwijl nog niet eens duidelijk is of er echt iets mis is. Jeugdzorg doet nauwelijks aan waarheidsvinding. Ze volgen de makkelijkst begaanbare weg en luisteren naar mensen die uit zijn op wraak, of die een dik netwerk achter zich hebben. Niet naar mensen die zwartgemaakt worden en de kracht niet meer hebben om te vechten.'

Ik zie dat het schuim van mijn cappuccino begint te verschrompelen. Geen kracht om te vechten. Ik heb alles laten gebeuren, lamgeslagen door de overmacht aan connecties uit Rodericks netwerk. Het gaat over mij.

Ik kijk naar de onbekende vrouw tegenover me die ineens in

mijn leven ingrijpt. Die me een hand toesteekt terwijl ik bezig was te verzuipen. Ze kent me niet en toch is ze dichterbij dan al die mensen die ooit aangaven er voor me te zijn. Heb ik dat in dat ene ogenblik gezien? Haar kraaienpootjes die zich probeerden te verbergen achter het grappige uilenbrilletje, terwijl haar ogen toonden dat ze genoeg van het leven gezien had om te weten wat er te halen was. Aan haar handen is geen enkele ring te bekennen. Zou ze zelf kinderen hebben?

Fenna gaat verder met haar relaas. 'Uit tijdsgebrek of tekort aan personeel doen ze niet of veel te weinig aan controle. Eerst het kind uit huis, alsof hun eigen belang vooropstaat. De angst dat ze te laat kunnen zijn wordt eerst afgedekt, daarna gaan ze pas nadenken. Maar dan is het leed al geschied. Niet alleen voor de moeder, ook voor het kind.'

We kijken elkaar aan. Ik zie een compassie in haar ogen die ik vroeger bij Ilse zag toen we nog vriendinnen waren. Betrokkenheid tussen twee mensen blijft bijzonder. De rimpel tussen haar wenkbrauwen is verdwenen.

'Ik ben op zoek naar meer mensen die hun ervaringen willen vertellen, zodat ik mijn artikel kan versterken met praktijkervaringen. Er bestaat een groep moeders die elkaar steunen in de strijd tegen dit onrecht. Vaak hebben ze heel wat meegemaakt en ze willen nu andere slachtoffers helpen om een nieuwe start te maken.' Ik zie haar lippen verzachten. Haar mond wordt breder en krult licht omhoog. 'Je doet het, hè?'

Het is lang geleden dat ik een lach diep vanbinnen voelde komen. Normaal moet vertrouwen groeien, maar bij deze vrouw merk ik dat het er zomaar is. Ze veroordeelt me niet, terwijl juist zij moet weten wat er allemaal gebeurd is.

'Wat doe ik?' Er is zelfs een plagerig toontje dat mijn stem laat buigen.

'Meewerken. Misschien zelfs een keer meegaan naar zo'n vrouwenbijeenkomst.'

'Weet je wel wat er allemaal in mijn leven gebeurd is?'

Fenna knikt. 'Juist daarom.' Het simpele antwoord doet het 'm.

'Ik voel me vereerd.'

Haar hand pakt de mijne. 'Ik ook. Zou je me willen vertellen hoe het zover is gekomen?'

De opwelling om mijn hand weg te trekken kan ik niet onderdrukken. Om mezelf een houding te geven strijk ik mijn haren naar achteren. Daarna leg ik mijn handen op mijn knieën en ik grijp mezelf vast. Niet vallen, blijf overeind. Ik schraap mijn keel, maar de woorden blijven in een taaie brok steken.

'Goed, dan zal ik beginnen. Gisteren was ik in gesprek met Gabrielle,' begint Fenna.

Mijn greep vermindert in kracht. Ik luister.

'Gabrielle is al jong moeder geworden. Toen ze ontdekte dat ze zwanger was van een tweede, liet de vader van het kind haar in de steek. De dag dat ze moet bevallen past een vriendin op haar zoontje, dat hebben ze van tevoren zo afgesproken.'

Fenna schraapt haar keel. Ik voel dat het met dit kind fout moet zijn gelopen. Mijn mond is ineens droog.

'Terwijl de moeder in het ziekenhuis ligt te bevallen, halen de grootouders het zoontje op bij die vriendin. Ze bellen acuut de kinderbescherming en zeggen dat hun dochter haar kind alleen heeft gelaten.'

'Maar die vriendin kan toch…'

'Dat is het nou net. Er wordt niet aan waarheidsvinding gedaan, niemand heeft iets nagevraagd. Jeugdzorg gelooft de grootouders en het kind wordt uit huis geplaatst. De grootouders worden zelfs dankbaar geaccepteerd als pleeggezin.'

'Doordat er nog steeds een groot tekort is?'

'Inderdaad. Jeugdzorg is allang blij als iemand zich hiervoor aanbiedt. En al helemaal als het ook nog familie is.'

'Hoe kunnen de ouders van die vrouw dat zomaar doen? Het is hun eigen dochter.'

'Daar kom ik nu op.'

Ik zie dat haar handen zich tot vuisten ballen. Het roept angst bij me op tot ik mezelf voorhoud dat ze niet voor mij bestemd zijn.

'Het oudste kind wordt dus bij opa en oma geplaatst. Gelukkig mag Gabrielle de baby voorlopig bij zich houden. Opa heeft een advocaat in de arm genomen. Dat is makkelijk te regelen, want hij was zelf werkzaam bij justitie. En aangezien een collega nooit tegen hem zal getuigen, zit opa dus safe.'

Ik kan niet anders dan ademloos luisteren.

'Dit is al enige tijd geleden gebeurd. Het wordt nog gekker, want de laatste tijd gaat het zoontje steeds vaker naar hun andere dochter, de zus van Gabrielle. Wat blijkt nou: die zus is netjes getrouwd, maar kan geen kinderen krijgen.'

'O, nee.' Het is opeens duidelijk wat er verder is gebeurd.

'Ja, helaas is het zo. Op dit moment brengen de grootouders hun kleinzoon bijna elk weekend naar die zus. Ze vinden dat de getrouwde dochter meer recht heeft op een kind. Bovendien is het niet goed voor het kind om op te groeien in een gebroken gezin.'

'Wat afschuwelijk,' zeg ik zacht.

'Ja, je bent niet het enige slachtoffer.'

'En nu?'

'Ik vertelde net over die nieuwe wet. Niemand schijnt te zien wat dit voor gevolgen kan hebben. Het zorgt in feite voor een verkapte adoptiemarkt. In die wet staat beschreven dat als een pleeggezin een jaar voor een kind zorgt, de voogdij over het kind heeft gekregen, en er geen vooruitzicht is op een verbetering van het gedrag van de biologische ouders, er adoptie aangevraagd kan worden.'

'Een jaar? Maar dan is Gabrielle haar zoontje definitief kwijt,' vul ik het doemscenario aan.

'Inderdaad.'

'Maar dat kan toch niet? Ze kunnen een kind toch niet zomaar ter adoptie aanbieden?'

'Die wet maakt dat nu dus mogelijk.'

'Hoe kan het dat die wet is aangenomen?' De verbijsterende waarheid dringt nu tot me door.

'Het heeft weinig zin om daarover na te denken. We moeten de wet aan de kaak stellen en laten zien welke gevolgen het kan hebben. Ik heb al zo veel verhalen gehoord. Het een nog schrijnender dan het ander. De vrouwen die ik noemde hebben zich ten doel gesteld hiertegen te vechten. Samen zijn ze sterker dan alleen.'

Een soort slachtofferhulp. Het idee spreekt niet direct aan, maar toch laat het gevoel dat ik niet alleen sta tegenover al die machtige netwerken, mijn schouders langzaam naar beneden zakken.

'Bij deze groep heeft zich ook een vrouw aangesloten die zowat op de grens met Duitsland woont,' gaat Fenna verder. 'Deze vrouw werkt in Duitsland en heeft daardoor gekozen voor een Duitse huisarts, waardoor haar kind ook daar wordt ingeënt. Het Nederlandse consultatiebureau constateert hierdoor dat de baby geen vaccinaties krijgt. Normaal geen probleem, tot iemand kwaad wil. Haar ex-man geeft door dat de alleenstaande moeder haar baby verwaarloost. Gevolg? Haar kind wordt uit huis geplaatst, terwijl een controle al dat leed had kunnen voorkomen.' Fenna's stem schiet omhoog van opgewonden kwaadheid.

'De meeste mensen zullen zeggen dat dit onmogelijk is,' merk ik op. 'Ze kunnen zich niet voorstellen dat dit werkelijk gebeurt. Ze zullen zich afvragen of die moeder wel echt zo onschuldig is als ze zegt. Waar rook is, is vuur. Een oordeel is snel geveld.' Ik zeg het meer tegen mezelf dan tegen de vrouw tegenover me.

Het is bijna niet op te brengen om terug te denken aan de beschuldiging van de moord op Roderick. Net als aan de insinuaties dat ik Fleur mishandeld zou hebben. Als ik daar echt bij stil blijf staan, rukt het mijn hart uit mijn borstkas. Ik ben veroordeeld door de opinie van mensen om me heen. Zelfs Ilse twijfelt, ook al zal ze dat niet hardop zeggen, toch zag ik het aan haar.

Het meest verwarrende is echter dat ik zelf ook niets meer zeker weet. De gaten in mijn geheugen zijn groter dan de zekerheid van mijn onschuld. Er zitten beelden in mijn hoofd waarvan ik niet weet of ze waanbeelden zijn of werkelijkheid. Dat maakt me bang. Soms vraag ik me af of ik het echt niet gedaan heb. Ben ik wel zo onschuldig als ik steeds aangeef? Die onzekerheid knaagt op dit moment aan mijn zenuwen. Het enige wat ik kan doen om mezelf overeind te houden is keihard te blijven geloven dat ik geen moordenaar ben. En dat ik al helemaal nooit mijn eigen lieve Fleur pijn zou kunnen doen. Dat kan ik niet. Toch?

'Wil je me nu vertellen wat er met jou gebeurd is?'

Terwijl Fenna me aan blijft kijken, diept ze uit haar tas een chocoladereep op. 'Hier, neem een stukje. Het helpt. Ik heb het ook nodig.'

De bittere smaak laat mijn speeksel toeschieten en langzaam verspreidt een vettige zoetheid over mijn tong en gehemelte. De vastgezette ellende in mijn hart smelt mee. Ik sluit mijn ogen, hoor het geroezemoes in het café naar de achtergrond verdwijnen, en proef een herkenning die me terugbrengt naar het moment waarop mijn leven letterlijk even stilstond.

# 15 Eerder

Het huis is groter dan ooit. Al die ruimte wordt ingenomen door een zware stilte die me bijna plet. Het triomferende gevoel dat ik had toen ik Roderick voor zijn nieuwe huis zomaar de waarheid durfde te zeggen, is volledig weggezakt in een draaikolk van onzekerheid. De verantwoordelijkheid voor het leven van Fleur. De verdwenen financiële zekerheid. Werken en voor Fleur zorgen, een combinatie die onverenigbaar lijkt, ook al besef ik steeds meer dat ik er sinds haar geboorte al alleen voor sta.

Er schiet een lachje over mijn gezicht als ik terugdenk aan de jubelkreet van Ilse door de telefoon: 'Je staat in de krant.' Met een welhaast geleerde stem heeft ze de passage voorgelezen, de beschuldigingen aan de advocaat R. B. die zijn vrouw en kind berooid heeft achtergelaten, nadat hij haar mishandeld had. 'Ik neem aan dat Roderick hier nog wel wat van gaat merken op zijn werk. Misschien wordt hij tijdelijk op non-actief gesteld, of direct ontslagen.' Het kan me niet boeien. Er zijn andere problemen die me bezighouden.

Ik schenk het laatste restje wijn uit de fles en pak de een-na-laatste bonbon uit de luxe verpakking. De rest heb ik al verorberd, chocola lijkt mijn laatste houvast.

Als ik ga staan voel ik me wankelen alsof de duisternis van de kamer ook in mijn hoofd opduikt. De drukkende stilte moet verdwijnen. Muziek. Mijn gedachten hebben iets anders nodig om zich op te richten. Die stilte maakt me gek.

De cd-speler start met een paar droge klikken. Daarna de golvende tonen van de newagemuziek waar Ilse laatst mee aankwam. Ook al hou ik niet van die zogenaamd relaxte tonen, toch laat ik hem aanstaan. De muziek duwt tegen de zware rust om me heen.

Na dit glas moet ik proberen te slapen. Ik laat me onderuitzakken, zuig op de chocola en kijk de woonkamer rond. Langzaam word ik rustiger. De ruimte wordt slechts verlicht door een enkel spotje, alsof te veel licht mijn verdriet zichtbaar zou maken. De secuur uitgezochte meubels uit dure designwinkels passen niet meer bij me. Dit is mijn oude leven waarvan ik vanavond afscheid heb genomen. In minder dan een minuut realiseer ik me dat er maar weinig dingen echt belangrijk zijn. Natuurlijk het oude dressoir met de tekeningen en werkjes van Fleur dat van Roderick in de zijkamer moest staan. De gekleurde doos met mijn brieven van vroeger. Het vogelhuisje dat mijn vader vlak voor het ongeluk voor me gemaakt had. En natuurlijk mijn herinneringenkastje.

Het is een vreemd, bekend gevoel. In één oogwenk is elke zekerheid in mijn leven weggevaagd. Ook al was het ongeluk van mijn ouders veel schokkender, het besef dat ik mijn thuis opnieuw kwijt ben is nauwelijks te bevatten. Ik zal een nieuwe woning moeten vinden voor Fleur en mij. Morgen ga ik op zoek. Slechts drie weken, dat lijkt een onmogelijke opdracht. Kwaad kijk ik naar de klok. De wijzers tikken ongenadig verder over de glazen ondergrond.

'Jou neem ik in ieder geval niet mee.' Mijn stem is schor.

Een dichtslaand portier. Mijn blik schiet naar de verwenste klok. Halfdrie 's nachts. Mijn oren proberen elk geluid van buiten op te vangen, maar de zachte tonen van een synthesizer maken dit onmogelijk.

Het zijn vast de buren. Het moeten de buren wel zijn, hoewel die nooit zo laat thuiskomen. Moet ik gaan kijken? Het is al weer stil. Toch?

Gemorrel aan de voordeur. Ik zit direct overeind. Heb ik de grendels er wel opgedaan?

Een duidelijke klik. De voordeur is weer dicht. Shit, is Roderick binnen? Ik moet me verbergen. Snel. Maar waar? Ik kijk om me heen. De badkamer. Het toilet. Die kunnen afgesloten worden. Maar dan? Als Roderick kwaad is, is hij in staat de hele huisraad in puin te slaan. Het liefst mij erbij natuurlijk.

Voetstappen op de tegels in de hal. Ik sta al bij de trap naar boven.

Dan denk ik opeens aan Fleur, boven in bed. Hij mag niet naar haar toe. Ik zal haar verdedigen met alles wat ik in me heb, dat was geen loze belofte. Ik moet hier blijven, hem opvangen en proberen te kalmeren. Het is me vaker gelukt. Voor Fleur.

Ik vervloek mezelf dat ik zo laks ben geweest. Ik had die slotenmaker het mes op de keel moeten zetten.

Met het glas in de hand wacht ik hem op, alsof ik hem met een aperitiefje wil verrassen voor we samen gaan slapen. Maar als ik de deurkruk van de woonkamerdeur naar beneden zie gaan, grijp ik in een opwelling naar een kussen, prop die voor mijn buik en houd mijn adem in. Niet laten zien dat ik bang ben, dreunt door me heen. Blijf rustig. Laat je niet opnaaien door zijn woorden. Er zullen allerlei beschuldigingen komen. Denk aan Fleur.

In de deuropening staat Roderick. Spijkerbroek, donker overhemd, geen stropdas, signaleer ik heel helder. Zijn ogen direct als pijlen op me gericht. Als zijn handen in zijn broekzakken verdwijnen weet ik dat het fout zit. Daar worden ze tot vuisten gebald.

'Ben je nu niet zo dapper meer?' De alcohol slist door zijn woorden heen. Hij doet een paar passen in mijn richting en sluit de deur achter zich. Zijn leren zolen klikken op de plavuizen, als het tikken van een tijdklok die de ontsteking van een bom in werking gaat zetten. Seconden verstrijken.

Ik zeg niets. Elk woord kan voor de ontbranding zorgen.

'Wat was je eigenlijk van plan? Beetje mij zwart maken? Is dat het, hè? Mij een slechte naam bezorgen? Nou, dat is je gelukt. Heb je de krant gezien?'

In een paar passen staat hij voor me, hij torent boven me uit. Terwijl ik naar achteren probeer te schuifelen, voel ik al snel de bank in mijn kuiten duwen. In een oogwenk heeft hij me te pakken. Ik hang voor zijn neus, terwijl zijn knuisten mijn bovenarmen samenknijpen.

'Je zult nog spijt krijgen van wat je me nu geflikt hebt. Jouw rustige leventje is afgelopen, ik maak je helemaal kapot.'

# 16 Later

'Die belofte heeft hij dus gehouden,' stelt Fenna vast. Ze breekt een nieuw stukje chocola af en kijkt omhoog alsof ze daar een oplossing kan vinden. Of zou ze daar helemaal niet mee bezig zijn?

Hoe komt het dat ik zomaar de diepe wonden laat zien die Roderick bij mij heeft achtergelaten, ook al kreeg ik het niet voor elkaar om de details te benoemen van hoe hij mij opnieuw in elkaar sloeg? Die beelden zullen nooit meer uit mijn hoofd verdwijnen, zeker niet toen Fleur tussenbeide sprong. De angst die ik toen voelde was nog vele malen erger en hoop ik nooit meer te ervaren.

Wat doe ik hier eigenlijk? Hoe kan een wildvreemde mij helpen? Ik kijk naar Fenna, zoals ze op haar chocola zuigt terwijl ze haar koffiekop als een relikwie vast blijft houden.

Ik zucht diep. 'Roderick is machtig. Dat is wel gebleken. Hij heeft een netwerk vol vrienden die hem op allerlei fronten helpen. Ze houden elkaar de hand boven het hoofd. Hij was al snel weer gewoon aan het werk. Zíj zijn nooit fout, en daarna heeft híj er met zijn gladde gepraat voor gezorgd dat Fleur weggehaald is.'

Met een klap zet Fenna haar kopje neer. 'Dát is onuitstaanbaar.'

Ik schrik van haar plotselinge uitval.

'Sorry hoor,' vervolgt ze verontwaardigd, 'maar daar kan ik me zo kwaad om maken. Waarom wordt er niet beter gekeken of mensen de waarheid spreken? Natuurlijk doen ze bij Jeugdzorg ook goed werk, en natuurlijk hebben ze beperkte financiële middelen, maar als zíj een inschattingsfout maken heeft het wel direct grote consequenties. Daarom is die waarheidsvinding zo belangrijk. Zíj mogen zich niet door mooie praatjes laten leiden.'

'Er zijn meer mensen die zich hebben laten beïnvloeden door Roderick. Bijvoorbeeld een leidster van de buitenschoolse opvang.'

'Er is een groot verschil. De bso mag alleen maar een melding plaatsen bij het Advies- en Meldpunt Kindermishandeling. Jeugdzorg hoort het te controleren. Goed te controleren. Ze mogen niet afgaan op één mond die kwaad spuugt.'

'Eigenlijk is het goed dat die leidster vragen begon te stellen. Fleur was natuurlijk opvallend stil, bovendien was ze bleker dan ooit. Haar vader zat ons op alle mogelijke manieren dwars. Ze is nooit een stevige meid geweest, maar in die tijd viel het extra op hoe mager ze was. Misschien had ik zelf ook beter...'

Fenna legt haar hand op mijn arm. 'Geef jezelf nou niet de schuld. Is Fleur een gevoelig meisje?'

Ik kan alleen maar knikken. Emoties blokkeren mijn stembanden.

'Een scheiding grijpt diep in in een kinderleven,' geeft Fenna aan.

Ik schraap mijn keel. 'Ze zeiden dat ik mijn dochter zou verwaarlozen, ze had steeds vaker blauwe plekken. Pas achteraf realiseerde ik me dat hun vragen altijd kwamen nadat Fleur bij Roderick was geweest. Die klootzak kon echter zo mooi praten dat ze hém geloofden in plaats van mij. En het stomme is dat ik het eerst niet eens in de gaten had.'

'Jij probeerde je hoofd boven water te houden.'

'Ik had nooit verwacht dat ze Fleur bij me weg zouden kunnen halen.'

'Een typisch voorbeeld van een vals alarm.'

'Vals was het zeker.' Ik spuug de woorden naar buiten.

Er verschijnt een scheve glimlach op Fenna's gezicht. 'Een vals alarm is een term uit de jeugdzorg, een te snelle uithuisplaatsing die later onterecht blijkt te zijn. Ze moeten balanceren tussen de risico's van een vals alarm en een misser. De misser heeft vaak ernstige, soms zelfs fatale gevolgen voor het kind, waardoor de angst voor missers zo groot wordt dat het aantal uithuisplaatsingen omhooggaat.'

'Ze hebben me gewoon geen tijd gegeven om te bewijzen dat ik het best aankon.'

'Je scheiding heeft je uit balans gebracht. Sommige exen maken elkaar het leven zo zuur dat er sprake is van een psychologische oorlogsvoering. Ik ken Roderick niet, maar uit jouw verhalen begrijp ik dat hij een charmeur was. Juist dat soort types is gevaarlijk en dan móeten ze aan waarheidsvinding doen. Een goede solide controle om zeker te weten dat het niet gaat om een vals alarm. Ze nemen of hebben daar echter geen tijd voor, bovendien worden ze door angst voor fouten voortgedreven. Ze willen zichzelf indekken; ze hebben liever een onterechte uithuisplaatsing dan dat later blijkt dat ze te laat ingegrepen hebben met alle gevolgen van dien.'

In de ogen van Leyla was ik degene die schuldig was. Roderick heeft haar zo slim bespeeld met zijn belachelijke verdachtmakingen aan mijn adres, dat ze dingen zag die niet klopten.

'Ik heb het allemaal niet doorgehad.'

'Dit soort zaken wordt altijd pas achteraf duidelijk.' Ze pakt nog een stukje chocola, biedt mij ook wat aan, maar ik bedank. Ik heb liever iets anders.

'Heb jij kinderen?'

Ik zie dat de vraag Fenna verrast. Alsof ze zelf liever niet met haar privéleven naar buiten treedt. 'Ik heb drie kinderen,' zegt ze dan. 'Twee zonen die halverwege de twintig zijn en een dochter van twintig die nog thuis woont. Tara vindt het allemaal wel makkelijk, zeker nu ze begonnen is met haar opleiding. Ik vind het vooral gezellig.'

'Ben je alleen?' Het was me al opgevallen dat ze geen ring droeg, maar dat zegt natuurlijk niet alles.

'Ja, al een tijdje. Het begint te wennen.'

'Ik weet niet of ik er ooit aan zal wennen om alleen te wonen.'

'Het heeft z'n voordelen.'

'Misschien zeg ik dat over een tijdje ook wel. En hopelijk heb ik straks mijn dochter ook weer bij me thuis,' laat ik er zacht op volgen.

'Daar gaan we aan werken. Het zou goed zijn als je een keer meeging naar een bijeenkomst. Het kan je steun geven. Alleen vechten is bijna niet te doen.'

'Sommige dingen moet je alleen doen.'

'Je bent wel erg hard voor jezelf, Janna. Waarom durf je geen helpende hand te accepteren?'

Ik laat mijn ogen door het café dwalen en zie allemaal stelletjes aan de tafels zitten. Niemand zit alleen. Het voelt oneerlijk. Ik worstel met woorden die ik nauwelijks uit kan spreken. Het heeft alles te maken met vertrouwen. We hebben het tot nu toe alleen maar gehad over Fleur, maar er speelt zoveel meer. Roderick is vermoord. Hoe kan ik totaal vreemde vrouwen vragen om me te helpen bij het bewijzen van mijn onschuld. Ik ben in vrijheid gesteld omdat ze niet voldoende grond meer hadden voor hun verdenking en hun ernstige bezwaren. Maar ik ben wel gearresteerd. Mijn kans om Fleur weer thuis te krijgen is nu vast tot nul gereduceerd. Het is dus een oneerlijk gevecht.

Ik snak naar iets sterkers dan de espresso die nu voor mijn neus staat. Ik probeer mijn ogen los te weken van de drankjes op de tafel naast ons. Wat zou ik graag die pijn in mijn maag verdoven.

'Ik zal zelf die moordenaar moeten opsporen,' bedenk ik hardop. 'Dat moet de eerste stap zijn.'

'Je bent toch vrijgelaten?'

'Dat wel, maar mensen oordelen zo gemakkelijk. Pas als de echte moordenaar is opgepakt zal ik volledig vrijgepleit zijn.'

Tot nu toe heeft Fenna continu gepraat, maar nu is ze stil. Vreemd stil. Ze pakt haar lepeltje en schraapt wat langs het schoteltje.

'Ik ben onschuldig,' zeg ik uiteindelijk.

Haar ogen stellen de volgende vraag.

'Ja, ik weet het zeker,' antwoord ik snel. 'Ik moet wel onschuldig zijn,' herhaal ik fluisterend. 'Ik haat die man tot in het diepst van mijn hart, maar daarom zou ik hem toch niet vermoorden? Denk ik.'

# 17 Eerder

'Ik hoop dat je de aangifte niet weer herroept,' zucht Ilse. 'Hij gaat echt veel te ver.' Het is al middag en Ilse laat haar auto onverantwoord hard door het centrum razen. De urenlange ondervraging op het politiebureau heeft mijn laatste reserves aangesproken. Mijn beurse lichaam had voor zich moeten spreken. Zo werkt het dus niet.

'Hij komt er nooit meer in,' zeg ik met een stelligheid waar ik zelf verbaasd over ben.

'Dat straatverbod is geen overbodige luxe. Als hij ook maar binnen honderd meter van jou komt, kun je hem op laten pakken.'

Die honderd meter is al veel te dichtbij. Niet alleen voor mij. Vooral Fleurs veiligheid dwong me om nu echt gemeend aangifte te doen.

'Die Fleur,' zucht Ilse. 'Wie weet wat er gebeurd was als zij niet tussenbeide was gekomen.'

'Ik was zo bang.' Mijn stem slist een beetje.

'Bang? Die man is in staat je dood te slaan.'

'Bang voor Fleur,' vul ik aan. 'Op het moment dat ze voor me ging staan kon ik niets voor haar doen. Mijn lichaam was niet meer in staat...' Ik slik moeizaam. 'Ik heb gebeden dat ze naar boven zou vluchten, dat ze zichzelf zou redden, maar ze bleef gewoon staan.'

'Fleur is een bijzondere meid.' Lijkt het nu zo of rijdt Ilse opeens een stuk rustiger?

'Ik zie nog haar ogen voor me. Zo groot en zo donker. Het leek alsof er een enorme kracht uit haar blik sprak.'

'Is Roderick daarom weggegaan?'

'Nee, hij greep haar en...' Ik kan de woorden niet uitspreken. Ik hoor alle geluiden alsof er een bandje afgespeeld wordt, ruik het bloed, maar ik zal het gegil nooit onder woorden kunnen brengen. 'Fleur zei opeens: "Als je zo doet, ben je mijn pappa niet meer." Daardoor trok zijn rode waas weg. De kinderlijke klank was volledig uit haar stem verdwenen. Ze heeft daarna gewoon gezegd dat hij weg moest gaan.'

'En dat deed hij?' Ilse remt af voor een stoplicht en draait zich naar me toe.

'Pas nadat hij dat laatste dreigement had uitgesproken. Hij zal alles wat in zijn vermogen ligt aanwenden om me het leven zuur te maken.'

'Ja, dat heb je net tegen die agente verteld. Goed van je. Juist die zinnen geven de dreiging aan.'

'Reken maar dat hij tot veel in staat is. Maar ik schrok zo van die laatste zin.' Ik kijk naar mijn vingers die als enige onderdeel van mijn lichaam onrustig kunnen bewegen zonder zeer te doen. "Ik geen kind, dan jij ook niet." Dat zei hij. Daar zou hij voor zorgen.'

Ilse zwijgt en staart voor zich uit.

'Ik ben bang, Ilse. Hij zal ons te grazen nemen. Niet alleen mij, maar ook Fleur.'


Als we thuis zijn loopt Ilse direct door naar de keuken. 'Jij kunt zeker ook wel wat gebruiken?'

Ik weet wat ze bedoelt. 'Neem jij maar. Ik moet zo nog naar mijn werk,' zeg ik met een overtuiging die door een zacht briesje omvergeblazen zal worden.

'Ja, hoor, en ik val op kale mannen. Kom op, je werk... Kun je je niet ziek melden? Je bent beurser dan een rotte appel. Hier, eerst wat pijnstilling in dat lijf van je.' Ilse zet het glas voor me neer, terwijl ze de hare in één vloeiende beweging leegt.

'Ik heb me in geen tijden ziek gemeld.'

'Dat wordt dan hoog tijd. Denk je nou echt dat er ook maar één zinnig woord tussen die opgezwollen lippen vandaan komt?'

Ik zal Bram voorstellen om thuis te werken. Dat vindt hij vast geen probleem. Het wordt veel moeilijker om op mijn werk mijn masker op te houden. Bram is een vriend van Roderick, dus ik kan maar beter niet te veel vertellen over onze problemen.

Ik zucht en pak mijn glas. De alcohol brandt op mijn lippen, maar de warmte verspreidt zich heerlijk door mijn borstkas. Even geen problemen, alleen maar die warmte. We zwijgen.

'Wat zou er nu met Roderick gebeuren?' Ik verbreek als eerste de stilte.

'Je bedoelt of hij als advocaat nog wel kan blijven werken?'

Ik knik.

'Als het aan mij ligt steekt hij dat dikke diploma in zijn hol. Hij zal zich wel even koest houden en...' Ilse kauwt op haar lip terwijl ze peinzend voor zich uit staart.

'En wat?'

'Weet je, Janna. Dat soort mensen lult zich er altijd weer uit. Hij heeft een netwerk van klootzakken om zich heen. Die weten precies de juiste kanalen te vinden, weten exact welke woorden nodig zijn en welke vriendjes nuttig zijn om te kietelen. Die lui houden elkaar de hand boven de kop.'

'Maar dat straatverbod dan?'

'Het is goed dat je dat gedaan hebt. Maar ja, hij is advocaat, hè?' Ze weifelt even. 'Een advocaat geeft een gevoel van veiligheid terwijl ze in feite iedereen naaien voor het geld. Een condoom als logo zou passend zijn.'

Het is misschien grappig bedoeld, maar bij mij komt het hard binnen. 'Bedoel je dat die aangifte eigenlijk zinloos is?'

'Het houdt hem tijdelijk bij je weg, dat is al winst. Kan-ie afkoelen. Maak je nu maar geen zorgen. Ga op zoek naar nieuwe woonruimte, des te eerder ben je van die vent af.'

Het is stil in huis, toch is mijn concentratie ver te zoeken, mijn werk stagneert. Het huis is goed afgesloten, elke grendel die ik kon vinden heb ik gebruikt. Fleur ligt op bed, maar ik hoor haar onrustig draaien.

Ik word nog kwaad als ik terugdenk aan het moment waarop ik haar op kwam halen op de buitenschoolse opvang. 'Fleur lijkt wat van slag. Is er thuis iets gebeurd?' Ik hoor die te hoge stem van Leyla in mijn hoofd. Het enige wat ik kon doen was alles ontkennen. Met een knipoog naar Fleur. 'Wij weten hoe het zit' zei ik daarmee. Snapt Leyla dan niet dat ik er niet over kan praten waar Fleur bij is? Ze hoeft het niet opnieuw mee te maken. Ik wil die herinnering niet levend houden. Soms is zwijgen beter. Leyla ging er gelukkig niet op door. Ze zou haar wat meer in de gaten houden. Prima, doe dat maar. Geef haar wat extra warmte en aandacht. Liefst zonder al die insinuerende vragen.

Mijn gedachten zweven heen en weer tussen het verleden en de toekomst. Hoe heeft het ooit zover kunnen komen dat ik panisch word als ik aan mijn eigen man denk. Ik zie ons nog innig gearmd over het strand lopen, de strandtent waar we stopten voor een warme chocolademelk, onze vingers over tafel in elkaar verstrengeld. Zijn beslagen zonnebril waar ik op beide glazen hartjes tekende. De plannen voor verre reizen, die nooit uitgewerkt zijn. Te snel zwanger? Ik vond van niet. Hij nam er een borrel op. En nog een. Tot het een gewoonte werd met een voorspelbare uitwerking.

Fleurs bed kraakt opnieuw. Is ze nu nog wakker?

Ik rol mijn bureaustoel naar achteren en loop de paar meters naar haar kamerdeur. Voorzichtig duw ik de deur een stukje open.

'Kun je niet slapen?' vraag ik als ik zie dat ze me met wakkere ogen aankijkt.

'Ik kon er niets aan doen.'

'Waar kun je niets aan doen?'

Dan zie ik wat er aan de hand is. 'Het maakt niet uit, lieverd. Dat kan toch een keer gebeuren?'

Ik zet haar op een stoeltje, duw Beer in haar armen en sla iets warms om haar heen. Dan trek ik de natte lakens van het bed. Het is al de derde keer deze week. Was ze die avond maar niet naar beneden gekomen, heb ik al zo vaak gedacht. Toch blijf ik me afvragen of ik zijn aanval overleefd zou hebben als zij niet tussenbeide was gekomen. Alsof ze het aangevoeld heeft. Nog nooit is Fleur tussen ons in gesprongen. Waarom nu dan wel? Is het werkelijk zo dat moeders en dochters een speciaal lijntje naar elkaar hebben?

Ik duw het dekbed in een schone hoes en drapeer die al dollend over haar heen.

'Die moet op het bed, mamma.' Ik hoor haar lachen onder het dons.

'Kruip er maar lekker onder. Waar ga je over dromen?' Ik heb weleens gehoord dat je het bedplassen niet moet benoemen. Het is beter om het te negeren.

'Over ons nieuwe huis.'

'Heb je al bedacht welke kleuren je in je nieuwe kamer wilt?'

'Ik wil een prinsessenkamer, helemaal roze.'

'Droom maar fijn over prinsessen.'

'Mamma, blijf je bij me?'

'Natuurlijk, ik blijf altijd bij je.' Ik strijk een pluk haar uit haar gezicht. De laatste woorden van Roderick zoemen rond in mijn hoofd. 'Ik kan toch niet zonder jou?' voeg ik er dan aan toe. Dat dreigement kan hij nooit waarmaken. Ik ben haar moeder.

'Ik ook niet zonder jou,' fluistert Fleur.

Ik knuffel haar flink en geef een kus op haar wipneus. 'Ik hou van je. Ga maar lekker slapen.' Ik graai het natte beddengoed bij elkaar en loop de kamer uit.

'Mag de deur openblijven?' roept ze me na.

Het licht op de gang laat ik aan. Een wat lichter leven. Is dat niet waar ze werkelijk om vraagt?

# 18

'Ik heb woonruimte voor je geregeld. Volgens Roderick had je op korte termijn iets nodig,' zegt Bram op zijn eigen innemende wijze. 'Ik heb maar even aan wat touwtjes getrokken.'

'Dat waardeer ik enorm. Dankjewel.' De bijgedachte duw ik weg. We staan in de kantine die rond halfelf altijd goed bezocht wordt omdat er betere koffie te verkrijgen is dan uit de automaten op de gang.

'Mijn beste werkneemster kan ik natuurlijk niet in de kou laten staan.'

'Ik dacht… eh…' Ik blaas een losse haar van mijn opeens zweterige gezicht. 'Nou ja, Roderick en jij zijn vrienden.'

'Je doet erg goed werk op het moment, dat is belangrijk. Mijn vriendschap met Roderick heeft hier niets mee te maken.'

De brok van emotie slik ik met de sterke koffie weg. Er is opluchting en een immense blijheid. Ik heb een huis, een nieuw thuis voor Fleur en mij.

Op dat moment tikt Barbara hem op de schouder. Bram excuseert zich en samen lopen ze weg. Waar heeft ze dat mantelpakje vandaan? Het accentueert haar slanke figuur op een fantastische manier en geeft haar een representatieve uitstraling die ik nog niet eerder bij haar heb gezien. Te jong en te onervaren, heeft Bram gezegd toen we het hadden over de functie van onderdirecteur. Zo komt ze nu niet op mij over. Er zweeft een te vrolijk lachje van haar door de kantine. Het inpakken van oudere mannen is een competentie die ze wel beheerst.

Fleur hangt lusteloos op de bank. Ik ben een uurtje eerder van mijn werk vertrokken zodat ik het appartement kan bekijken. Het geeft een blije opwinding die ik in tijden niet meer gevoeld heb.

'Zullen we samen gaan kijken?'

'Moet dat?'

'Wil je je nieuwe kamer niet zien?'

'Is die al roze?'

Ik schiet in de lach. 'Nee, maar we kunnen na afloop wel verf gaan kopen.'

'Oké.' Het klinkt alsof het het vervelendste klusje is dat ze kan bedenken.

Terwijl ik mijn cabriolet langs het stadion jaag, staat de blazer hard. Het regent en mijn voorruit blijft beslaan. Ik probeer mezelf te wapenen voor wat ik zo aan ga treffen. Een adres in Kanaleneiland. Een buurt vol flats. Dat het een veilig nieuw plekje voor ons zal worden verdrijft de nare bijgedachten.

De druppels spatten uit elkaar op de ruit, voordat ze weggeveegd worden door mijn zwoegende ruitenwisser. In mijn achteruitkijkspiegel zie ik Fleur, volledig in zichzelf gekeerd. Het lijkt alsof ze lijdzaam afwacht wat haar nu weer boven het hoofd hangt. Mijn maag knijpt samen als ik haar zo zie.

Ik denk terug aan de plannen die Ilse en ik maakten op de middelbare school. Onze wensen voor de toekomst. Ik een man en een kind, het liefst een dochter. Zij wilde een wereldreis maken, liefst op een groot zeiljacht met bemanning. Mijn wens is uitgekomen, maar het plaatje ziet er toch anders uit dan ik me in die tijd voorstelde. Ik wil Fleur het liefst tegen alle pijn in de wereld beschermen. Toch slaag ik daar niet in, hoe hard ik ook mijn best doe. Misschien kun je beter onbereikbare wensen hebben zoals Ilse, dan kunnen het gewoon wensen blijven.

Slechts tien minuten te laat parkeer ik mijn auto voor een flatgebouw van vier verdiepingen. Overal om me heen zie ik beton, balkons met vochtig wasgoed, en skeletten van fietsen. Opeens voel ik de tranen achter mijn ogen duwen. Moet ik hier gaan wonen?

Hier hoor ik toch niet thuis? Dan breken de tranen over de drempel heen. Mijn ruitenwissers zwiepen heen en weer terwijl mijn zicht vertroebelt.

Het kost me moeite om mezelf weer te beheersen. Toch betreed ik even later met een glimlach het flatgebouw, het handje van Fleur stevig vasthoudend.

In de hal word ik welkom geheten door een zwerver die van de ruimte onder de trap een onderkomen heeft gemaakt van karton en oude lappen. De vrouw van de woningstichting stelt de zwerver voor als Horace. Alsof hij een extra bewoner is. Volledig overdonderd krijg ik het niet voor elkaar om ongedwongen te reageren. Een man met lang, vies en geklit haar, kleding die voorzien is van vele luchtgaten, en een verzameling troep waarmee je een rommelmarkt een topdag kunt bezorgen. Stel dat hij het in zijn kop haalt om een vuurtje te gaan stoken?

Terwijl we in de lift stappen vervloek ik Roderick. Tegelijkertijd komt er een tomeloze energie in mij boven. Ik zal hem weleens laten zien wat ik waard ben. Zelfs in een flat in Kanaleneiland. Ik heb Roderick helemaal niet nodig. Bovendien wil ik hem niet meer. Nooit meer. Hij is niet meer dan een leeggeschraapt bord, er is geen greintje liefde meer over. Ik klem mijn kaken stijf op elkaar. Voor geen goud zal ik hardop op Roderick schelden waar Fleur bij is.

Als ik de woning van binnen zie, zakt me de moed in de schoenen. Hoe kan ik het hier ooit leefbaar maken? Ik wil schreeuwen dat ik er niets voor voel om hoge opknapkosten te maken voor een flat die niet verfraaid kán worden. Het is een bad dat nooit vol kan lopen omdat de stop ontbreekt.

Toch blijf ik glimlachen en kies samen met Fleur de kamer uit die helemaal voor haar zal zijn. Ze neemt stil alles in zich op in de verwaarloosde flat, maar zegt niets. Geen enthousiast gejuich, maar ook geen negatieve reactie. Ik neem me voor om elke vrije minuut te steken in het leefbaar maken van het nieuwe thuis van Fleur en mij. Al moet ik de hele flat roze schilderen.

Twee weken later sta ik met Ilse opnieuw voor de deur van de nieuwe flat. Mijn achterbank is bezet door een ladder, haar achterbak zit vol met verfspullen. Nog nooit heb ik zelf een roller aangeraakt, maar nu wil ik zelf aan de wedergeboorte van een nieuw thuis werken. Een tas met moedverzamelaars staat naast me. Het glas rinkelt gezellig.

Natuurlijk mopperde Bram toen ik zei dat ik een paar dagen vrij wilde nemen. Fleur zit overdag gewoon op school. Ze lijkt kwaad op me te zijn en ik weet even niet hoe ik daar mee om moet gaan. Ik doe toch mijn best om ons leven zo leefbaar mogelijk te maken?

In de hal klinkt melancholische muziek. Mijn ogen trekken direct naar de ruimte onder de trap. De zwerver zit tegen de betonnen muur, een kunstig gevormde fluit in zijn mond. Hij stopt als hij ons ziet.

'Goedemorgen dames.' Zijn stem is laag, maar de verwachte schorheid ontbreekt.

Ik trek Ilse mee naar de lift. Wat moet ze wel niet denken?

Achter ons wordt het fluitconcert vervolgd.

'Een zwerver?' fluistert Ilse me toe.

'Hij heet Horace.' Ik krijg zijn naam nauwelijks over mijn lippen. Alsof dat stuk vuil voorgesteld moet worden.

Eenmaal in de lift blijft Ilse akelig stil. Ook ik kan geen woorden vinden om mijn nieuwe entree te verdedigen. Ze werpt een korte blik op de plas vocht in de hoek van de lift. De doordringende zure lucht is niet te negeren, ook al doen we enorm ons best.

'Ik denk dat ik hondenliefhebbers als buren heb.' Het is een poging om het luchtig te maken.

'Het is te hopen dat het van een hond is,' zegt ze met toegeknepen kaken.

'Er zitten vast genoeg keffers hier.'

Ilse schiet in de lach. 'Je blijft in ieder geval lekker positief.'

'Wacht maar tot je mijn nederige onderkomen op vier hoog hebt gezien. Daar heb je elke positieve gedachte hard nodig.'

Als ik de voordeur open toont haar gezicht dat ik de boel niet heb overgewaardeerd.

'Dat tapijt leeft.' Ilse loopt voorzichtig de kamer in, alsof ze bang is de tapijtbewoners te pletten.

'Snap je nu waarom ik alleen maar witte latex wilde? Driedubbeldekkend.'

Ilse snapt geloof ik even niets. Ze loopt als een deftig paard die haar voeten parmantig in een dikke laag sneeuw plant. Als ze terugkeert van haar verkenningsrondje heb ik de wijn al open. Tijd om aan de slag te gaan.

Een week later woon ik opeens in een flat. De paar meubels die ik mee wilde nemen staan op hun plek, en ik kan niet anders dan toegeven dat het best meevalt. Op de ergste vlekken, die ik zelfs met de tapijtreiniger van de drogist om de hoek niet weg kon krijgen, heb ik kastjes en stoelen gezet. De roze zitzak, die ik samen met een uitgelaten Fleur op de kop heb weten te tikken, staat als een troon midden in de kamer. Fleur is weer vrolijk en is al vier nachten droog gebleven. Ik voel me doodmoe, maar sterker dan ik me ooit eerder heb gevoeld. Dit is mijn nieuwe thuis. Hier gaan Fleur en ik samen heel gelukkig worden. Ze zal opbloeien omdat ze hier mag spelen, rennen en vooral kind zijn.

'Waarom wil jij geen prinsessenkamer?' Fleurs stem galmt als een heldere klarinet door de woonkamer.

'Jij bent de enige prinses in huis,' zeg ik terwijl ik door haar rode krullen strijk. Haar muren zijn bedekt met een zoetroze verf. Jammer genoeg had ik te weinig tijd om het goed dekkend te krijgen. Dat komt later wel. Ik moest binnen een week uit het oude huis aan de Wilhelminalaan zijn en dat is me gelukt. Daar mag ik trots op zijn.

Ik sjouw een doos naar de muf ruikende ruimte die ik nu mijn slaapkamer mag noemen. Ik heb nog nauwelijks tijd gehad er iets aan te doen. Fleurs kamertje en de woonkamer hadden prioriteit. Er ligt een stapel planken op de grond, wat een bed moet worden.

De lattenbodem staat rechtop tegen de muur, het matras op de grond. Sinds mijn tienertijd heb ik niet meer op de grond geslapen.

Het brengt herinneringen terug die ik ver weggestopt heb. Mijn kleine zolderhoekje in het huis van tante Christa en oom Anton, bij wie ik na het ongeluk moest wonen. Ze vonden alles best, als ik maar niet zeurde en me invoegde in hun wereld. Als ik 's avonds op mijn matras op de grond lag, staarde ik naar het plafond met de glow-in-the-darksterren en dacht aan mijn ouders. Waren ze echt naar de hemel gegaan, zoals tante Christa bleef beweren? Zaten ze dan nu op een van de sterren die mijn donkere nachten verlichtten? Overdag waren het echter viesgroene plastic vormpjes, waar ik dan liever niet naar keek.

Ook deze nieuwe slaapkamer waar ik nu mijn nachtrust moet zien te zoeken is 's nachts donker genoeg om de verwaarlozing te kunnen negeren. Ik zucht en prop wat rondslingerende troep in een vuilniszak. Dit is de volgende ruimte die een metamorfose zal ondergaan. Ik moet alleen nog tijd zien te vinden, want mijn werk roept na die paar vrije dagen die ik met moeite voor elkaar heb weten te boksen.

'Als jij vast je pyjama aantrekt en je tanden poetst, breng ik even het vuilnis naar beneden. Dan zal ik zo op jouw prinsessenbed voorlezen.'

'Het is nog geen prinsessenbed, die hebben een hemel.' Ze huppelt echter blij in de richting van de badkamer.

Op de galerij suist de avondwind. De zomer is aangebroken, met avonden die je op een terras in de tuin wil doorbrengen. De deprimerende omgeving van flats, roestige auto's en verlaten vuilnis geeft me eerder een herfstgevoel. Gelukkig brengt de herfst soms ook mooie dagen. Dat moet ik voor ogen blijven houden.

Ik stap de lift in en wacht tot de deur sluit. De lift schokt als hij de derde etage passeert. Het brengt nog steeds een schok in mijn lichaam teweeg. Zal ik eraan wennen?

Er klinkt melancholische muziek, die steeds duidelijker wordt. Die zwerver zal me toch niets doen? Misschien had ik beter tot morgenochtend kunnen wachten. Maar ook al zou ik het willen, omkeren kan niet meer; de deuren glijden automatisch open.

De muziek stopt.

'Goedenavond.' Horace hangt onderuit, zijn kunstige fluit in zijn handen. Hij leunt tegen een kussen dat grauw ziet van ellende.

'Ook een goedenavond,' antwoord ik. Niets zeggen kan alleen maar agressie opwekken.

Het begint al te schemeren. De omgeving omsluit me als een te strakke verpakking. Waarom hebben ze geen lantaarn voor de ingang staan?

De containers liggen in een duistere hoek, tussen twee flats in. Ik grijp een handvat dat vies plakkerig aanvoelt. De zware metalen deksel is nauwelijks omhoog te krijgen. Ik zet de vuilniszak neer en probeer het met beide handen.

Ik hoor geschuifel. Is daar iemand? Van schrik glipt de deksel uit mijn handen. De harde metalen klap weerkaatst tegen de betonnen muren. Snel kijk ik om me heen. Niemand te zien. De sfeer is opeens veranderd. Alsof handen me bij de schouders grijpen en me omhoog willen trekken.

Barst toch met die vuilniszak. Dan moeten ze die belachelijke containers maar niet zo ontoegankelijk maken. Ik zet de zak aan de zijkant van de bak. Als ik me weer op wil richten voel ik een hand op mijn schouder. Mijn lichaam verandert direct in een keiharde plank vol adrenaline.

'Mooie omgeving,' zegt een bekende stem.

Ik sla de hand van Roderick van me af. 'Wat doe jij hier?'

'Ik mag hier best staan.' In het weinige licht zie ik zijn ogen glanzen.

Mijn ogen schieten rond op zoek naar iets wat ik kan gebruiken ter verdediging. Hoe ver is de voordeur? Lopen er mensen die ik om hulp kan vragen? De vragen wervelen rond. De antwoorden zijn er in minder dan een seconde. Dan weet ik ook dat ik er alleen voor sta.

'Je hebt een straatverbod.' Ik voel in mijn broekzak, maar terwijl ik dat doe zie ik in gedachten mijn telefoon op het salontafeltje liggen.

'Alleen maar voor de Wilhelminalaan. Hier mag ik dus best komen. Bovendien...' Hij gaat nu breeduit voor me staan, en verspert me volledig de weg. 'Bovendien is dat straatverbod ingetrokken.'

Mijn mond is kurkdroog. Hoe is hij daar in vredesnaam in geslaagd?

'Juist ja,' is het enige wat schor mijn mond verlaat.

'Ik wilde je daarvan persoonlijk op de hoogte stellen. Mijn vrienden hebben een goed woordje voor me gedaan.'

'Juist ja,' herhaal ik terwijl een woedevuur ontvlamt. Zie je wel dat het geen zin had? Ik wist het. Roderick heeft een machtig netwerk.

'Maar daarvoor kom ik niet. Ik wil Fleur zien.'

Ik had van alles verwacht, maar dat niet. 'Ze ligt al op bed.'

'Ik wil een omgangsregeling, daar kun je niets op tegen hebben.' Hij doet nog een stap dichterbij. Ik ruik alcohol vermengd met knoflook. De geur brengt me terug bij het moment waarop Fleur mij heeft verdedigd. Haar gegil resoneert door mijn hoofd en ik sluit mijn ogen om het tegen te houden.

'Je blijft bij haar weg,' stoot ik naar buiten.

'Ik ben haar vader. Je kunt me niet buiten haar leven sluiten.'

'Wel als jij haar pijn doet. Laat ons met rust. Jij bent geen vader als je...' Voor ik meer kan zeggen, grijpt hij me vast. Zijn vingers boren zich in mijn schouders.

'Dat zou ik niet doen,' hoor ik opeens een zware stem naast me zeggen. Horace is zeker een kop groter dan Roderick. 'U hoorde toch dat deze vrouw wil dat u haar met rust laat.'

Tot mijn verbazing laat Roderick me los. Hij veegt wat onzichtbaar vuil van zijn mouwen, werpt een laatste blik op de zwerver en zegt: 'Is dat je nieuwe vriend?' Dan beent hij met grote passen weg.

Ik wrijf over mijn pijnlijke schouders en durf Horace niet aan te kijken. Ik mompel een snel 'bedankt'.

'Graag gedaan.' Horace loopt met me terug naar de ingang en

houdt galant de voordeur voor me open. Zonder nog iets te zeggen gaat hij zitten. Ik vlucht de lift in. Nog voordat de deuren sluiten golven de fluittonen al weer door de hal, alsof er niets gebeurd is.

# 19

'Schiet op, Fleur. Je moet naar school.' Ik pak een liga uit de kast, vul haar beker met melk en stop alles in haar rugzakje.

'Mag Dennis vanmiddag komen spelen?' Fleur huppelt de kamer binnen. Ze lijkt na twee maanden al helemaal thuis.

'Hij mag wel een nachtje blijven logeren. Zullen we dat zo op school even vragen?'

Haar krullen dansen op en neer terwijl ze heftiger knikt dan nodig.

'Kom eens hier.' Ik omhels haar zo innig dat ze gilt van pijn en genot.

Bij de lift drukt ze op alle knopjes, maar in plaats van ongeduldig boos te worden corrigeer ik haar met een kort 'alleen maar omdat het een beetje feest is'. Feest moet je maken, besef ik steeds meer. Dus stoppen we op elke verdieping, waarbij Fleur mij aankijkt met een blik van 'het is toch feest?'.

Horace kijkt op van het tolletje dat hij voor zich op de grond laat draaien. 'Goedemorgen freule Fleur en schone Janna.'

Ik blijf staan. Hoe kent hij onze namen?

'Goedemorgen portier,' hoor ik Fleur naast me. 'Hij houdt ons in de gaten, mam.'

Horace lacht me toe. 'Iedereen moet hier veilig kunnen wonen.' Het valt me op dat hij een verrassend mooi gebit heeft, een vreemde tegenstrijdigheid met de rest van zijn verschijning.

Dit idee heeft hij al in de praktijk gebracht, toen hij me tegen Roderick beschermde, toch heb ik sinds die avond niet meer dan nodig tegen hem gezegd. Bij daglicht blijft hij een zwerver, met poriën vol straatvuil.

'Hij is mijn vriend,' vervolgt Fleur terwijl ze naar de voordeur huppelt.

Ik loop snel achter haar aan.

'Waar is onze auto?' Fleur zoekt het parkeerterrein af.

Ik zoek in mijn tas naar de sleutels. Ik voel van alles, maar geen sleutels. Uiteindelijk vind ik ze in mijn jaszak.

'Kom, we moeten nu echt opschieten.' Ik staar naar de lege parkeerplek. Kijk om me heen. Geen helderblauwe cabrio. Slechts een paar auto's in kleuren die niet te benoemen zijn. De rest van de parkeerplaats is leeg.

Dit kan toch niet waar zijn? Nog maar net in deze buurt en mijn auto is gewoon voor de deur gestolen?

'Waar is onze auto, mamma?' herhaalt Fleur.

'Gestolen, denk ik. Mooie vriend heb je,' mopper ik onberedeneerd.

'Daar kan Horace toch niets aan doen?' Ik zie een pruillip verschijnen.

'Hij zou ons toch in de gaten houden? Hoort onze auto daar dan niet bij?' De kwaadheid kan zich nergens anders op richten.

Fleur rent weg. Als ik achter haar aan wil lopen blijft de hak van mijn pump steken tussen twee scheve tegels en ik kan nog net mijn evenwicht hervinden. Ik knars een aantal scheldwoorden tussen mijn tanden fijn.

'Heb jij gezien wie onze auto heeft meegenomen?' hoor ik de heldere stem van Fleur.

O nee, ze is toch niet terug naar die zwerver? 'Kom Fleur, we bellen Ilse wel even op. En daarna de politie.' Ik grijp haar arm.

'De auto is niet gestolen.' Horace staat al naast me. Hij is zeker dertig centimeter langer dan ik. Een indrukwekkende persoon met donkerbruine ogen die te zacht lijken voor het straatleven. De gescheurde spijkerbroek zit zo wijd om zijn lichaam dat hij hem met één hand omhoog moet houden. Ik kijk naar hem op.

'Niet?' is het enige wat ik durf te zeggen. Ik schuifel iets bij hem weg.

'Die man die hier laatst ook was, werd vanmorgen afgezet door een blonde schoonheidskoningin. Hij piepte de auto zo open met zijn afstandsbediening. Daarna reed hij weg.'

Roderick. Wat moet hij met míjn auto? De gedachte die op komt zetten, duw ik weg. Zelfs híj kan dat niet flikken.

'Dankjewel, Horace,' zeg ik beleefd.

Hij tikt tegen een denkbeeldige pet, waarbij zijn viltige haar even opgetild wordt. 'Horace, zien en zwijgen, is mijn credo.' Zijn vette lach lijkt onmogelijk uit dat magere lijf te kunnen komen.

Een uur te laat arriveer ik op mijn werk. Het haastige getik van mijn hakken op het marmer klinkt zenuwachtiger dan ik dacht te zijn. Ik heb zeker een kwartier moeten wachten voordat Ilse ons kwam halen. Haar scheldkanonnade had ik Fleur graag bespaard, maar ik was te druk met bedenken hoe ik in vredesnaam mijn auto terug zou kunnen krijgen.

'Bram zoekt je,' geeft de akelig accurate afdelingssecretaresse aan als ik mijn kantoor wil binnenglippen.

Ik klop op zijn deur en voel een lading keien op de plek liggen waar alleen maar een beschuitje lag.

Zijn blik voorspelt niets goeds.

'Wij moeten eens praten.' De lach die hij probeert te laten zien is net zo doorzichtig als het glas achter hem. Hij wenkt me naderbij. Er zit niets anders op dan hem te gehoorzamen. Moet ik vertellen wat er gebeurd is? Aangeven wat zijn goede vriend geflikt heeft? Ik besluit te gokken op zwijgen.

'Ik begrijp heel veel. Ik kan ook best ver meegaan in de moeilijke persoonlijke omstandigheden waarin je op dit moment verkeert.'

Maar, denk ik erachteraan.

'Maar,' vervolgt hij voorspelbaar, 'er zijn grenzen.'

Ik buig mijn hoofd. De teen van mijn schoen is beschadigd. Of is het vuil? Ik wrijf de ene schoen over de ander, maar de kras verdwijnt niet.

'Eerst was je ziek. Daarna blijf je thuis werken, je vergeet afspraken, je neemt vrij of je komt te laat. Janna, dit kan niet langer.'

Ik schrik van de ondertoon in zijn boodschap.

'Roderick heeft me verteld dat je ook tegenover hem niet aanspreekbaar bent.'

Ik klem mijn kaken op elkaar, me beheersend om hem niet van repliek te dienen. In gedachten probeer ik de kras op mijn schoen met een zwarte stift na te tekenen.

'En in plaats van de verloren tijd in te halen, neem je nota bene weer een paar dagen vrij. Die fusie komt nu echt dichtbij. Ben je vergeten dat we daarmee bezig zijn?'

'Nee, natuurlijk niet. Ik heb toch ook...'

'Ik dacht dat je nu weer flink van start zou gaan, maar steeds vaker moet je vroeg weg, je kind ophalen of iets ondertekenen. En vandaag komt madam pas rond koffietijd binnenstappen. Ben je vergeten dat je een afspraak had? John belde mij op. Ik stond met een bek vol tanden jou te verdedigen terwijl ik geen idee had waar je was. Weet je hoe dat voelt?'

'Het spijt me,' mompel ik. Ik weet niets anders te bedenken. Het heeft geen enkele zin om op dit moment de waarheid te vertellen. De tijd dat dat mogelijk was is voorbijgegleden zonder dat ik er gebruik van heb gemaakt. Als een gemiste trein. Instappen niet meer mogelijk. Roderick heeft alle goodwill naar zich toe getrokken.

'Ik heb je afspraak weten te verzetten naar halfvijf vanmiddag.'

Ik open mijn mond. Denk aan de belofte aan Fleur, het logeerpartijtje van Dennis, het gejubel van Ilse in de auto dat zij en Jaap dan toch samen naar die film konden.

'Dat is prima,' zeg ik dan.

Pas tegen lunchtijd durf ik Ilse te bellen. Ik begin laf te vertellen over mijn pogingen te achterhalen wat er met mijn auto is gebeurd. De tijd die dat gekost heeft.

'Je zult zien dat hij jouw auto allang op zijn naam heeft laten zetten. Mannen zijn eikels. Dat heb ik je toch eerder gezegd?'

Ik voel een irritatie opvlammen. Hoe makkelijk om van een afstandje toe te kijken en alleen maar te zeggen wat een klootzak mijn ex is. 'Als ik niets onderneem, heb ik geen auto meer.'

'Je kunt er waarschijnlijk toch niets tegen doen. Heeft hij de auto betaald?'

Schoorvoetend moet ik toegeven dat alle grote uitgaven door hem werden gedaan. Mijn inkomen ging meestal op aan schoenen, kleding, schoonheidsspecialisten en de huishoudster.

'Koop gewoon zelf een kleine, zuinige auto. Discussies met hem win je toch nooit.'

Ilse weet niets van de financiële problemen die ik op dit moment ondervind. De ontelbare rekeningen die zonder enige moeite mijn nieuwe adres kunnen vinden, vreemde afschrijvingen die ik met geen mogelijkheid kan achterhalen, kosten van telefoonabonnementen die ik nooit afgesloten heb, de belastingteruggave die híj geïnd heeft, de rekening van de bso die nu opeens van míjn rekening afgeschreven wordt en de doorlopende kosten die ik maak om mijn woning enigszins toonbaar te krijgen. Hoe komen andere mensen in vredesnaam uit met slechts één inkomen?

'Dus jij vindt dat ik hem gewoon zijn gang moet laten gaan?'

'Dat doet hij toch wel, wees niet zo naïef.'

Het gesprek verloopt totaal anders dan ik hoopte. Ik wilde medelijden, misschien wel omdat mijn volgende boodschap dan wat makkelijker over te brengen zou zijn.

'Ik wil je iets vragen,' begin ik voorzichtig.

'Snel dan, want Jaap en ik staan op het punt om weg te gaan. Nu jij Dennis mee naar huis neemt, hebben we besloten om vanmiddag vrij te nemen en samen naar Amsterdam te gaan.'

Ik adem diep in en vraag me af welke woorden de boodschap zou moeten bevatten om Ilse te laten begrijpen hoe belangrijk dit voor mij is. 'Zou het heel erg zijn als je... Ik was vanmorgen te laat op mijn werk, en...'

'Ik ook,' onderbreekt Ilse pinnig.

'Ja, maar ik heb daardoor een afspraak gemist. Een erg belangrijk afspraak.'

'Dan maak je toch een nieuwe?'

'Er is al een nieuwe afspraak gemaakt. Door Bram.'

Het blijft even stil aan de andere kant. 'Laat me raden,' zegt ze dan, een octaaf lager.

'Ik kan nooit op tijd bij de bso zijn,' geef ik nu de boodschap door.

'Dan moet je dus iets anders regelen,' zegt ze hard.

Ik knijp de hoorn zowat in puin en krab aan wat losse velletjes van mijn wijsvinger.

'Het is belangrijk dat ik mijn baan behoud.' Ik besef hoe zwak het klinkt.

'Belangrijker dan dat Jaap en ik voor niets een vrije middag hebben genomen, ons verheugd hebben op een uitje dat dus niet door kan gaan?'

Ik zwijg en verlang een middel om dit schuldgevoel te verdoven.

'Kun je Roderick niet vragen?'

Het is als een schot hagel in mijn buik. Ilse weet als geen ander dat ik hem niet vertrouw.

'Sorry, dat was een rotopmerking,' bindt ze gelukkig in. 'Goed. Goed, ik zal Fleur ophalen. Wel enorm kut. Hoe moet ik dat in vredesnaam aan Jaap vertellen?'

Voordat ik de kans heb om haar te bedanken heeft ze al opgehangen.

Ik staar naar mijn tas en vind het flesje zonder enige moeite. Het is slechts een noodvoorraad, houd ik mezelf voor.

# 20

De afspraak met John liep vreselijk uit. Hij bleef maar vragen stellen over de regelingen die in het door mij opgestelde rapport staan. Het verdedigen van de groep lagere werknemers lijkt moeilijker dan het regelen van een extra bonus voor het hogere personeelssegment. Ik ben dan ook hondsmoe als ik eindelijk met Fleur thuiskom. Ze kan meteen door naar bed. De slaapkamer van Fleur gloeit vuilroze onder het peertje dat nog steeds kaal aan het plafond hangt. Ik kom nergens aan toe; mijn todolijstje groeit alleen maar.

Mijn maag vraagt niet eens om eten, die tijd is allang verstreken. Er is niemand om taken over te nemen. Niemand die zegt: 'Ga jij maar zitten, dat doe ik wel even.' De woning is één groot stofnest. Bovendien is het vervuild door stapels genegeerde rekeningen en stoelen vol onopgeruimde kleren.

'Heb je fijn met Dennis gespeeld?' Ik doe mijn best nog even aandacht te hebben, voor ik mijn luie kuil in de bank ga innemen.

'Hij sliep.' Fleur pakt haar beer en sluit hem in haar armen.

'Hoe kan dat nou? Jullie kwamen toch van de bso?'

'Dennis was ziek,' klinkt het slaperig.

'Wat vervelend. Ik zal morgen wel even bellen hoe het met hem is.' Ik geef een kusje op haar neus. 'Welterusten.'

'Hij woont in een huis aan het water.'

Met de deurkruk in de hand draai ik me om. 'Aan het water? Nee, lieverd, Dennis woont aan een plein, bij een speeltuintje.'

'Ik bedoel pappa. Slaap lekker.'

Mijn adem stokt en ik staar naar het hoopje mens dat opgekruld ligt onder het Sesamstraatdekbed. Ze is bij Roderick geweest, weet ik opeens zeker.

Mijn voet tikt in een hoog ritme tegen de leuning. Volgens de groene cijfertjes van de dvd-speler zit ik het al anderhalf uur uit te stellen. Ik weet dat ik Ilse moet bellen. Ze is me een verklaring schuldig. Ik ben echter zo kwaad dat ik me afvraag of ik het niet beter uit kan stellen. Het vreet aan me dat mijn vertrouwen in Ilse zo compleet onderuitgehaald is.

De wodka brandt door mijn slokdarm, maar verder ben ik ijskoud. Iedereen lijkt me tegen te werken. Bram behandelt me als een klein kind dat na de bel binnenkomt, terwijl ik bijna elke avond tot diep in de nacht aan voorstellen, rapporten en vergaderverslagen heb gewerkt. Ik heb rekenmodellen aangevraagd, ambtelijke stukken doorgenomen en alles samengevat in een overzichtelijk verslag. Straks gaat hij ook nog twijfelen aan mijn geschiktheid voor de functie van onderdirecteur. Waarom regelt hij een afspraak om halfvijf? Hij moet toch weten dat ik als alleenstaand moeder mijn kind op moet halen?

En dan Ilse. Zíj is degene die altijd zit te schelden op Roderick. En nu geeft ze doodleuk mijn kind aan die eikel mee? Alleen maar omdat het haar toevallig beter uitkwam? Het is dat Fleur er toevallig iets over zei, anders had ik het niet eens geweten. Het voelt alsof ik buitengesloten word van een spelletje waarvan Fleur de inzet is. 'Doe jij de blinddoek maar om, Janna, dan verstoppen wij Fleur wel.'

Ik wil Fleur niet belasten met vragen naar het hoe en waarom. Ik wil niet in haar ogen zien dat ze het leuk heeft gehad bij haar vader. Ben ik dan de enige die hem zo afschuwelijk haat dat ik hem van alles aan zou willen doen? Alles is zíjn schuld. Hij heeft me verrot geslagen en me uit zijn huis gezet. Hoe oneerlijk is het dan dat ik daarvoor gestraft word, terwijl hij met zijn rijke kont en een blond schoonheidsloeder in een prachtig grachtenpand zit? Bovendien heeft hij mijn auto ingepikt en als ik niet uitkijk pikt hij mijn dochter straks ook nog. Dat mag niet gebeuren!

Als ik opsta om de telefoon te pakken, grijpt een lichte duizeling me vast. Ik had moeten eten.

Ilse meldt zich op haar eigen manier. 'Goedenavond. U stoort, want we zijn net lekker bezig.'

'Waarom heb je Fleur naar Roderick gebracht?' Ondanks mijn goede voornemen stoot ik de vraag direct naar buiten.

'Shit, Janna. Kunnen we morgen niet even bellen?'

'Je weet toch dat ik Fleur niet in de buurt van Roderick wil hebben?'

'Dennis is ziek, het leek me niet leuk voor haar om...'

'Niet leuk? En dan bel je Roderick op? Is dat wel leuk?' Ik sta op van de bank en loop naar het raam. In het licht van de straatlantaarns zie ik regensluiers voorbijwaaien. Kil en waterkoud. Precies zoals ik me voel.

'Goed, luister.' Ik hoor gestommel op de achtergrond. 'Ik heb Roderick helemaal niet gebeld. Toevallig kwam ik hem tegen en...'

'Wat had hij bij de bso te zoeken?'

'Geen idee, hij stond met Leyla te praten. Ik wilde snel naar huis, omdat Dennis ziek was. Roderick gaf aan dat Fleur wel met hem mee kon, Judith was thuis en zou dan op haar passen. Roderick moest zelf nog naar het werk, en dus zag ik er geen probleem in.'

'Geen probleem? Zij is het nieuwe mokkel van Roderick!' Ik kijk uit over de straat en zie de container, waarvan de klep steeds opnieuw tegen de metalen bak stoot. Een naargeestig ritme van vuil en armoede.

'Ik begrijp best dat je met Roderick problemen hebt, maar Judith is best aardig. Ze bracht Fleur 's avonds bij me langs.'

'Fleur is míjn dochter.'

'Natuurlijk, dat betwist ook niemand. Het kwam gewoon zo uit. Kijk het even aan. Het kan jouw leven ook makkelijker maken als Fleur af en toe naar haar vader kan. Nu zit je zo vast als een huis.'

'Alsof híj mijn leven makkelijker zou kunnen maken. Onwaarschijnlijke combinatie.'

Het blijft stil aan de andere kant.

'Je hebt het zelf steeds gezegd: mannen zijn eikels. Ben je soms van mening veranderd?'

Op de achtergrond hoor ik besmuikt gegiechel.

Kwaad verbreek ik het contact. Mooie vriendin, ze laat me in de steek op het moment dat ik haar het hardst nodig heb. Ik kruip weg in het hoekje van de bank. Waarom begrijpt Ilse me niet meer? Waarom laat iedereen me in de steek?

Na een werkdag die knijpend vol zat met taken, hol ik naar de fiets die ik voor weinig geld op de kop heb weten te tikken. Het regent. Ik moet nog flink doortrappen om op tijd bij de BSO te zijn.

'Mevrouw Bervoets, ik wil even met u praten,' begint Leyla met-een als ik binnen kom stappen. Alsof ze op me gewacht heeft.

'Allereerst heet ik nu Van Dongen en ten tweede ben ik ruim op tijd.' Ik kijk op mijn horloge. Oké, iets overdreven, maar sluitings-tijd is het nog niet.

'Hebt u misschien even tijd om wat te bespreken? Ik maak me zorgen om Fleur.'

'Is er iets met Fleur? Is ze ziek? Dennis was gister ook al…'

'Nee, rustig maar,' onderbreekt ze me snel. Ze duwt haar zware bril hoger op haar neus. 'Fleur is in orde. Tenminste, ze is niet ziek. Kan ik uw jas aannemen?' Ze gaat me voor naar het kantoortje en biedt me een stoel aan.

Dit voelt verkeerd en dus trek ik mijn natte jas wat dichter om me heen.

'Ik heb het idee dat Fleur niet helemaal lekker in haar vel zit,' be-gint Leyla. Haar ogen staan bezorgd. 'Ik heb er na schooltijd even met juf Kim over gepraat.'

Ik knijp mijn lippen op elkaar. Geen woord van mij. Ze wil me uitlokken om aan te geven dat Fleur het moeilijk heeft met de scheiding. Mijn dochter heeft het alleen maar moeilijk met haar vader. Zie je wel, ze had nooit met die klootzak mee mogen gaan.

'Ook juf Kim vindt dat Fleur stil is in de klas.'

'Mijn dochter is een rustig meisje,' pers ik naar buiten.

'Ze speelt eigenlijk met niemand.'

'Dennis is haar vriendje,' breng ik er tegenin.

'We maken ons zorgen om haar en het lijkt ons goed om hulp in te schakelen.'

Leyla zwijgt en kijkt me afwachtend aan. Wat wil ze dat ik zeg? Dat ze gelijk heeft? Dat ik me ook zorgen maak? Dat het fijn is dat ze mijn zorgen deelt? Mooi niet. Ik zal Fleur wat extra aandacht geven. Ik neem me voor om het komende weekend iets leuks met haar te gaan doen.

'Kan ik nu naar Fleur?' Ik maak aanstalten om op te staan.

'Hebt u wel gehoord wat ik zei? Het gaat niet goed met uw dochter. Kunt u de zorg alleen wel aan?'

Denkt ze nou echt dat ik mijn persoonlijke problemen met haar wil bespreken? Alsof deze dikbebrilde snotneus mij kan helpen. Als ik maar eenmaal die promotie heb, en een mooi contract, dan zal er meer rust in mijn leven komen. En meer geld, ook niet vervelend. Het kost tijd om een nieuw evenwicht te vinden.

'Ik heb hulp van vrienden,' zeg ik terwijl ik mijn kin optil.

'Dat is fijn. Ik ben ook blij dat uw man nog een steentje bijdraagt in de zorg.'

Door de kwaadheid reageer ik feller dan ik wil. 'Dat was niet de afspraak. Ik haal voortaan zelf Fleur op en ik wil niet dat jullie haar aan iemand anders meegeven.' Mijn stem klinkt pinniger dan ik wil, maar misschien dringt het dan in één keer tot haar door.

'Fleur heeft een fantastische vader. Ik zie niet in waarom Fleur geen contact met hem kan hebben. Bovendien…'

'Omdat ik dat niet wil,' onderbreek ik haar snel.

'Bovendien,' gaat Leyla onverstoorbaar verder, 'investeert hij in contact met haar leefwereld. Hij heeft hier laatst een middag meegeholpen om wat lastige klussen op te knappen. Zoals u weet benaderen we vaker ouders om wat hulp te bieden.'

De terechtwijzing komt aan. Hoe kan ik in vredesnaam tijd vrijmaken als ik al die andere ballen hoog te houden heb? Dan pas besef ik wat ze zegt. Roderick, klussen doen? Onmogelijk. Thuis kon hij nog geen hamer hanteren. Hooguit hameren op mijn lichaam, dat kon hij als de beste. Waar is Roderick mee bezig? Probeert hij mensen voor zich te winnen? Nog nooit heeft hij energie gestoken in de belevingswereld van zijn dochter. Het is gebleven bij wat onhandige pogingen.

Ik zie de afkeurende blik van Leyla. Die zal mij nooit geloven na mijn afwerende gedrag. Ik ben de zure ex. Dus zwijg ik.

'Ik denk dat haar vader een goede invloed op Fleur heeft.' Leyla neemt haar bril van haar neus en begint hem uitgebreid te poetsen.

'Een goede invloed?'

'In ieder geval is hij bezorgd om haar. Hij wees ons vandaag op wat blauwe plekken. Heeft Fleur zich gestoten?' De vraag komt volkomen onverwachts.

'Vandaag? Nee.' Een te snelle reactie? 'Ik, eh… Niet dat ik weet.'

'Het is maar goed dat haar vader een oogje in het zeil houdt. Soms zijn dit soort blauwe plekken belangrijke aanwijzingen.'

Vandaag? Fleur is gisteren bij hem geweest. Mijn ademhaling gaat snel en blijft dan hangen in mijn keel. De woede maakt plaats voor verbijstering. Wat insinueert ze? Dat ik Fleur…?

'Het zou goed zijn als u haar de komende tijd in de gaten houdt. Kinderen zijn kwetsbaar. Bovendien zijn ze solidair naar hun ouders. Ondervragen kan averechts werken.' Ze zet haar bril op en glimlacht op een afschuwelijke manier. 'Kom, dan gaan we Fleur halen.'

Ik loop beduusd voor haar uit. De verdachtmaking is duidelijk. Reken maar dat ik het in de gaten ga houden. Ben ik de enige die doorheeft welk spelletje Roderick speelt?

# 21 Later

Na die eerste rotdagen in de cel had ik verwacht dat het enorme verlangen naar alcohol minder zou worden. Maar nu ik een fles in handen heb begint alles in me te schreeuwen. Ik moet stoppen. Dat weet ik, maar ik voel het nog niet echt. Thuis ligt de mogelijkheid tot drinken weer op de loer, en ik besef dat de ellende nu pas begint. De verleiding ligt te wachten als een slang tussen het hoge gras. Bij een eerste beweging slaat hij toe.

Pas bij het afscheid vroeg Fenna ernaar. Het was voor het eerst dat ik durfde toegeven dat ik alcoholiste ben. Natuurlijk gaf ik aan dat ik wilde stoppen. Fenna knikte alleen maar. Daarna gaf ze tips om de drank buiten de deur te houden en de eerste tip leek misschien wel de makkelijkste: accepteer dat het een moeilijke periode is. Dûh, kon ik niet nalaten te denken, wat een open deur.

Ik realiseer me nu dat ik alleen anderen kwalijk genomen heb dat zíj niet zagen dat ik het moeilijk had, zelf heb ik het nooit zo benoemd. Alles projecteerde ik op anderen, nooit op mezelf.

Als laatste raadde ze me aan om mijn vrienden te betrekken bij mijn pogingen om met drank te stoppen. Ik liet een schamper lachje horen. 'Welke vrienden?'

'Ga mee naar een bijeenkomst,' was het enige wat ze zei.

Ik sta in de keuken en staar naar de grote hoeveelheid lege flessen. Ik moet aan de slag. Rigoureus opruimen. Anders zal ik me continu een prooi blijven voelen van dat roofdier dat mijn leven te grazen neemt.

De diepe zucht lijkt ergens uit mijn tenen te komen. Bij elke fles die ik in een tas leg, mompel ik iets in de trant van 'weg met die zooi' of 'het is gedaan met dit lege leven'. Soms snuif ik de ranzige lucht van vergistende alcohol expres diep op. Ik wil een diepe afschuw gaan voelen voor dit versluierde leven. Er is een grote schoonmaak nodig, niet alleen in mijn woning, vooral ook in mijn diepe innerlijk. Pas als het alcoholspook geen invloed meer op me heeft, kan ik verder. Natuurlijk wil ik Fleur weer zien, maar daarvoor moet ik eerst mezelf weer zien te vinden.

De tocht naar de glasbak leg ik zeven keer af. Dan heb ik elke lege fles uit mijn appartement kapotgegooid. De schelle tik met daarna het gerinkel van scherven zorgde voor een ritueel met de juiste verbeelding. Met elke fles die neerkomt in de spelonken van de container, gooi ik mijn oude leven verder kapot.

Stap twee is moeilijker. Mijn voorraad. Het is of elke fles aan me trekt, maar excuses als 'wat zonde' of 'als ik ze nou gewoon leegdrink…' blijf ik weerstaan. Het enige wat daarbij helpt is de gedachte aan Fleur. Als ik mezelf dan niet belangrijk genoeg vind, laat ik het dan in ieder geval voor haar doen. Ik moet laten zien dat ik weer rechtop sta. Dat ik haar stabiliteit kan geven. Ik ben moeder. Het is een eretitel die ik weer wil verdienen. Ik wil haar zo graag terug.

Bij elke fles die ik leegschenk in de wc, merk ik dat mijn neus de lucht opsnuift als een verleidelijke aftershave van een onweerstaanbare man. Het vermengt zich met het toiletwater, en druipt in de richting van het riool. Als alle flessen leeg naast me staan, aarzel ik een paar seconden, alsof ik het alsnog uit de pot zou willen slurpen. Dan pas trek ik door en zie de golf aan water die de wc-pot schoonspoelt, als een metafoor voor mijn lichaam.

Weer terug in de woonkamer kan ik mijn draai niet vinden. Mijn bank is te hard, de zitzak scheef en in de keuken staart de lege vloer me aan. Ik moet iets in mijn maag hebben, en als dat dan geen drank mag zijn, dan moet ik mezelf dwingen om iets te eten. Zelfs kauwgombrood zou welkom zijn. Een supermarkt kan ik nog niet aan. Openbare ruimtes benauwen me nog steeds. Sinds de gevangenis zijn er maar twee keuzes: buiten zijn of in mijn eigen besloten ruimte zitten.

Het is druk op straat. Op de grasstroken bij de rotonde zijn honderden krokussen zichtbaar. Een eerste teken van een naderend voorjaar, een nieuwe start. Het is heerlijk dat ik gewoon zelf kan kiezen waar ik heen ga. Niemand die commentaar levert of me dingen oplegt. Niemand die me vragen stelt die ik moet beantwoorden. Niemand die bewust een onduidelijkheid genereert. Het waren slechts een paar dagen en toch heeft het een diepere impact op me dan ik zou willen.

Bij een snackbar blijf ik staan. Ik ruik de vette lucht van frietjes. Met mijn hoofd opgeheven loop ik de snackbar binnen. Vandaag geen plakbrood van de staat maar lekker vet van de straat. Ik geef met een dikke grijns mijn bestelling door. Dit is genieten. Niemand die dit van me af gaat pakken.

'Komt eraan.' Het meisje achter de balie glimlacht vriendelijk. Haar blonde haar is opgestoken in een ingewikkeld knoopwerk. 'Wilt u er ook wat drinken bij?'

Drinken, shit. 'Koffie graag.'

'Espresso, cappuccino of misschien een latte?'

'Doe maar een dubbele espresso.' Zie je wel dat ik de drank kan weerstaan?

Ze lacht me toe. 'Zware dag gehad?'

'Je wilt het niet weten,' antwoord ik naar waarheid en ik leg het geld op de toonbank.

Terwijl de frieten in de olie borrelen maakt ze de koffie voor me klaar. 'Hier, geniet ervan.'

Ik pak de koffie aan en ga zitten op een kruk aan de balie. De geur alleen al is opwekkend genoeg. Net als ik de eerste slok heb genomen gaat de deur open. Het kopje begint te trillen als ik de uniformen zie. Weg, ik moet weg. De drang om direct op te springen onderdruk ik met moeite. Mijn ogen flitsen door de ruimte. Is er een andere uitgang?

Er klotst wat koffie over mijn hand. Het brandt op mijn huid, maar ik blijf me vastklampen aan het kopje. Laat niet los.

'Goedemiddag heren. Het gebruikelijke satékroketje?' De opgewekte stem van het meisje lijkt totaal ongepast.

De ene agent neemt de ruimte in zich op. Kijkt mij aan. Het lijkt een eeuwigheid te duren voor zijn ogen mij weer loslaten. Ik wil hem niet aanstaren, maar negeren lukt niet. Ik moet zien wat hij doet. Als eerste op kunnen springen. Reageren als dat noodzakelijk is.

Ik krijg het niet voor elkaar een slok te nemen. Mijn tong kleeft droog aan mijn gehemelte. Mijn jas is te warm, maar voor geen goud zal ik die hier uittrekken. Alles in mij is klaar om een sprint te trekken.

'Is het rustig op straat?'

Ik omhels het meisje in gedachten als ik merk dat de aandacht zich naar haar verplaatst. Met al mijn spieren gespannen wacht ik af. Stil zijn. Niet opvallen.

Het gesprek aan de balie kabbelt boven de hete olie, terwijl mijn hoofd gevuld is met ideeën hoe ik zo onopvallend mogelijk uit de zaak weg kan komen. Hoe ik die twee dienders kan uitschakelen. Hete olie. Het plan borrelt.

Nee, niet doen. Afwachten. Door het zweet in mijn handen glibbert het kopje tussen mijn vingers. Ik zet het neer. Het gevoel te moeten slikken is al te veel. Voorzichtig laat ik me van de kruk glijden zodat ik in ieder geval met beide voeten op de grond sta.

'Wil je nog een koffie?'

Drie paar ogen op mij gericht. Ik schud mijn hoofd. Te wild? Mijn stem werkt niet. Ik schraap mijn keel, kijk bewust niet naar de twee agenten en slaag er zowaar in te glimlachen als ik 'nee, bedankt' zeg.

Nu kan ik weg. Heb mijn buik vol van alles wat blauw en petdragend is.

'Nou, tot ziens dan maar,' stamel ik terwijl ik mij zo dicht mogelijk langs de krukken naar de enige deur beweeg.

'Je frites zijn klaar. Wil je dat ik ze inpak?'

O ja, sukkel. 'Graag.' De glimlach blijft verstijfd op mijn lippen kleven.

Niet kijken naar die twee. Negeren. Ze kunnen je niets maken. Heb ik al betaald?

'Hier, geniet er maar lekker van.'

'Komt goed.' Ik pak het zakje aan en weet niet hoe snel ik bij de deur moet komen.

'Werk niet te hard,' hoor ik de stem van het meisje nog net voor de deur achter me dichtvalt.

Mijn passen dreunen in een hoog tempo over de stoeptegels. De straat die zo-even nog een groot gevoel van vrijheid gaf, is nu vol met kijkende mensen. Het hongergevoel is verdwenen. De rust ook. Ik wil naar huis. Me opsluiten in mijn eigen omgeving.

Als ik langs een vuilnisbak kom mik ik de frites weg. Mijn maag is een in elkaar gedraaid doolhof waar eten de weg nooit zal kunnen vinden.

# 22

Roderick treft het met het weer, denk ik sarcastisch als ik bij de begraafplaats aankom. Het is grijs en winderig. Ik heb lang geaarzeld of ik wel naar zijn begrafenis moest gaan. Ik ben nooit geaccepteerd in mijn schoonfamilie, dat hebben ze altijd duidelijk laten voelen. Zijn moeder – zijn vader is al jong aan een hartaanval overleden – heeft altijd aangegeven dat haar zoon een veel betere partij had kunnen krijgen. In een van mijn opstandige buien heb ik uitgeroepen dat haar zoon naar veel partijtjes ging en daar behoorlijk in het rond snoepte. Diezelfde avond kreeg ik de rekening voor mijn openhartigheid. Nog weken had ik last van de gekneusde ribben die zijn afranseling mij opleverde.

Sindsdien slikte ik de denigrerende opmerkingen van mijn schoonmoeder. Het enige waar Roderick en ik het over eens waren, was de frequentie van de bezoeken. Meer dan drie keer per jaar zagen we elkaar gelukkig niet.

Ik wacht tot ik zeker weet dat de dienst afgelopen is. Het vooruitzicht oog in oog te staan met mijn schoonmoeder zal ik zeker moeten bekopen met een ordinaire scheldpartij.

Er dreigt regen, maar die houdt zich voorlopig nog even schuil in lage wolken die hard voorbijrazen. Maartse buien zijn berucht. Ik ril, maar ik weet niet of het van de kou is of door het sinistere gevoel dat Roderick hier vlakbij is. Het stomme is dat ik nauwelijks tijd heb gekregen om te beseffen dat hij gewoon echt dood is. Het is zo abstract. Dat is de belangrijkste reden van mijn komst, ik moet getuige zijn van zijn begrafenis.

Natuurlijk, ik heb gehoord dat hij levenloos is aangetroffen, maar in mijn hoofd is die moord nog niet gekoppeld aan een nieuwe vrijheid. De eerdere gedachte, dat ik hem ervan verdenk dat hij zijn eigen dood in scène heeft gezet om mij de rest van mijn leven in de cel te krijgen, blijft bizar. Toch is het bijna voorstelbaar.

Pas als ik bij de ingang sta, aarzel ik. In mijn zwarte kleding, het donkere hoedje en de sjaal die voor een belangrijk deel mijn gezicht bedekt, kunnen ze me nooit herkennen. Het is een vreemd idee om de begrafenis van Roderick vanaf een afstandje gade te moeten slaan.

De wind suist tussen de takken door en ik trek mijn jas wat dichter om me heen. Het grind knarst onder mijn schoenen als ik naar een plek loop vanwaar ik een groep mensen kan zien staan. Daar moet het zijn.

Ik blijf zoveel mogelijk in de buurt van wat naaldbomen, die me wat bescherming kunnen bieden. Voorzichtig loop ik naderbij. De graven die ik passeer zijn stuk voor stuk oud en vol kruizen, Jezusbeelden of engelfiguren. Er hangt een onheilspellende sfeer van de dood, nog versterkt door de trieste vochtigheid van deze dag die je nog in de verste verten niet met voorjaar in verband zou brengen. Nergens verse bloemen, of moderne grafstenen die ondanks het pijnlijke verlies toch voor een minder beklemmende atmosfeer zouden kunnen zorgen.

Uiteindelijk stop ik als ik op een meter of twintig van de stoet mensen ben. De voornamelijk in het zwart geklede mensen staan in een kring, hun hoed in de hand, hoofden licht gebogen.

Natuurlijk staat mijn schoonmoeder vooraan, ondersteund door een man die ik niet zo snel herken. Dan stokt mijn adem. Opzij van de menigte staat een vrouw met grijs haar, ze houdt een jong meisje bij de hand. De wind speelt met haar kastanjerode haar. Fleur!

Snel kijk ik om me heen. Heb ik haar naam geroepen? Of schreeuwde ik alleen vanbinnen? Het lijkt een eeuwigheid geleden dat ik haar gezien heb. Mijn lieve dochter staat stil naast de pleegmoeder die ik pas een paar keer gezien heb, Ank Kramer. Ik zuig Fleurs aanwezigheid in me op. Mijn hand klauwt naar de takken van een conifeer waar direct dikke druppels vanaf rollen.

Ik moet me inhouden. Niemand mag weten dat ik hier ben. Niemand mag zien dat ik mijn dochter in me opneem alsof ze net geboren is. Jeugdzorg zou meteen ingrijpen en me voor straf op een hongerdieet zetten voor mijn moederliefde. Ze straffen onmiddellijk, alsof ik zelfs op een afstand van twintig meter mijn dochter pijn zou kunnen doen. Ze is toch van mij!

Het duurt zeker een paar minuten voor mijn hartslag weer enigszins normaal is en ik mijn ogen los kan maken van mijn liefste bezit.

Ik richt me nu op de rest van de mensen, nieuwsgierig wie er allemaal een laatste groet willen brengen aan de man die ik zo intens gehaat heb. Het geeft een jubelend gevoel dat ik erin geslaagd ben van hem te winnen. Ik sta hier nog in levenden lijve, terwijl hij nu in de koude grond gestopt wordt. Ik heb nergens spijt van. Alleen misschien van het feit dat ik hem te lang ter wille ben geweest. Dat ik hem te laat doorzien heb, zelfs toen ik al wist dat hij niet deugde.

In de buitenste ring staan een paar mannen die ik herken als zijn tennismaten. Ook zie ik de twee collega's met wie hij een maatschap van advocaten vormde. En natuurlijk Bram, een vriend van het eerste uur, en tegelijkertijd degene met wie ik jaren samengewerkt heb. De mannen staan in een hechte kring om de familie heen. Het netwerk aan machtige mannen dat mij de das heeft omgedaan. Waarom heb ik hen niet eerder doorzien? Komt dat omdat Bram me een tijdlang leek te steunen? Heeft Roderick hem uiteindelijk onder druk gezet? Ik vraag me af of ik daar ooit achter zal komen.

Pas dan valt me een man op die qua lengte wegvalt tussen de anderen. De korte baard die slechts ten dele is weggemoffeld in een donkere sjaal, daarboven zijn kale hoofd. Zijn goedlachse gezicht nu strak. Waarom staat hij bij de zwarte netwerkmannen? Wat heeft hij met hen te maken?

Er beginnen zich lijnen te vlechten tussen mensen waarvan ik niet besefte dat er een connectie kon zijn. De hele zaak is veel complexer dan ik ooit voor mogelijk heb gehouden. Arme Fleur is door de wraak van haar vader in een positie gekomen die je niemand toewenst. Ze is nog machtelozer dan ik. Ik ben uiteindelijk de enige die haar kan beschermen. Had moeten beschermen. En daarin ben ik faliekant mislukt. Door alleen maar bezig te zijn met mijn eigen pijn en verdriet, heb ik haar belang uit het oog verloren, als een klein kind dat meegenomen wordt uit een overvol winkelcentrum. Ik keek even een andere kant op en weg was ze.

Pas op dat moment besef ik dat Fleur verdrietig moet zijn. Ze is haar vader verloren. Ondanks al zijn fouten zal ze hem missen. Ik zou er zo graag voor haar willen zijn, haar opvangen en troosten, samen herinneringen ophalen aan de momenten dat hij zich een vader toonde, hoe sporadisch die ook maar voorkwamen. Ik weet als geen ander hoe traumatisch het is als je een ouder verliest, zeker als het zo plotseling is.

Ik kijk naar mijn meisje en probeer haar emoties te vangen. Haar lichaamstaal te lezen. Dat dit niet goed lukt emotioneert me meer dan ik zou willen.

Ik draai me van de groep af, mijn ademhaling gaat nu zo snel dat het lijkt alsof ik net een trainingsrondje afgelegd heb. Het is nauwelijks te accepteren dat ik niet eens weet wie haar heeft verteld dat haar vader nooit meer terugkomt. Weet ze dat hij door een misdrijf om het leven is gekomen? Hebben ze misschien zelfs gezegd dat ik hem omgebracht heb? Wat weet ze van de hele geschiedenis af?

'Het was een mooie dienst,' hoor ik opeens een mannenstem vlakbij. Mijn ogen flitsen in die richting. En weer terug. De stoet komt als een naderende zandstorm aankruipen. Onafwendbaar op ramkoers.

Ik duik in elkaar en kniel voor een kruis van een onbekend graf. Mijn hoofd gebogen tussen mijn schouders. Ze mogen me niet herkennen!

De mannenstemmen brommen met soms de scherpe uithaal van mijn schoonmoeder. Alle redenen die ik heb om op te staan en weg te rennen draai ik met grof geweld de nek om. Niet bewegen.

Opgaan in de omgeving. Een vrome weduwe past op een begraaf-plaats. Blijf zitten. Niet kijken. Geen aandacht trekken. Ik herhaal de woorden al prevelend als een gebed.

Het geknerp van het grind komt steeds dichterbij. Het lijkt alsof ze vlak achter me langs lopen, toch moet de afstand minstens vijf meter zijn. Mijn lichaam trilt van de spanning. Ik weet wat op het spel staat. Al sinds mijn vrijlating tel ik de dagen af tot het volgen-de bezoek aan Fleur, dat mogen ze me niet afpakken. Niet vandaag. Juist niet vandaag.

Pas als de voetstappen wegsterven over het begrafenisterrein, durf ik op te kijken. Voorzichtig gluur ik onder de rand van mijn hoedje door. Een stoet ruggen verwijdert zich. Dan, in die hele zwarte bewegende kudde, wordt één wit gezicht zichtbaar. Haar helblauwe ogen zijn op mij gericht, terwijl ze aan haar handje voortgetrokken wordt. Heel even is daar dat moment waarop alles stilstaat, en haar mond als in een slow motion het woord 'mamma' vormt. Dan druk ik mijn vinger tegen mijn lippen, en blaas daarna een kus in haar richting. Op dat moment bestaat er even niets an-ders dan wij tweetjes op deze hele wereld. Het lijkt of er een zon-nestraal door de grijze lucht glijdt en ons verlicht. Later kan ik me niet meer voor de geest halen dat dit werkelijk gebeurd is. De twee tellen die mijn hart stilzetten lijken echter een eeuwigheid te duren. Dan wordt Fleur meegetrokken en verdwijnt achter een haag strui-ken. De verwarming in mijn lichaam blijft nog heel lang gloeien en ik weet weer dat zij de enige persoon op deze aarde is die me liever is dan mijn eigen leven.

# 23 Eerder

Sinds ik autoloos ben, ben ik afhankelijk van fiets of openbaar vervoer. Het grote voordeel van de fiets is dat ik niet meer vaststa in het verkeer, maar overal langs peddel. Daarom ben ik vandaag ruim op tijd bij de BSO, een uitgelezen kans samen met Fleur wat verf te kopen. Het wordt tijd dat ik verder ga met het opknappen van de woning. En zo fiets ik even later naar huis met een doos doe-het-zelfspullen balancerend op mijn bagagedrager. Fleur rijdt netjes aan de binnenkant van me.

'We zijn er bijna,' zeg ik meer tegen mezelf dan tegen Fleur.

'Mag ik helpen met verven?' Ze kijkt even naar me op, haar blauwe ogen even oplichtend in het licht van de late middagzon. De zomer heeft me geïnspireerd, waardoor ik voor zonnig gele verf heb gekozen voor mijn slaapkamer.

'Ik ga er pas in het weekend aan beginnen.'

'Ja, maar mag ik dan helpen?'

Eigenlijk zou ik liever even snel zelf de roller eroverheen halen, maar misschien moet ik maar eens proberen iets minder efficiënt en snel te willen zijn. Een weekend is daar uitermate geschikt voor. Ik denk aan Leyla en de opmerkingen over mijn dochter. Iets samen ondernemen is belangrijk.

'We zien wel even,' stel ik de beslissing nog even uit. Beloftes moet je nakomen, heb ik haar altijd geleerd.

Terwijl Fleur naast me staat, probeer ik de sleutel van de berging uit mijn jaszak te vissen. Met mijn andere hand houd ik mijn fiets in evenwicht, zodat ik de doos met zware spullen wel even los kan laten.

Net als ik de sleutel te pakken heb, begint de doos te schuiven. Ik geef een gil, grijp de doos, waardoor mijn stuur dubbelklapt en het geheel tegen Fleur aan valt.

Ze geeft geen krimp.

Als ik probeer mijn fiets weer overeind te krijgen, snijdt de kettingkast gemeen in mijn scheenbeen. Twee verfemmers rollen nu uit de doos. Op haar voet.

Haar gezicht staat strak en haar ogen peilen me, terwijl ik zie dat ze haar kaken op elkaar klemt.

'O, sorry, meiske. Ik wilde… Shit.' Eindelijk heb ik mijn fiets weer overeind, draai mijn stuur goed en zet hem tegen de muur. Dan wrijf ik over haar been. 'Doet het zeer?'

'Het valt wel mee.'

Ik open de deur en laat haar voorgaan. Ik ben kwaad op mezelf. Maar pas echt beangstigend is het als ik merk dat ik me vooral zenuwachtig voel over of er blauwe plekken zullen ontstaan. Het is toch belangrijker dat Fleur geen pijn heeft?

In de brievenbus ligt een brief met een onbekend logo. Pas vlak voor ik ga slapen kom ik eraan toe hem te lezen. Daarna kom ik moeilijk in slaap.


Overal zijn mensen om me heen. Gezichten die niet bij elkaar passen. Mensen die elkaar niet kennen, maar nu als een samenzweerderig monster om mij heen staan. De touwen waarmee ze me vasthebben schuren om mijn polsen en enkels. Bram moedigt iedereen aan harder te trekken. Roderick staat naast hem, een touw in zijn hand dat verbonden is met mijn hart. Ilse, Leyla, juf Kim en zelfs de secretaresse juichen bij elk rukje. Ik voel dat ik langzaam uit elkaar gereten word. 'Niet allemaal tegelijkertijd' wil ik gillen, maar het geluid wordt overschreeuwd.

Badend in het zweet word ik wakker. Mijn hart bonst als een bezetene. Behoedzaam beweeg ik mijn armen en benen. Voel dat ik vrij ben. Niet gebonden aan wie dan ook. Toch blijft het benauwde gevoel nog minutenlang in mijn borstkas aanwezig.

Ik herken het gevoel, alsof ik gigantisch tekortschiet terwijl ik me rot ren om alles goed geregeld te krijgen. Ik moet ervoor zorgen dat ik mijn werk niet alleen op tijd, maar ook nog op een goede manier afgerond heb, dat ik geen afspraak mis, en tegelijkertijd mijn woning schoon en gezellig houd. Ik doe daarnaast zo mijn best om goed voor Fleur te zorgen, maar het lijkt wel of ze veranderd is. Ze heeft geen zin in eten, trekt zich het liefst alleen terug op haar kamer of hangt voor de televisie, wat ik op dat moment zo heerlijk rustig vind dat ik haar maar laat. Ook is het bedplassen weer begonnen. Hoe doen al die andere alleenstaande moeders dat? Het lijkt een taak te zwaar voor mijn schouders. Wat gaat er mis?

De brief die ik vandaag kreeg is de aanleiding van de vele vragen die in mijn hoofd blijven rondzingen. Het is een uitnodiging om met een gezinsvoogd van Jeugdzorg over Fleur te praten.

Waar bemoeien ze zich mee, was mijn eerste reactie. Pas een paar uur en wat relativerende glazen later voelde ik ook de opluchting. Roderick heeft vast hetzelfde verzoek gekregen van het Advies- en Meldpunt Kindermishandeling. Dat is goed. Het wordt tijd dat er eens aandacht besteed wordt aan de rol die hij speelt. Tot nu toe is er nog nooit wat gedaan met mijn aanklacht tegen het huiselijk geweld van Roderick. Dit geeft me een kans om Fleur beter te beschermen.

Terwijl ik mijn hartslag steeds rustiger voel worden vraag ik me af waarom ik zelf geen stappen ondernomen heb. Ik heb toch de vreemde plekken op Fleurs schouders gezien? Die zijn verontrustend genoeg om aandacht aan te besteden. Fleur gaf aan dat ze buiten had gespeeld op de BSO. Het kan toeval zijn, net na een bezoek aan Roderick, misschien wel net zo toevallig als de plekken die ze vast en zeker over zal houden aan het ongelukje met mijn fiets.

Een gezinsvoogd. De term zet me aan het denken. Het voelt alsof ik zelf de verzorging niet meer aan zou kunnen. Een verzoek van Jeugdzorg, dan moet iemand het AMK ingeschakeld hebben. Heeft Roderick misschien zitten stoken? Hij is een ster in het verdraaien van waarheden. Is dit zijn manier om een omgangsregeling af te dwingen? Shit, dat zou ook kunnen. Ik moet hem goed in de peiling houden, voordat er dingen gebeuren die ik er niet bij kan hebben.

Ik heb zo'n beetje alle tijdschriften in de wachtkamer al in mijn handen gehad, maar de enige woorden die me opvallen zijn verwaarlozing, mishandeling, hulpverlening, strafrechtelijke vervolging en uithuisplaatsing.

Ik pulk aan een los velletje bij mijn nagel. Het irriteert.

'Mevrouw Bervoets?' De glimlach van de gezinsvoogd die zich voorstelt als Els, is professioneel. Ze heeft een kort stresskapsel, doordringende ogen en is nauwelijks opgemaakt. Met korte bewoordingen legt ze uit hoe de jeugdzorg in elkaar steekt. Haar woorden klinken clean en ik mis betrokkenheid. Mijn achternaam corrigeren doe ik maar niet, voorlopig rustig meewerken.

'Het is goed dat het AMK benaderd is,' geef ik direct aan. 'Ik wil natuurlijk het beste voor mijn dochter Fleur.' Toeschietelijk zijn, meespelen, maar intussen alle touwtjes in handen houden. Het is een gesprekstechniek die ik zo langzamerhand goed beheers. Ik moet Roderick zien weg te houden bij Fleur.

'Fijn dat u dit zo ziet, dat maakt het voor alle partijen makkelijker.'

'Welke partijen? Wie heeft de melding geplaatst?'

'Daar mogen wij geen uitspraak over doen.'

Dit wordt een leuk gesprek. Wat zou ze doen als ik hetzelfde zou antwoorden op haar vragen?

'Waarom ben ik dan hier? Het AMK is toch een meldpunt voor kindermishandeling? Ik neem aan dat u daar iets mee gaat doen.' Op de een of andere manier wringt er iets.

'Er is al wat mee gedaan. Er ligt een besluit van de kinderrechter tot voorlopige ondertoezichtstelling.'

Het onheilspellende gevoel groeit. 'Wat houdt dat in?'

'Als er problemen zijn binnen een gezin komt het kind onder toezicht te staan van Bureau Jeugdzorg.'

'Maar het gaat om mishandeling.' Ik stoot de woorden naar buiten.

'Ja, we zullen Fleur goed in de gaten houden. Voorlopig houdt u de verantwoordelijkheid over de zorg en opvoeding van uw dochter.'

Langzaam laat ik de lucht uit mijn longen ontsnappen. Het is een prettig gevoel dat ik gesteund zal worden. Dat er zelfs hulp komt. Toch kriebelt de onrust voort.

'U begrijpt dat wij dit heel serieus nemen. Er zijn verschillende signalen binnengekomen dat het niet zo goed gaat met Fleur.'

Dat het ook met mij niet zo goed gaat houd ik voor mezelf. Ik knijp vooral hard in mijn tas voor ik een antwoord geef. 'Fleur heeft nogal wat meegemaakt.'

'Kunt u daar wat meer over vertellen?'

Ik haal diep adem. Eindelijk kan ik mijn verhaal vertellen. Misschien dan niet bij de politie, maar dit is mogelijk nog belangrijker. Het gaat over de veiligheid van Fleur. En opeens komt alle ellende van de afgelopen tijd naar buiten. Het huis dat zomaar te koop stond, de mishandelingen, het plotselinge vertrek van Roderick naar een andere vrouw, de teniet verklaarde aangifte, mijn veeleisende werk en de moeite om een woning te vinden. 'Mijn ex doet alle mogelijke moeite om het mij zo lastig mogelijk te maken. Hij heeft zelfs mijn auto afgenomen.' Mijn diepe verontwaardiging komt gelijk met de woorden naar buiten.

'U heeft geen makkelijke tijd gehad.'

'Dat is het *understatement of the year*,' zeg ik met een schamper lachje. 'Ik sta er helemaal alleen voor. U kunt zich misschien voorstellen hoe slopend dat is.'

'En hoe heeft u Fleur opgevangen in deze slopende tijd?' Ze kijkt me onderzoekend aan.

Ik voel me terechtgewezen.

'Ik heb een nieuwe woning gevonden. Voor ons tweetjes,' zeg ik nadrukkelijk. 'Samen hebben we haar kamertje opgeknapt. Verder ben ik degene die haar verzorgt, want van haar vader heeft ze niets te verwachten.'

'Slaapt ze goed?'

Ik denk aan het bedplassen. 'Ze slaapt goed.'

'Geen problemen met bedplassen of buikpijn?'

Ik aarzel net te lang. 'Ze is getuige geweest van hoe haar moeder in elkaar is geslagen. Vanaf dat moment is het begonnen.'

'Zoiets vermoedden we al.'

Ik vraag maar niet wie ze met 'we' bedoelt.

'U begrijpt dat we met kinderen geen risico willen lopen. Bij ons staat het kind voorop. Vanaf vandaag zullen we dus toezicht houden op haar welzijn. Dat betekent dat we samen met de ouders kijken hoe we de situatie kunnen verbeteren.'

'Ouders?'

'Ja, ook het contact met de vader is belangrijk.'

'Belachelijk. Roderick heeft nooit enige interesse in haar getoond. Hij heeft haar geslagen! Het zou juist goed zijn als ze bij hem uit de buurt bleef. Dát zal haar rust geven.' In mijn verontwaardiging spuit ik de woorden naar buiten.

Els legt wat papieren voor zich op tafel. 'Ik heb met de vader gesproken.'

Met een ruk kijk ik op. Het is mijn verhaal tegen het zijne.

'De vader staat ervoor open om Fleur zo goed mogelijk te helpen. Haar situatie gaat hem aan het hart.'

'Ja, natuurlijk zegt hij dat. Dacht u nou echt dat hij zou zeggen dat zijn dochter hem helemaal niets kon schelen?'

Ik voel een agressie die gevoed wordt door machteloosheid. Waarom ben ik niet gehoord bij die kinderrechter? Ik ben toch de moeder van Fleur? Ik weet toch het beste hoe ik met haar om moet gaan?

'Ik hoop dat u begrijpt dat we voor Fleur het beste willen. Kinderen geven verdekte signalen af. Ze zullen niet zo snel zeggen dat het niet goed met ze gaat. Ze worden stil, te meegaand, krijgen pijn in hun buik of doen een stap terug in hun ontwikkeling, zoals bijvoorbeeld het bedplassen. Het is onze taak deze signalen te herkennen en stappen te ondernemen om ervoor te zorgen dat de omgeving van het kind veilig is.'

Dat doet het. Ik kijk naar haar te rustige gezicht. Ze doet alsof ik niet het beste voor Fleur wil. Wat denkt ze wel niet? Ik heb helemaal geen tijd om naar deze onzin te luisteren. Het gaat goed met Fleur. We redden het samen wel, als ik maar een klein beetje ondersteuning krijg. Toch prikt er een irritante pijn in mijn hart. Weet ik dat wel zeker?

'Ik zorg goed voor haar. Natuurlijk voelt ze zich veilig bij me.'

'Dat is niet helemaal duidelijk. Waarom plast ze bijvoorbeeld in bed? En waarom had ze verwondingen die een onduidelijke oorzaak hebben?'

Ik schuif met een ruk mijn stoel naar achteren. 'Ik heb genoeg van je insinuaties. Wie heeft je deze zaken ingefluisterd? Ik zou voorlopig maar eens toezicht houden op die ex van me.' Ik leun nu met beide handen op de tafel en staar haar kwaad aan. 'Gun mijn dochter wat tijd om aan een nieuwe situatie te wennen. Roderick heeft ons uit ons huis gezet, daarom woont Fleur nu in een wijk waar ze niet thuishoort. Ik zal ervoor zorgen dat ze niet meer bij hem thuiskomt, dan zal het vast beter met haar gaan.'

'Ik begrijp niet waarom u zich zo opwindt. Haar vader is belangrijk voor haar. Wij willen...'

Mijn vuist komt hard neer op tafel. 'Wij willen? Wij willen? U hebt niets te willen. Fleur is míjn dochter. Waarom luistert u niet? Jullie zien alleen maar zijn masker, niet de man die zich daarachter verschuilt. Hij is een monster. Het zou goed zijn als hij voorgoed uit ons leven verdween. Dan pas krijgt Fleur rust. En ik ook.'

Het gezicht van de gezinsvoogd blijft onbewogen. Er trilt alleen een spiertje onder haar linkeroog.

Dan loop ik met grote passen naar buiten. Het kan me niet schelen hoe ze over me denkt. Ik ben de moeder van Fleur, dus ze zullen toch eerst met mij moeten overleggen.

Als ik buiten loop hoor ik een sms'je binnenkomen.

HEB JE EEN PRETTIG GESPREK GEHAD? WAT MEER TOEZICHT OP FLEUR LIJKT ME WEL WENSELIJK.

Kwaad druk ik het bericht weg. Het is nu duidelijk: Roderick zit achter de melding.

# 24 Later

Het regent zacht als ik bij het oude gebouw aankom waar ik met Fenna heb afgesproken. Een koude wind waait dwars door mijn te dunne mantel. Het was de enige toonbare jas die ik kon vinden. Ik zet mijn fiets tegen de muur en kijk omhoog. Het pand komt statig en sterk op me over. Een passend onderkomen voor de bijeenkomsten van de groep vrouwen die vechten tegen de onterechte beslissingen van Jeugdzorg. Stuk voor stuk robuuste rotsen in een branding van te hoge golven, zo noemde Fenna ze. Ik vraag me af of ik er thuishoor.

Ik geef een ruk aan de oude trekbel en hoor een lieflijk belletje klingelen. Het belachelijke contrast initieert een lachkriebel. Ik duw mijn haar wat naar achteren, schik het ceintuur van mijn jas voor de derde keer en strijk met mijn handen de stof glad. Mijn handpalmen zijn klam en ik stop mijn handen diep in mijn zakken om te verbergen dat ze trillen. De misselijkheid die al dagenlang met tussenposen aanwezig is, lijkt wat minder. Het schijnt erbij te horen. Ik heb zin in een borrel.

Tot mijn opluchting staat Fenna in de deuropening. 'Ik dacht al dat jij het was. Fijn dat je bent gekomen.'

'Ik vind het doodeng,' beken ik.

'Kom, ik zal je introduceren.'

Terwijl ik achter de journaliste aanloop neem ik haar zonder enige reserve op. Ze draagt een witte pantalon met een felgekleurd tuniek dat mooi afkleed. Zo schoon kan wit dus zijn, bedenk ik, tot ik een bruine veeg zie ergens ter hoogte van haar knieholte. Chocola? De gedachte dat niemand perfect is troost me.

De ruimte is niet groot, maar toch indrukwekkend. Hoge wanden met sierlijke ornamenten, met in het midden een gigantische open haard. De schoorsteenmantel bestaat uit donkerrood marmer, waarbij twee zwarte pilaren als ondersteuning dienen. De warmte die het vuur verspreidt is erg welkom.

Als de aanwezige kring vrouwen zich nieuwsgierig opent, zie ik een vrouw in een rolstoel. Haar jonge gezicht straalt me tegemoet. Met een paar krachtige armbewegingen rolt ze naar ons toe.

'Jij moet Janna zijn. Fijn dat je bent gekomen. Ik ben Loes, en iedereen beschouwt me als de coördinatrice van dit geweldige stel moeders. Mag ik je voorstellen aan de rest?' Loes lacht een prachtig gebit bloot.

Ik knik, verbouwereerd door het enthousiaste welkom. Loes is niet ouder dan dertig, heeft een gezond uiterlijk met een gespierd bovenlichaam. Haar knappe gezicht leidt de aandacht af van haar smalle benen die niet bij haar lichaam lijken te horen. Haar kaken malen heen en weer. Kauwgum als zenuwafleider. Wat zou zij meegemaakt hebben?

De vrouwen zijn gezellig met elkaar in gesprek, ik vang gelach op. Geen trieste bedoening van vergeten vrouwen of misleide moeders.

Loes manoeuvreert haar rolstoel handig door de ruimte, terwijl ze me aan iedereen voorstelt. Ik vergeet alle namen weer net zo snel als ze opgedreund worden. Mijn hoofd is te druk vanbinnen. Alleen Gabrielle blijft hangen. Het verhaal dat Fenna in het café op het Centraal Station heeft verteld is sindsdien ettelijke malen door mijn gedachten gespoeld terwijl ik in bed wakker lag met een hart dat dacht dat ik de marathon liep.

Gabrielle blijkt een vrouw met een lichte huid en donkere haren waarin speels enkele lichtere strengen zijn aangebracht. Haar gezicht wordt ontsierd door oude acnélittekens. Haar jongste kindje moet nog klein zijn. Heeft ze die nu toch aan een oppas durven toevertrouwen?

'Ik heb gehoord wat er gebeurd is,' begin ik voorzichtig. Ik weet niet of het gebruikelijk is dat hierover gepraat wordt, maar ik voel dat ik haar een hart onder de riem moet steken.

Er glijdt een lach over haar gezicht dat hierdoor helemaal oplicht. 'Aan heftige verhalen is hier geen gebrek.'

'Aan kinderen wel,' reageert Loes direct. Gelach om me heen. Ik probeer mee te doen, maar het lukt me niet zo goed.

'Wil je wat te drinken?'

Ik schrik. Mijn hart gaat ervandoor en laat me ademloos achter.

'Rustig maar, er wordt hier geen alcohol geschonken.' Loes geeft me een knipoog. 'Het sterkste wat we hebben is cola.' Ze rijdt weg en ik loop gedwee achter haar aan.

De bijeenkomst blijkt te bestaan uit ervaringen uitwisselen, praten, lachen, zwarte grappen en de steun van een geboden schouder als het een van hen te veel wordt. Dat laatste vooral tijdens het kring-gesprek, waarmee de avond wordt afgesloten.

Iedereen luistert terwijl degene die daaraan behoefte heeft haar verhaal kan doen. Er wordt niet alleen geluisterd, maar vooral ook gevraagd wat diegene nodig heeft om verder te kunnen. En dan blijkt de kracht van het gemêleerde gezelschap: uit iedere laag valt iets aan te bieden, variërend van een te vertrouwen oppas tot een netwerk van werk- of mediacontacten.

Ik voel me gesterkt door de nabijheid van Fenna, die mijn ver-haal al voor een groot gedeelte heeft gehoord. Na een halfuurtje merk ik dat mijn aandacht verslapt. De ellende is te groot om te kunnen verhapstukken. Ik zie alleen maar een goot die vol lijkt te liggen met vrouwen.

'Janna, wil jij iets met ons delen?' hoor ik opeens de heldere stem van Loes.

Ik schrik en voel me rood worden.

'Ik… eh…' Ik slik.

'Je mag ook beginnen met wat je op dit moment het hardst nodig hebt. Wie weet kunnen we je helpen.'

Wat heb ik nodig? De vraag resoneert door mijn hoofd. 'Hulp,' stoot ik naar buiten. 'Ik heb hulp nodig.'

Niemand lacht me uit.

'Iedereen wil helpen,' antwoordt Loes. 'Misschien is het goed om hierin prioriteiten te stellen. Er zijn een aantal zaken belangrijk om je kind weer thuis te kunnen krijgen.'

Ik staar haar alleen maar aan.

'Ten eerste: heb je een woning?'

'Ja, ik heb een appartement. Een beetje verwaarloosd misschien, maar ik ben bezig om het op te knappen.' Er komt enig zelfvertrouwen terug.

'Dat is super. Sommigen van ons hebben alleen al een oorlog moeten voeren om aan een simpele kamer te komen.'

Vreemd dat ik nu aan Horace moet denken. Hij heeft niet meer dan een plekje onder de trap.

'Ten tweede: heb je werk?'

Ik buig mijn hoofd en kijk naar mijn handen die viltige pluisjes van mijn trui plukken.

'Geen werk dus,' concludeert Loes. 'Gabrielle, kun jij een intake doen? Overal is werk te vinden,' richt ze zich meteen weer tot mij. 'De meeste werklozen zijn te kritisch.'

Gabrielle maakt direct een aantekening.

'Dan een derde belangrijk punt,' gaat Loes verder. 'Er wordt van je verwacht dat je als moeder een goede structuur kunt bieden. Heb je nog gesprekken met een gezinsvoogd?'

Ik knik.

'Dan heeft ze je daar vast al op gewezen. Er zijn meer regels voor een biologische moeder dan voor pleegouders. Accepteer hun regels, werk mee en laat elke opstandigheid varen.'

'Hier mag je kwaad worden,' zegt Gabrielle. 'Dit is een veilige omgeving.'

Ik voel me welkom in deze groep.


Als ik na afloop terugfiets prikken de koude regendruppels op mijn gezicht, maar het effect van de warme douche die ik zonet heb gekregen houdt de echte kou buiten. Ik fiets sneller dan ooit, mijn roestige ketting lijkt gesmeerd met speciale olie, zelfs de trappers draaien op een lichter verzet.

De bijeenkomst heeft me een boost aan energie gegeven. Tot nu toe wilde ik vechten om mijn dochter vaker te kunnen zien. Nu wil ik meer. Ik ga winnen. En met de hulp van de vrouwen die ik vanmiddag heb leren kennen, gaat me dat lukken ook. Fleur komt weer thuis.

Wat ik die middag echter verzwegen heb is mijn arrestatie. De verdenking die ondanks mijn vrijlating nog aan mijn naam hangt. Dat kan het grootste struikelblok worden om Fleur terug te krijgen. Voordat ik deze gebeurtenissen ga delen met deze vrouwen wil ik eerst zelf alles op een rijtje krijgen. De vragen van Grijsoog en Stijflip wil ik naar eer en geweten kunnen beantwoorden voor ik hier hulp bij vraag. Er moeten aanwijzingen te vinden zijn. Er hangen vage flarden in mijn geheugen van iets wat belangrijk moet zijn, maar het glipt steeds weg. Het zit ergens verborgen in dat verdoofde brein van mij.

# 25 Eerder

Op dagen als vandaag geniet ik van het fietsen. De zomer lijkt aan het eind nog te willen laten zien wat er aan kracht over is. Met een lekker vaartje rijd ik een lange rij auto's voorbij. Ik voel de glimlach op mijn gezicht terwijl de gedachte aan Fleur warm in mijn binnenste gloeit.

Het is heerlijk om de frisse wind door mijn haren te voelen. Blij kijk ik om me heen. Voor het eerst sinds weken heb ik een ontspannen gevoel. Ik heb allerlei achterstallige klusjes gedaan op het werk. Papieren die zijn blijven liggen geordend, mails beantwoord die al dagen met een rood label een signaal probeerden uit te zenden, en oude voorstellen door de papierversnipperaar gehaald. Er hangt een sfeer van verwachting op kantoor. Nog maar een paar weken en dan zal de fusie een feit zijn. Alles lijkt rond en de laatste handtekeningen worden deze week nog verwacht.

Ik passeer de straat waar het kantoor van de gezinsvoogd gevestigd is. Zonder dat ik een afspraak heb gemaakt voor een vervolggesprek met Els, merk ik dat haar woorden wel degelijk effect hebben. Natuurlijk heb ik haar niet nodig, het was slechts een klein zetje in de juiste richting. Het voelt goed dat ik ervoor gekozen heb om het alleen te doen. De zekerheid dat ik het alleen ook best wel afkan, wordt steeds groter.

Als ik voor het stoplicht moet wachten zie ik in een tegenoverliggend restaurantje een bekend gezicht. Mijn glimlach bevriest als ik het tweetal herken. Roderick en de kortharige gezinsvoogd, tegenover elkaar aan een tafeltje, gewikkeld in een geanimeerd gesprek. Wat hebben die twee te bespreken? En waarom doen ze dat niet gewoon in haar kantoor? Haar gezicht is zelfs bijna onherkenbaar nu ze luid schaterend haar hoofd in de nek gooit. Is dat die professionele dame die mij wel even zou vertellen…?

Mijn gezicht is strak als na een botoxbehandeling. Ik gaap het tweetal aan dat het klaarblijkelijk erg goed kan vinden samen. Roderick kun je bestempelen als een mooie man. Ik kijk echter door het namaaklaagje heen, en weet wat er onder die gladde glimlach zit. Als ik zie dat zijn hand vriendschappelijk op de arm van Els ligt, word ik ijskoud vanbinnen. De vuile verrader.

Ik heb geen zin om nog langer getuige te zijn van het charme-offensief van Roderick. Het hele voogden- en ondertoezichtcircus heeft voor mij afgedaan. Ik heb ze niet nodig, ik kan heus wel zelf voor mijn dochter zorgen. Toch blijft iets me dwarszitten. Waarom is Roderick opeens zo geïnteresseerd in Fleur? Al die voorgaande jaren heeft hij haar alleen maar als een lastige stoorzender beschouwd. Hoe komt het dat hij nu ineens zo veel belangstelling heeft voor haar welzijn?

De fleurige bloemen op de ramen van de BSO staan in schril contrast met mijn humeur. Als ik Fleur zie valt me direct op dat er iets aan de hand is. Fleur omhelst me met een grimmige affectie, haar gezicht verbergend in mijn jas.

'Ik heb een verrassing voor je,' zeg ik, terwijl ik me uit haar omhelzing losmaak en door mijn knieën zak.

Geen enkele nieuwsgierigheid. Ze drukt zich tegen me aan, waardoor ik bijna mijn evenwicht verlies.

'Fleur is niet helemaal lekker,' hoor ik de hoge stem van Leyla achter me.

'Is ze ziek?' Een hand op haar voorhoofd geeft geen koorts aan.

'Ze klaagt over pijn.'

Een onderbuikgevoel komt opzetten. Fleur klaagt nooit.

'Ik heb vanmiddag haar vader maar even gebeld.' Leyla streelt de haren van mijn dochter, maar ik hoor alleen maar dat uitdagende toontje in haar stem. 'Ik kon u niet bereiken.'

De dag flitst aan me voorbij. Juist vandaag had ik geen enkel overleg staan. 'Dat is onmogelijk. Ik ben continu bereikbaar geweest,' zeg ik heel beslist.

'Haar vader komt haar zo halen.' Leyla kijkt me provocerend aan.

Ik til Fleur op, waarna ze direct haar hoofd op mijn schouder legt.

'Bel hem maar af, ik ben er nu.'

'Ik heb buikpijn, mamma.' Er klinkt meer in door.

'We gaan meteen naar huis, lieverd. Ik ga je lievelingskostje maken.' Zonder Leyla nog een blik waardig te gunnen wil ik naar de uitgang lopen.

'Die buikpijn is wel opvallend.' Leyla blokkeert me de doorgang.

Ik probeer me te beheersen. 'Ja, inderdaad, heel opvallend. Ze wil niet naar haar vader, snap je dat dan niet? Daar gaat het fout. Hij gaat soms wat hardhandig met haar om, als je begrijpt wat ik bedoel.' Ik kijk haar fel aan.

'We begrijpen dat u kwaad bent op uw ex, maar het is niet goed om zo over hem te praten waar uw dochter bij is.'

'Jij bent degene die over mijn ex begint.' Ik duw haar opzij en loop naar de uitgang. Wat denkt ze wel niet...

'Die blauwe plekken op haar been zijn nog steeds zichtbaar. Ik moest wel actie ondernemen,' roept ze me na terwijl ik al bijna bij de deur ben.

Woest gooi ik de deur achter ons dicht.


'Dag vriendin en schone Janna.' Horace hangt onderuit, een lang lijf dat alleen maar uit benen lijkt te bestaan. De schoenen vertonen gaten.

'Dag portier,' mompelt Fleur lusteloos.

'Ze is een beetje ziek, Horace.' Ik drijf haar voor me uit naar de lift terwijl ik een bijna verontschuldigende blik naar de zwerver werp. In de afgelopen tijd heb ik regelmatig een paar woorden met hem gewisseld. Hij is altijd erg geïnteresseerd in Fleur.

Als we onze woning binnenkomen valt me op dat het muf ruikt.

Het wordt tijd voor een frisse opknapbeurt. Gelukkig is het bijna weekend en kan ik aan de slag met de zonnebloemgele verf. Ik mik de post op tafel en loop direct door naar de keuken om met koken te beginnen. Tijdens het aardappelschillen bedenk ik dat Fleur misschien wel een griepje onder de leden heeft of gewoon moe is. Iedereen is tegenwoordig zo alert op misbruik of mishandeling dat ze eraan voorbij lijken te gaan dat een kind ook gewoon moe kan zijn.

Het steekt dat iedereen zo betrokken is bij het welzijn van Fleur terwijl niemand aan míj vraagt of het wel goed gaat en of het niet allemaal te veel is. Er wordt gewoon van mij verwacht dat ik alles blijf doen in eenzelfde tempo en met het gebruikelijke enthousiasme. Niemand die zegt: zullen we je baas eens onder toezicht stellen? Of je ex? Wil je wat extra begeleiding om alles goed te kunnen regelen?

Het oneerlijke gevoel ebt weg als ik aan Fleur denk. Een kind is nog kwetsbaarder.

Als de aardappels op het vuur staan loop ik naar de woonkamer. Fleur ligt diep in slaap op de bank, haar mond iets geopend. Even sta ik in dubio. Dan til ik haar behoedzaam op.

Heel wazig kijkt ze me aan. Er verschijnt een vage glimlach, en haar ogen sluiten weer. Ik voel een warme gloed door mijn lichaam trekken. Wat hou ik van dit kind. Ik zal haar verdedigen tegen iedereen die haar ook maar iets aan zou willen doen. Niemand komt in de buurt van mijn kind. Niemand! Ze is van mij.

Ik heb zeker tien minuten op de rand van haar bed gezeten, slechts oog voor Fleur. Haar trekken waren ontspannen. Elk detail van haar gezicht heb ik in me opgezogen. Op dat moment nam ik me voor meer tijd voor haar te reserveren. Een goede baan is belangrijk, maar het welzijn van mijn dochter overstijgt alles.

Een schaaltje yoghurt is alles wat ik gegeten heb. De stamppot is voor morgen, het is haar lievelingskostje. De koffie sla ik over. Niets smaakt op dit moment. Gelukkig heb ik nog een fles witte wijn openstaan. De eerste slokken zijn ronduit smerig. Ik wijt het aan de compleet verkeerde smaakcombinatie. Dat verdwijnt straks wel.

Ik kijk mijn woonkamer rond. Alle meubels staan nog exact zoals we ze neergezet hebben op die allereerste dag dat we hier binnenkwamen. 'Zet maar zolang hier neer.' Ik hoor het me nog zeggen. Mijn verhuizing is nu al weer drie maanden geleden. Tijd om dit nieuwe leven nu echt te starten, in plaats van tegen beter weten in vechten om alle oude verworvenheden krampachtig vast te willen blijven houden. En dat geldt niet alleen voor mij, maar ook voor Fleur.

Ik neem morgen vrij, neem ik me op dat moment voor. Ik ga investeren in mijn dochter. Samen verven, samen de woonkamer gezellig maken, samen koken en misschien samen wel even bij Ilse en Dennis op bezoek. Ik heb al te lang niets van me laten horen.

Zou Dennis nog ziek zijn? Fleur heeft het helemaal niet meer over hem gehad. Ik schaam me een beetje dat ik zo met mezelf bezig ben geweest dat ik nog niet eens de moeite heb genomen om Ilse te bellen. Moet ik de eerste stap zetten? Zal ik haar bellen?

Als ik mijn mobiel pak zie ik een gemiste oproep: de BSO. Heeft Leyla dan toch gebeld? De verwarring maakt dat ik mijn telefoontje aan Ilse uitstel. De buitenwereld is er alleen maar onduidelijker op geworden sinds ik loop te worstelen in plaats van te leven.

Ik steek een kaars aan om de sfeer wat te verzachten. De wijn begint lekker te smaken, alsof mijn smaakpapillen even moesten wennen. Tijd om de post door te nemen. Veel rekeningen die ik liever niet zie. Het afstemmen van mijn uitgavenpatroon op slechts één inkomen gaat me niet goed af. Ik ben te fanatiek met mijn creditcard. Mijn lijf is in de afgelopen maanden heel wat in omvang afgenomen, en de vereiste representatieve kleding is een grote kostenpost. Volgende maand wat rustiger aan doen. Nog een paar dagen, dan krijg ik mijn salaris gelukkig weer.

Als ik de post weg wil leggen valt mijn oog op een brief met het logo van Bureau Jeugdzorg. Pas als ik de brief opengevouwen heb, beginnen mijn handen te trillen.

Slechts flarden van zinnen haken vast, maar de betekenis dringt traag door. 'Helaas hebben we moeten constateren... Door de tegenwerking die we bij u ondervinden... overleg met de vader... zijn de problemen onhoudbaar geworden... Fleur gedwongen uit huis te plaatsen... er is een ander (tijdelijk) adres... pleeggezin...'

Ik kijk naar de letters die als een stel tolletjes over het witte oppervlak draaien. Dan laat ik mijn arm zakken en staar naar het vlammetje van de kaars tot het voor mijn ogen danst in een waas van tranen.

# 26

Ergens in een vage wereld die de mijne nooit kan zijn, hoor ik ge-huil. Mijn lichaam luistert niet naar mijn poging om te reageren. Mijn hoofd verschuilt zich achter de grote sloperskogel die mijn hersens bewerkt.

Tussen het bonken herleeft de hoge stem die ik eindelijk regi-streer als die van mijn dochter. Terwijl ik vecht tegen duizelingen en slierten slaap, kom ik overeind. Ondanks de kracht die zwaarder dan anders op mijn wenkbrauwen duwt, krijg ik mijn ogen zo ver open dat ik de contouren van mijn woonkamer herken. Waarom lig ik niet in bed?

Ik gun mezelf tijd, maar kan niet goed inschatten of het seconden of minuten duurt voor ik op durf te staan. Ik druk mijn handen te-gen mijn maag om de draaiingen te laten stoppen. Fleur heeft me nodig.

Terwijl ik houvast zoek bij de muur wordt het gejammer harder. De zure lucht van lichaamssappen laat me kokhalzen. Ik vind net op tijd de toiletpot. Mijn maag stuwt alles naar buiten terwijl het koude zweet mijn lichaam laat huiveren. Als ik mijn mond spoel lijkt er zoet water uit de kraan te komen. De verpakking van de paracetamol wil niet open, en pas als het uiteindelijk lukt blijkt zij leeg te zijn.

Als ik bij Fleur binnenkom zie ik haar rossige krullen warrig plui-zen om haar gloeiende gezicht. Koorts? Of ben ik zo steenkoud? Ik kan me er niet toe zetten om haar natte bed af te halen en beperk me tot een kort afdouchen en een schone pyjama.

'Kom, je mag lekker bij mij in bed.' Ze volgt me zwijgzaam. Er komt geen enkel geluid over haar smalle lippen. Vindt zij het wel fijn of doe ik het vooral voor mezelf? Het ellendige gevoel in mijn buik dooft uit als ik me uitstrek onder mijn dekbed en het warme lijfje van Fleur als een kruik tegen me aan voel.

Mijn meisje valt prompt in slaap terwijl ik nog lang wakker lig. De woorden uit de brief passeren als schaapjes, maar ervan in slaap vallen doe ik niet. Ik kan me nauwelijks voorstellen dat dit allemaal echt gebeurt. Ze kunnen Fleur toch niet zomaar bij iemand anders laten wonen? Dat is onacceptabel. Ze is toch het best af bij haar eigen moeder? Ik neem me voor morgen direct met Els te bellen. Er moet een vergissing in het spel zijn. Ik heb helemaal niet tegengewerkt, ik ben toch naar haar kantoor toegegaan? We hebben zelfs overal over gepraat. Ze had alleen niet van die belachelijke eisen moeten stellen. Waarom ziet ze niet dat ik stinkend mijn best doe om goed voor haar te zorgen? Die blauwe plekken waren een ongelukje. Ik kan er toch niets aan doen dat die stomme fiets omviel? Laten ze naar Roderick kijken, die is pas echt gevaarlijk.

Fleur in een pleeggezin… Hoe komen ze erop om dat allemaal achter mijn rug om te regelen? Fleur zal denken dat ik haar in de steek laat. Onmogelijk. Nooit! Ze hoort bij mij.

Even overweeg ik om haar in een deken te rollen en mee te nemen. Maar direct laat ik het idee weer varen. Eerst moet ze slapen. Bovendien voel ik me ook ziek. Zonder auto kom ik niet ver, daar moet ik iets op bedenken. Nadenken, een oplossing vinden. Eén ding weet ik zeker: nooit, nooit zal ik haar af laten pakken. Dat is het laatste dat in mijn chaotische hoofd ronddraait voor ik wegzak in de sluiers van de slaap.


Koortsachtig ben ik bezig om kleren bij elkaar te zoeken. Ik heb haar thuisgehouden van school, mezelf een vrije dag gegeven en daarna besluiteloos een uur verspild voor ik begon met inpakken om mijn vlucht voor te bereiden. We moeten hier weg, er valt geen tijd te verliezen. Stel dat ze echt komen om haar mee te nemen. Nooit! Fleurs tas staat al klaar in de hal, een tas met schoenen van mezelf ernaast. Een tas vol schoenen? Stomme sukkel, ik heb kleren nodig, geen verzameling pumps. Opschieten. Ik ren net terug naar de slaapkamer als ik de bel hoor.

Door het raampje zie ik Els staan. In een opwelling sluit ik het gordijn. Mijn ogen flitsen door mijn woning. Waar kan ik heen? Ik moet me verbergen. Fleur weg zien te krijgen bij deze zogenaamde hulpverleners.

Een klop op de voordeur. 'Mevrouw Bervoets?'

'Zo heet ik niet!' Nooit meer wil ik zo genoemd worden.

'Janna, doe eens open. Ik weet dat je thuis bent. Het is goed om even te praten.'

'Ik wil niet praten,' gil ik terug.

'Mamma, wie is daar?' Vanuit de slaapkamer klinkt Fleurs stem, trillerig van de koorts. Ik heb haar niets verteld over de brief. Waarom zou ik? Ik laat dat niet gebeuren. Ze is mijn kind, dus niemand kan haar weghalen zonder mijn toestemming.

'Een mevrouw,' zeg ik zo achteloos mogelijk.

'Is dat die mevrouw van het bureau? Pappa vertelde me…'

'Wat heeft pappa verteld?' Met een paar passen ben ik bij haar.

Ik schrik van de angstige uitdrukking op haar gezicht. 'Niet bang zijn. Je blijft bij mij. Niemand mag jou meenemen.'

'Doe eens open. Ik zou het vervelend vinden om andere middelen te moeten gebruiken.' Weer die akelige knokkels op mijn voordeur.

Ik kijk om me heen. Dan ren ik naar de badkamer, grijp mijn toilettas en mik er wat spullen in. Door naar mijn slaapkamer. Snel schuif ik wat shirtjes, slipjes en twee lange broeken in een tas. Wat moet nog meer mee? Mijn paspoort. Geld.

'Wat ben je aan het doen?' Els staat in de deuropening. Fleur staat achter haar, terwijl ze me verontrust aankijkt.

Ik laat mijn armen zakken. Ze voelen opeens oneindig zwaar en onhandig aan.

'Heb jij niet een mooi boekje, Fleur? Ik hoorde dat je zo van vogels houdt. Ik kom zo even bij je kijken. Je moeder en ik gaan even in de woonkamer zitten. Oké?' Ik zie de hand van Els op Fleurs hoofd. Het voelt zo verkeerd. Ze moet van mijn kind afblijven. Maar voordat de schreeuw door mijn keel wordt losgelaten, zie ik Fleur al lief knikken en naar haar slaapkamer verdwijnen.

'Ze is ziek,' zeg ik dan. 'Daarom had ze buikpijn. Koorts. Jullie hebben het fout.'

'Ik ben hier om haar te helpen.' Ik voel een hand onder mijn elleboog als Els me naar de woonkamer leidt. Ik kan niet anders dan haar volgen. Fleur mag niet nog een keer getuige zijn van geweld. Het kost me enorm veel zelfbeheersing om de woede te laten krimpen tot een bol die ergens diep in mijn binnenste blijft gloeien.

Het lijkt alsof Els me peilt, een continue controle op me uitoefent, terwijl ze op een irritant rustige manier haar thee drinkt. Ik word er supernerveus van. De thee smaakt naar het sop waar de kopjes net nog in omgespoeld zijn. Zou ze het proeven?

Ik zet mijn kopje weg en wil gaan kijken waar Fleur is. Zit ze nog steeds op haar kamertje te lezen?

'Margit is al onderweg om Fleur op te halen,' zegt Els alsof ze een mededeling doet dat de bus te laat is.

'Fleur gaat nergens heen.' Het is maar dat ze het weet. 'We hebben namelijk afgesproken om allerlei leuke dingen te doen dit weekend. We gaan samen shoppen en de slaapkamer verven.'

Op dat moment gaat de bel. Ik zit op het puntje van de bank, maar mijn benen weigeren dienst. Niemand kan mij dwingen om de deur te openen. Miss Ongenaakbaar al helemaal niet.

'Nee,' roep ik als ik zie dat ze op wil staan. Ik grijp naar haar arm, maar ze schudt me als een lastig kind van zich af.

Ik hoor ze tegen elkaar mompelen in de hal. Mijn ogen flitsen door de kamer. Alles registreer ik, maar ik vind niet wat ik zoek. Ik weet niet eens wat ik zoek, ik wil ze juist kwijt. Alles tegenhouden. De zin in de brief is dominant aanwezig in mijn hoofd en bonkt heen en weer tegen elke andere gedachte die de kop op wil steken.

*De rechter heeft besloten Fleur gedwongen uit huis te plaatsen.* Gedwongen? Waarom?!

'Dit kunnen jullie niet doen.' Ik sta opeens in de hal, waar ik alleen Els zie staan. Ze grijpt me bij de schouder en wil me de woonkamer weer binnenleiden.

'Waar is Fleur?' Ik zie haar niet. Hebben ze haar al meegenomen? 'Waar is Fleur?' vraag ik opnieuw, maar Els blokkeert de weg. Ik grijp Els bij de kraag van haar blouse, zie haar bruine ogen waarin een korte angstflits te zien is. Daarna pakt ze mijn polsen en duwt me van zich af.

'Fleur gaat nu met Margit mee. De familie Kramer wacht op haar.'

'Nee! Nee, ik wil dat Fleur bij mij blijft. Jullie kunnen toch niet…' Ik stok als ik Fleur zie staan, haar handje in die van een vreemde vrouw. 'Schatje, je hoeft niet…' Ik kniel voor haar neer, strijk haar warrige krullen naar achteren, kus haar bleke gezichtje waar de sproeten vaal weggetrokken zijn.

Haar mond beweegt kort, maar ze zegt niets. Haar ogen tasten me af. Ze stellen me al die vragen die ze nooit heeft durven stellen. Ik kan niet langer kijken en trek haar tegen me aan. Dat lieve lijfje dat vannacht zo vol vertrouwen naast me geslapen heeft. Ik kan haar niet missen.

Ik kijk omhoog. Zie de twee vrouwen staan. Ze kijken op me neer zonder enig gevoel. Op dat moment begint de gloeiende bol woede op te laaien, als een kooltje in een kampvuur dat een vleug wind krijgt.

Ik ga staan, met Fleur in mijn armen. 'Zo, ik denk dat jullie nu wel weer kunnen gaan,' zeg ik koel. 'Mijn dochter wil liever hier blijven, dat zien jullie wel.'

Fleur klemt zich nu aan me vast en ik druk haar nog dichter tegen me aan.

'Het is beter om het afscheid zo kort mogelijk te houden.' Els wil Fleur uit mijn armen halen.

'Nee…' Ik zie alles nu in een waas.

Ik wil vechten. Die twee vrouwen uit mijn huis slaan. Ze horen hier niet. Wie geeft hun het recht om zich in mijn leven te boren. Ik heb al bijna niets meer over. Alleen Fleur nog. Niemand mag mijn kind meenemen! Niemand… Niemand, toch?

'Kom, Janna, het is het beste voor Fleur.'

Als Els opnieuw mijn dochter wil pakken, zie ik de blik van Fleur, die twee blauwe ogen vol vragen. Het onbegrip, maar ook de angst die erin weerspiegeld wordt. Dat mag niet, ze mag niet bang zijn. Ik zet haar neer en registreer dat Els haar handje grijpt.

Dan gaat het snel. Fleur wordt meegetrokken door Margit. Ze loopt bijna achterstevoren en haar ogen blijven vragen.

De arm van Els ligt als een klem over mijn schouder, waardoor ik me niet kan bewegen. Geen stap meer in Fleurs richting kan doen.

'Mamma?' Het is slechts gemurmel. Niet eens een echte vraag. Op dat moment begrijp ik dat ik maar één ding kan doen.

'Het is goed, lieverd. Je gaat een paar nachtjes logeren. Ik kom je snel weer halen. Oké?' De tranen lopen over mijn wangen. Ze heeft al zo veel meegemaakt dat ik haar elke onzekerheid in haar leventje wil besparen. Dit is het enige wat ik nog voor haar kan doen.

Fleurs krullen dansen licht als ze knikt.

Dan is ze weg. De echo van de dichtslaande deur dreunt door mijn hart en zet alles in trilling. Ik wil alles en iedereen kapotmaken die hier een rol in speelt, maar op dit moment is er slechts leegte. Een gat in mijn ziel dat langzaam volstroomt met tranen.

# 27

Ik heb verloren. Mijn ogen branden alsof er zout in gestrooid is. De werkelijkheid is dat ik niets heb gedaan om hen tegen te houden. Fleur is gewoon meegenomen. Gedwee als een willoze pop. Een verloren kind. Vol vertrouwen haar handje in die van Margit die naar eigen zeggen Fleur naar haar pleegouders zou brengen. Dit beeld zal nooit meer van mijn netvlies verdwijnen, hoe hard ik ook huil om deze vastgelegde herinnering weg te spoelen.

'Het is goed voor Fleur om even in een rustige omgeving te wonen.'

De stem van Els komt ergens vanuit een ver buitenland.

'Het is hier ook rustig.' Ik kijk haar aan. Voelt deze vrouw zich niet schuldig dat ze mij zoiets aandoet? Ik zie alleen maar de vastberaden blik ontdaan van elke emotie. Trainen ze daarvoor? Hoe kan ze zo rustig zijn? Alleen al die manier waarop ze haar kopje vasthoudt en haar thee slokje voor slokje drinkt. Ik haat haar.

'Het is niet makkelijk om een huishouden te runnen, te werken en daarnaast ook nog een jong kind op te voeden. Je kunt niet alles, dat begrijp ik heel goed.' Els zit op de bank, alsof ze nooit meer weg zal gaan.

'Nou, ik begrijp er helemaal niets van. Als jullie het dan zo goed weten, waarom hebben jullie me dan niet geholpen om een nieuwe balans te vinden? Iedereen heeft me in de steek gelaten.' Ik hang op de roze zitzak en voel me oneindig moe.

'Wij hebben je hulp aangeboden, maar die heb je niet aanvaard. Je bent gewoon niet meer op komen dagen op onze vervolgafspraak. Het is beter dat de familie Kramer nu voor Fleur zorgt. Intussen heb jij je handen vrij om alles te regelen.'

'Ik heb alles geregeld. Ik heb een huis, een baan, opvang voor Fleur. Wat is er nog meer nodig?' Ik begrijp het gewoon niet. Vooral niet dat iemand zomaar in staat is om een kind weg te halen bij een moeder.

'Stabiliteit,' zegt Els zonder aarzelen.

'Wat een onzin! Ik ben stabiel. Op mijn werk hebben ze vertrouwen in me. Ik maak kans op een baan als onderdirecteur.'

'Ook in je werk moet je een nieuwe balans zien te vinden. Normale werktijden. Op de afgesproken tijd je kind ophalen.' Els legt haar benen over elkaar. Mooie benen, nette schoenen. Ze vertoont een akelig gestructureerd gedrag tot in de punten van haar glimmende pumps. Toch is alles zo onecht aan haar. Er duiken woorden in me op. Ik wil haar raken, haar uit haar evenwicht brengen, in haar ogen zien dat zelfs zij uit balans kan raken.

Ze moet hier weg. Ik wil haar niet meer in mijn woonkamer zien. Dit is mijn wereld en daar past ze niet.

'Wanneer zie ik Fleur weer?'

'Over twee weken.'

'Wat?' Ik staar haar verbijsterd aan. 'Waarom dan pas?'

'Fleur moet eerst tijd krijgen daar te wennen. Dat is veel beter voor haar.'

Ik word gek van haar ogen die continu lijken te peilen hoe ik reageer. Die testen of ik kwaad word. Of ik me kan beheersen. Of ik me neerleg bij de situatie. Alles registreert ze.

Ik knijp mijn lippen op elkaar. Mijn mond is droog. Ik wil alleen zijn. Me laten gaan. Een vaas kapot smijten waarbij ik me voorstel dat die het stabiele hoofd van Els is dat hard uit elkaar spat.

'Twee weken,' herhaal ik uiterst beheerst.

Gelukkig is ze dan voor haar verjaardag weer thuis. Ik neem me voor haar kamertje op te knappen, als verrassing.

'Gaat het goed met je?'

Waarom heeft dat mens, als je haar tenminste zo mag noemen, niet in de gaten dat ze nu de allergrootste huichelaar is die je je maar voor kan stellen. Gaat het goed met mij... Natuurlijk niet, wil ik haar toeschreeuwen. Je hebt mijn kind afgepakt.

'Ja hoor, het gaat prima met me,' zeg ik echter op een sonore toon. 'Ik zou nu graag alleen zijn.'

Ik kan haar niet aankijken, bang dat ik die ogen dicht wil meppen. Ik zie dus alleen maar haar benen die nu gaan staan en dan afwachtend op een paar meter afstand blijven staan. 'Ik bel je vanavond nog even.'

'Dat is goed,' zeg ik, maar mijn hoofd denkt aan andere dingen. Ik verbaas me erover dat ik zo gespleten kan zijn. Alles om mezelf staande te houden. Om de vrouw aan wie ik tot in haar nette tenen een bloedhekel heb, toch vriendelijk te bejegenen.

Dan hoor ik de klik van het slot als de voordeur dichtgaat, haar te perfecte lijf achter zich sluitend. De stilte die nu onaangekondigd in de kamer hangt is zowel onwerkelijk als totaal ongepast.

Ik loop naar het raam en staar naar buiten. De zon schijnt op een wanstaltige manier. Waarom is de wereld zo vrolijk? Het verlicht het rommelige parkeerterrein, alsof de armoede versterkt wordt. De rode Peugeot die al weken met een lekke band recht voor de flat staat, wordt onder handen genomen door een paar opgeschoten jongens. Niet om te repareren, dat is duidelijk.

Dan wordt mijn blik naar een helblauwe kleur getrokken, nauwelijks honderd meter verderop. De kleur schittert in het zonlicht en lijkt misplaatst in de verder grijze omgeving. Ik sluit mijn ogen een paar seconden. Dat kan toch niet? Is dat mijn auto? Ik word gek.

De drang om te blijven kijken is groot. Hoeveel blauwe cabrio's zijn er in heel Utrecht?

Els steekt het parkeerterrein over en wijkt uit voor een tweetal Marokkaanse knullen op een gammele fiets. Opeens wijkt ze van de rechte lijn af en loopt op de cabrio af.

Gaat ze…? De vraag wordt beantwoord als ik haar in zie stappen. Dan rijdt de cabrio met grote snelheid weg. Perplex druk ik mijn gezicht tegen het raam en volg de auto, tot die om de hoek verdwijnt.

Op geen enkele manier heb ik nog zeggenschap over mijn handen die nu de theekopjes grijpen waar we zonet nog netjes uit hebben gedronken alsof we de grootste vriendinnen waren. Ze spatten uit elkaar tegen de vale muur. Twee schelle knallen. De resten thee spetteren rond alsof het bloed is dat uit de hoofden van die twee samenzweerders barst. Het is slechts een klein vonkje voldoening in de complete gekte in mijn hoofd.

# 28 Later

Na mijn bezoek aan de vrouwenbijeenkomst neem ik de slaapkamer van Fleur in me op. Het schuldgevoel groeit hoger dan de vier verdiepingen die onder mij liggen. Waarom heb ik haar kamer niet verder opgeknapt? Fleur vroeg nooit wat voor zichzelf, maar ze droomde van een prinsessenkamer. Waarom heb ik die haar nooit gegeven? Het is blijven steken bij een metalen bed, een dekbed waarop twee vage geesten uit Sesamstraat rondzweven, een slecht geverfde roze muur, aan het plafond spinnenwebben die in de afgelopen maanden samengeklit zijn tot stofnesten waar geen enkel insect meer in zal vliegen, en een koekoeksklok, die ik ooit in een wanhopige bui een tik verkocht heb, sindsdien scheef hangt en die daarna geen kik meer heeft gegeven.

Ik strijk met mijn vinger over het tafeltje waar haar laatste plakwerkjes van school achtergebleven zijn. Er blijft een donkere streep achter in de dikke stoflaag. Op de hoek ligt het kleine plastic doosje waar ze haar melktanden in bewaarde. Als ik de vier tandjes zie liggen, grijpt het gemis om mijn meisje mijn maag beet. Hoeveel tanden heeft ze in die tussentijd gewisseld? Door ons weinige contact heb ik geen idee meer wat haar bezighoudt. Hoe ziet haar dagelijkse leven eruit? Heeft ze misschien nieuwe vriendinnetjes? Ik wil het allemaal weten, maar zal moeten wachten tot de volgende afspraak.

Jeugdzorg heeft gelijk gehad. Ik ben geen goede moeder voor haar geweest. Een kind heeft veiligheid, een schone en liefdevolle omgeving nodig. Mijn aandacht ging vooral uit naar de verdrinkingsdood van mijn eigen pijn, in plaats van het welzijn van mijn dochter.

'Het spijt me,' piept mijn stem tussen de opgezette klieren van mijn keel door.

Als eerste haal ik haar bed af. Als ik wil dat Fleur ooit weer thuis komt wonen, dan moet ik zorgen dat ze het beter krijgt dan in het pleeggezin waar ze nu al negen maanden zit. Een schok gaat door me heen. Wat zei Fenna ook weer? Een verkapte adoptiemarkt. Mijn kind kwijt na een jaar? Dat mag niet gebeuren. Vechten zal ik. Tot mijn laatste adem.

Als de wasmachine draait en de stofzuigerzak vol zit, zet ik het raam open. De lucht uit de stofzuiger is mogelijk nog erger dan de adem van de kotsende terriër die ik elke avond in de lift tegenkom. Het open raam laat de frisse lucht binnen. De kou bijt zich vast in mijn wangen. Mijn voornemen om van deze kamer de meest sprookjesachtige prinsessenkamer van het heelal te maken, zet zich vast in mijn hoofd.

Als ik uit het raam leun om de kussentjes uit te kloppen, zie ik beneden een vrouw lopen. Het hogehakkenloopje is duidelijk herkenbaar. Het lichtblonde korte haar steekt als een lampion boven de witwollen kraag uit. Is het Ilse?

Ik roep haar naam. Eerst zacht, maar daarna gil ik als een markt-koopvrouw haar naam door de straat. Eindelijk draait het gezicht omhoog, maar net zo snel kijkt de vrouw weer voor zich. Was het Ilse wel?

Het gemis is er opeens, alsof het al die tijd op de loer heeft gelegen tot er een kleine opening was waardoor het naar binnen kon glippen. Misschien wordt het tijd dat ik mijn stijfkoppigheid eens laat varen en weer contact met haar opneem. Ben ik haar geen excuses schuldig? Ik begin me steeds meer te realiseren dat vriendschap van twee kanten moet komen. Geven en nemen. Dat laatste is me in het afgelopen jaar goed afgegaan, het andere heb ik verwaarloosd.

Ik snuit mijn neus. Accepteer de misselijkheid die de hele dag mijn maag blijft teisteren sinds ik geen drank meer nuttig en zet mezelf aan tot actie. Bezig blijven. Afleiding zoeken. Niet terugvallen. Denk aan Fleur!

Als ik zie dat het begint te regenen zet ik het raam op een kiertje. Met mijn armen vol vuilnis laat ik me met de lift naar de begane grond zakken.

'Goedemorgen schone Janna.' Horace' normale begroeting.

'Dag portier.' Ik ontwijk de stuiterbal die hij in een marsritme tegen de muur laat stuiten.

'Tijd voor een praatje?' De hoopvolle klank is aandoenlijk.

'Komt het uit?' Ik moet lachen als ik zie dat hij blij knikt. De laatste tijd groeten we elkaar altijd, ik betrap mezelf erop dat ik hem zelfs mis als hij er niet is. Toch is het nog nooit tot een gezellig kletspraatje gekomen.

'Kom binnen.' Met een weids gebaar nodigt hij me uit onder het schuine dak van de trap.

Ik aarzel. Waar moet ik zitten?

'Ik kan je geen luxe fauteuil bieden, maar er zit geen ongedierte.'

Ik buig beschaamd mijn hoofd. Mijn eigen appartement was er een paar weken geleden niet veel beter aan toe, en daar heb ik maandenlang gewoon in geleefd zonder me zorgen te maken over levend vuil.

'Je ziet er goed uit,' zegt hij als we tegenover elkaar op een dik kleed zitten, alsof we aan het picknicken zijn. 'Veel beter dan een tijdje geleden.'

'Dankjewel.' Ik voel me opgelaten. Waarom ben ik op zijn uitnodiging ingegaan?

'Wil je thee?'

Hij moet lachen als hij mijn verbaasde gezicht ziet. 'Ana Rodriguez van tweehoog brengt me elke morgen een thermosfles met gekookt water. In Brazilië zijn ze gewend om voor hun daklozen te zorgen.

'Waarom…? Hoe ben je dakloos geworden?' Ik neem me voor ook af en toe iets voor hem mee te nemen.

'Een lang verhaal dat ik nog weleens zal vertellen. Laten we het erop houden dat het over de liefde gaat.'

De handen waarmee hij het hete water inschenkt zijn opvallend schoon, er zitten alleen wat rouwranden rond zijn nagels. Rouw is opeens begrijpelijk.

'Hoe heet ze?'

Horace tilt een doek op en haalt een canvas tasje tevoorschijn. 'Dit is Deborah.' Op de beschadigde foto is een vrouw met een witte zomerjurk te zien. Ze heeft een tandpastareclamelach. Haar lange donkere haar waait op in de wind. Zonlicht overheerst, maar op de achtergrond zijn dreigende onweerswolken zichtbaar. 'Onze eerste vakantie samen op Schiermonnikoog.'

Mijn adem zet zich vast. Dat is het Waddeneiland waar ik de laatste vakantie samen met mijn ouders was. Net voor het ongeluk. De gelukkige tijd die zo gewoon voelde. Je weet pas wat geluk is als je het kwijt bent. Het beeld van Fleurs vrolijke gezichtje zet zich vast in mijn hoofd.

'Waar is Deborah nu?'

Zijn blik verschuift naar het raam waar druppels langzaam naar beneden rollen. 'Ik ben haar kwijt. Ik ben alles kwijt.'

In een reflex leg ik mijn hand op zijn arm. Hij lijkt het niet te merken, hij is even in zijn vorige wereld.

'Ik had eerder moeten ingrijpen,' zegt hij dan.

'Had dat uitgemaakt?'

'Nee, bij jou bedoel ik. Ik herken zo veel.'

'Bij mij?'

Hij dompelt een theezakje beurtelings in beide koppen. 'Weet je, als je op straat leeft zie je veel en hoor je veel. Ik heb gezien hoe je geworsteld hebt. Hoe die patjakker jou even de angst in je lijf wilde slaan. Mijn kleine vriendinnetje die opeens niet meer hier woont. En die agenten die jou kwamen ophalen nadat je onder het bloed thuisgekomen was. Alles komt hier langs.'

Ik pak zwijgend de kop thee aan.

'Ik wil je helpen.'

'Je kunt niet veel doen.'

'Ik zag je lopen met al die lege flessen.'

'O, dat...' Voorzichtig slurp ik wat thee naar binnen. Aan de zijkant van de trap staat een kartonnen doos waar flessenhalzen uitsteken. Herkenbaar, hij heeft gelijk.

'Hoe lang al?'

Ik weet precies wat hij bedoelt. Er gaat geen uur voorbij dat ik niet optel bij het aantal dat ik al droogsta. Een houvast om vol te houden. 'Zes weken, vijf dagen en zeven uur.'

'Het gaat je lukken. Het moet je lukken.'

'Het verlangen is zo allesoverheersend. Als ik bezig blijf dan gaat het wel, maar als ik 's nachts in bed lig en wakker als een cafeïne-verslaafde naar het plafond lig te staren, dan heb ik de neiging om mezelf aan het matras vast te binden. Het is zo makkelijk om aan drank te komen.'

'Des te moeilijker is het om er af te blijven. Soms helpt het om te beseffen hoe je zult eindigen als je niet sterk blijft. Denk op die momenten maar aan mij, de sneue alcoholist Horace onder de trap. Dan weet je weer waar je het voor doet. Zo wil je toch niet eindigen?'

We zwijgen minutenlang. 'Vind je mij een moedige moeder?' vraag ik dan.

De lach komt onverwachts en galmt door de hal, terwijl hij zijn vervilte haren naar achteren gooit. 'Hoe kom je daarbij?'

Ik vertel over de bijeenkomst. Over de journaliste met haar ideële opvattingen voor een artikel. Over Loes en Gabrielle, die ik in mijn hoofd heb bestempeld als moedige moeders.

'Ik vind jou een supermoeder. Maak gebruik van dat netwerk, die steun zul je hard nodig hebben. Mobiliseer alle hulp die je gebruiken kan om je doel te bereiken. En houd alleen dat doel voor ogen.'

'Fleur,' mompel ik.

'Schrijf op wat je nodig hebt om dat doel te bereiken. En ga aan de slag.'

Ik knik en drink de laatste slokken. 'Ik zal je straks wat nieuw heet water brengen.'

'Doe geen moeite. Zoveel thee drink ik niet.'

Het dringt pas na een paar tellen door wat hij ermee bedoelt. Ik zie hem een heimelijke blik op de kartonnen doos werpen.

'Dankjewel voor je gastvrijheid.' Ik krabbel overeind, stoot mijn hoofd tegen de onderkant van de trap en loop naar de vuilniszak die ik in de hal heb neergezet.

'Laat maar, die gooi ik zo wel voor je weg.' Hij klinkt gehaast. Ik begrijp dat hij me uit de buurt wil hebben voordat hij zijn eerste slok neemt. Het verlangen om met hem mee te doen is bijna niet te onderdrukken, toch roep ik de lift op en ben teleurgesteld als de deur direct openschuift. Geen uitstel. Ik moet naar boven.

# 29

Als een wild dier loop ik door mijn woonkamer. Vijf stappen naar het raam, een blik op straat, vijf passen terug naar de bank. Ik moet volhouden, ook al voel ik de keuken als een magneet aan me trekken. Dat daar alleen lege flessen te vinden zijn schijnt mijn hoofd compleet naast zich neer te leggen. Vijf passen – een blik – vijf passen. Ik moet me ontspannen, houd ik mezelf voor. Ik probeer mijn ademhaling op mijn loopje af te stellen. Adem in – vijf passen – adem uit. Bij het raam blijf ik even staan.

'Concentreer je op andere zaken,' spreek ik mezelf toe. Kijk naar die vrouw die met haar kind wandelt. Zie de capuchon, probeer zelfs het haarnetje van druppels in de haren van de vrouw te onderscheiden. Kijk en concentreer. Het jongetje stopt en bukt zich. Probeert te zien wat er onder zijn schoentje zit. De vrouw trekt hem ruw tot de orde, geeft hem een tik. Ik zie haar mond woorden vormen die op zijn onthutste gezicht stoten. Zijn lijfje verandert. Wordt stil.

Weg bij het raam. Ik wil niet zien wat er dagelijks gebeurt met kinderen, terwijl die ouders niet tegen worden gehouden. Ik heb je toch nooit geslagen, Fleur? Onrechtvaardigheid is het zwaarst te dragen.

Adem in – vijf passen – adem uit. Het lukt me niet. Ik móet wat hebben. De onrust in mijn lijf moet gestild worden, en ik weet geen alternatief. Ik voel een stekende kou in mijn binnenste. Wegspoelen. Het is een ondragelijk verlangen dat alleen maar groter wordt nu ik het probeer te negeren.

Ik verstijf. Snel loop ik naar het toilet. Een golf van warmte slaat door me heen als ik de spoelbak loswrik. Een vergeten fles.

Dan heb ik de druipende fles in mijn handen. Ik strek mijn armen om mijn trotse buit te bekijken.

*Denk aan mij, de sneue alcoholist Horace onder de trap.* De stem van Horace lijkt vanuit de fles te komen, zo dichtbij klinkt het.

Ik knijp mijn lippen op elkaar. De verlossing is nabij. Ik mag niet. Houd vol. Nu niet weer beginnen.

Met de fles in mijn gestrekte armen storm ik mijn woning uit. Bij de lift stop ik. Ik zie mijn knokkels wit worden. Als ik niet oppas knijp ik de fles in puin. Dan is het ook opgelost.

Stomme lift! Het wachten duurt te lang. Ik sjees de trap af, de fles nog steeds als een trofee voor me uit houdend. Als Horace nu maar thuis is. Hij moet er zijn. Als hij er niet is dan…

'Janna? Wat is…?'

Hij is er. Gelukkig. Ik stamel wat stomme woorden en duw de fles in zijn handen. Als een handgranaat die elk moment kan afgaan.

Horace zegt niets. Hij zet de fles in de kartonnen doos en vouwt de flappen eroverheen. Weg. Mijn ogen blijven echter gefixeerd.

'Kom even zitten.' Horace klopt naast zich op de drie lagen dekens die de kou van het beton tegen moeten houden.

Mijn handen blijven trillen en ik knijp steeds harder in mijn eigen vingers om ze stil te kunnen houden. Dan grijpen ze mijn knieën die als twee huiverende staken voor mijn buik staan. Ik voel een arm om mijn schouders en kijk schichtig omhoog.

Horace glimlacht naar me. Een begripvolle lach, zonder oordeel. 'De toiletbak?'

Ik knik en een zenuwachtig lachje glipt naar buiten.

'Ik had het moeten zeggen. Vaak wordt die vergeten.'

'Ik heb zo geprobeerd om…'

'Je hoeft me niets uit te leggen. Ik ken het. De drang naar vergetelheid is zo groot. Alles doet zeer en je denkt dat alleen drank de pijn kan stillen.'

'Ik heb aan jou gedacht. Zoals je zei.'

'Ik ben supertrots op je.'

Het klinkt zo gemeend dat ik tranen in mijn ogen krijg. Hoe lang is het geleden dat iemand dat tegen me heeft gezegd?

'Als je hoofdpijn hebt neem je een paracetamol. Daar doet niemand moeilijk over. Waarom is er geen medicijn voor deze brandende pijn in mijn hart?'

'Er is wel een medicijn, maar dat kun je niet kopen.'

Als ik hem wil vragen wat hij bedoelt, zie ik hem in de verte staren. Verdwenen in een wereld die alleen voor hem zichtbaar is. Ik word me bewust van de arm die nog steeds als een warme sjaal over mijn schouders gedrapeerd ligt. Verbaasd realiseer ik me dat het heel vertrouwd voelt. Goed en vooral heel veilig. Een beschermer tegen de buitenwereld die me al zo'n tijd aan alle kanten heeft teleurgesteld en me heeft afgestoten alsof ik een smerige parasiet ben. Op dit plekje onder de trap in de hal van een flat merk ik dat de rust langzaam terugkeert in mijn lichaam. Het maakt me warm vanbinnen.

'Ik moest altijd maar afwachten hoe ze eraan toe was als ik thuiskwam.' Horace' stem zweeft op een vlakke toon door de hal. 'Soms leek ze geen ruimte te hebben voor alle energie die ze in haar lijf voelde, dan was ze niet te stuiten en maakte plannen die zowel onuitvoerbaar als waanzinnig waren. Maar net zo goed kon ik een weggedoken schim vinden die niets wilde eten, en zich alleen maar afvroeg waarom ze nog niet dood was.'

'Deborah.' Ik herinner me niet alleen haar naam, maar vooral de manier waarop hij die uitsprak. De oh- en ah-klank waren duidelijk vol liefde, nu begrijp ik de klank van de eerste lettergreep ook. Depressies grijpen diep in.

'Haar manisch-depressieve houding was aanleiding om hulp te zoeken. Zeker toen ik merkte dat ze de kinderen meetrok in haar buien.'

Door de ruk waarmee ik opkijk valt zijn arm naar beneden.

Zijn glimlach is bijna verontschuldigend. 'Ja, ik had twee kinderen.'

De verleden tijd raakt me hard. De pijn over Fleur schiet als een dartpijl terug in mijn hart. De verwarring geeft me geen woorden die passend genoeg zijn. Het kwijtraken van je kinderen kun je onmogelijk bagatelliseren. Ik durf zelfs niet te vragen hoe kwijt hij ze is.

'Ik was muzikant, maar Deborah werd gek van muziek. Thuis repeteren werd onmogelijk, dus huurde ik een kamer in de muziekschool, waar ik dagelijks mijn stukken speelde. Als ik thuiskwam lag het huishouden op me te wachten. Jeugdzorg werd ingeschakeld. Deborah kreeg medicatie die de emotionele toppen en dalen afvlakte. Het leek beter te gaan. Ik was Jeugdzorg zo dankbaar voor hun steun. Ze deden fantastisch werk.' Hij slikt hoorbaar voor hij verdergaat. 'Het gaf me rust. Zeker toen ik naar Italië moest voor een serie concerten. Omdat ik een aantal dagen weg zou zijn, zou de hulpverlening geïntensiveerd worden. Er kwam professionele begeleiding, zodat eventuele problemen in de kiem gesmoord konden worden.'

Mijn hart bonkt als een razende alsof hij onder mijn ribben probeert uit te komen. Woorden die aangeven wat er staat te gebeuren. Ik wil zijn mond snoeren. Niet weten dat er iets dramatisch is gebeurd. Mijn hand strekt zich naar zijn gezicht, maar hij grijpt hem en begeleidt hem zelf naar zijn mond. In plaats van zijn woorden tegen te houden, drukt hij met zijn lippen een zachte kus op mijn vingers.

'Vlak voor ik naar het concertgebouw ging kreeg ik een telefoontje, dat ik naar huis moest komen. Ze hadden een briefje gevonden: ik heb de kinderen meegenomen. Verder niets. Geen plaats. Geen beweegreden. Deborah was weg.'

Ik kreun. Mijn gevoel gaat uit naar deze man. Een zwerver. Een verschoppeling van de maatschappij. 'Je hoeft het niet te vertellen,' fluister ik.

Voor het eerst sinds hij begonnen is met zijn verhaal kijkt hij me aan. Zijn droeve ogen nemen mijn gezicht op. Pas als hij met zijn vinger over mijn wang strijkt, merk ik dat er een vochtige streep achterblijft.

'Het maakt niet meer uit, Janna. Ik ben letterlijk in de goot te-rechtgekomen. Het is goed om je dit te vertellen. Voor jou is het nog niet te laat.'

Ik wil hem tegenspreken. Kan hij niet meer vechten? Wanneer is het te laat?

'De zoektocht heeft twee dagen geduurd. Ze zijn gevonden door een voorbijganger op het graf van haar oma. Het lag wat afgelegen, tussen twee bosjes. Ik ben me altijd blijven afvragen waarom ik er niet eerder aan gedacht heb dat dat de enige plek was waar ze zich veilig voelde. Ze had het vaker tegen me gezegd: "Ik ga naar mijn oma. Zij is de enige die me rust kan geven".'

Ik sluit mijn ogen. Hij is zijn kinderen definitief kwijt, wat zeur ik over mijn probleem.

'Je moet het jezelf niet kwalijk nemen.'

'Mijn ervaringen kunnen je misschien helpen om uit die ver-sluierde wereld op straat te blijven. Dat lukt alleen als je zélf die eerste stap hebt gezet.' Zijn blik laat de mijne niet los. Het is of er geen zwerversnest bestaat onder een trap. Geen kartonnen doos met vergetelheid. Ik zie mezelf in zijn ogen. 'Laat het niet zover komen, Janna. Zorg voor mensen om je heen die je tegenhouden als je dreigt af te zakken. Mobiliseer alle hulp die je kunt krijgen. Zoek een baan. Omschrijf je doel en hang die overal op in je wo-ning.'

Ik knik, maar vraag me af of mijn hoofd wel beweegt, zo verstild is de wereld buiten onze ogen.

'Hier, neem deze stuiterbal. Zorg voor ritme in je leven. Elke keer als je hem weggooit komt hij terug met de energie die jij erin gestopt hebt. Realiseer je dat dit voor alles in het leven geldt, dus houd die energie vast.'

Horace gaat staan en trekt me overeind. Als we tegenover elkaar staan drukt hij een rood met gele bal in mijn handen. Hij is nog warm.

Pas als ik in de lift sta besef ik dat ik de lichaamswarmte van Ho-race bij me heb. Op de galerij kijk ik naar de lucht. Het is droog geworden. De zon probeert een doorgang tussen de grijze wolken te vinden. Net als ik.

Dan zie ik hem lopen, zijn hoofd opgeheven, de handen in de zakken van zijn winterjas. Ik weet wat hij gaat doen, in de anonimiteit van een portiek, winkelgalerij of tunnel. De stuiterbal ligt warm besloten in mijn hand.

Binnen ga ik direct op zoek naar papier en een dikke viltstift. Nog geen kwartier later hangen overal grote vellen met knalrode letters: NOG NIET TE LAAT. DENK AAN FLEUR. VRAAG OM HULP. GA WERKEN. DENK AAN HORACE.

Ik ga in kleermakerszit midden in de kamer zitten en staar naar de opdrachten. Waar moet ik beginnen? Hulp vragen?

Ik zal eerst zelf alles goed op een rijtje moeten hebben. Alles draait om mijn geheugen. Herinneringen aan die fatale nacht. Wat is er gebeurd? Ik pak mijn stift en schrijf een laatste opdracht op: WIE IS DE DADER?.

# 30

De melancholische tonen van de fluit dringen door het zware beton. Het lijkt erop dat Horace met zijn muziek zijn verhaal opnieuw vertelt. Zijn pijn, zijn verdriet en vooral het gemis dat elke dag aanwezig is. Zijn kinderen zijn verdwenen. Definitief. Ik kan me voorstellen dat het moeilijk is om te blijven vechten. Hij heeft niemand meer voor wie hij het hoeft te doen. Hij is echt alleen. Hij heeft alleen zijn muziek nog, het is zijn manier om te praten en zijn gevoelens te tonen. Ik voel me steeds meer verbonden met hem.

Terwijl de tonen doorhuilen pak ik de stuiterbal en werp hem in een strak ritme op de grond. Steeds weer komt hij snel terug in mijn hand. Terug in mijn hand. Terug bij mij. De woorden klinken staccato in mijn hoofd. Horace heeft gelijk. Het is nog niet te laat. Ik moet vechten nu het nog kan.

Ik kijk naar de vellen papier die me van alle kanten toeroepen. Ik kan me er echter niet toe zetten om echt in actie te komen. Ik draai rond in de kamer en vraag me af waar ik in vredesnaam moet beginnen.

De ringtone van mijn mobiel klinkt vreemd in mijn oren. Er is bijna niemand meer die me belt. De display laat een onbekend nummer zien.

'Bel ik gelegen?' De stem van Loes zingt me tegemoet. Haar gezicht staat me helder voor de geest.

'Ja, heel erg,' stoot ik naar buiten.

'Dat dacht ik al.' Een heldere lach. 'De drank, hè?'

Er schiet een knoop in mijn maag.

'Sla dit telefoonnummer op. Bel me op elk moment van de dag dat je die behoefte voelt.'

Ik zeg haar dat ik het zal doen, maar weet dat het gelogen is. Drank is zo ingeweven in mijn hele leven dat het een bijna continu gevecht is.

'Kom op, Janna, je klinkt niet erg overtuigend. Ik verwacht de eerste weken een overvloed aan telefoontjes. Als ik een uur niets van je hoor ga ik me zorgen maken.'

Ik schiet in de lach en beloof het haar opnieuw, en doe die belofte dan ook aan mezelf.

'Goed, dat is afgesproken. Besef dat je niet meer alleen staat. Wij doen geen valse beloftes, die hebben we genoeg gehad. Wij zijn er voor jou en we hopen dat anderen ook op jou kunnen rekenen als dat nodig is.'

Dat laatste doet het 'm. 'Je kunt op me rekenen.' Het is of ik centimeters groei, de ruimte die daardoor ontstaat stroomt vol met nieuw zelfvertrouwen.

'Mooi. Dan het volgende punt: werk. Ik heb met Gabrielle gepraat over werk. Is het goed als ze vanmiddag even bij je langskomt?'

'Heeft ze nu al werk voor me?' Verbazing, warmte, trots, energie. Het komt in enkele seconden allemaal voorbij.

Loes' lach klinkt vrolijk. 'Ze zal er over een uurtje wel zijn. Misschien dat Fenna meekomt. Vraag me niet waarom, maar die dame zou weleens het verschil kunnen maken. Media-aandacht is belangrijk. De buitenwereld slaapt. Het wordt tijd dat mensen wakker geschud worden en daar heb je contacten voor nodig. Ik heb zelf ook wat interessante afspraken staan.'

De glimlach hangt nog om mijn lippen als het contact allang verbroken is. Er lijken opeens lichtpuntjes in mijn leven te ontstaan. Er zijn mensen die zich mijn lot aantrekken. Horace, Loes, Gabrielle en Fenna. Ik ben niet meer alleen.

Het dunne lijntje onder mijn ogen is een begin. De rode lippenstift is bijna te overdadig, toch voelt het alsof ik herboren ben. Mijn haren hebben weer hun oude glans waarop ik altijd zo trots ben geweest.

Als ik voor de derde keer mezelf in de spiegel heb bekeken, voel ik de behoefte om bij Horace langs te gaan. Ik wil hem laten zien dat het goed met me gaat. Elke dag zelfs beter. Misschien dat ik hem kan meetrekken op deze stijgende weg. Ook hij moet het gevoel krijgen dat er mensen zijn die om hem geven. Kan ik niet zijn eerste vriendin zijn?

'Horace, kijk, ik heb…' Mijn stem stokt als ik zijn wazige blik zie.

'Schone Janna, wat zie je er prachtig uit.' Zijn mond heeft moeite de woorden te vormen.

Ik zou terug willen kruipen naar mijn appartement. De tijd willen terugzetten. Zo wil ik hem niet zien. De Horace die me de warmte bood die ik al zo lang gemist heb, is verdwenen in zijn mistige wereld.

'Het is nog zo vroeg,' stamel ik terwijl ik toekijk hoe hij probeert overeind te komen.

'Zo vroeg?'

Ik sluit mijn ogen en vraag me af wat ik nu moet doen. Sta ik nu al een paar treden hoger dan hij op de leefladder? Moet ik hem nu een helpende hand bieden? Of bestaat dan het risico dat hij me naar beneden trekt?

'Je hebt gedronken,' constateer ik hard.

'Niet veel, hoor.' Horace staat nu tegenover me, met één hand houdt hij zich vast aan de trap, de andere is nodig om zijn te wijde spijkerbroek omhoog te houden.

'Waarom…?' Ik kan mijn vraag niet afmaken. Ik weet het antwoord toch? 'Je moet stoppen. Als ik het kan, moet het jou toch ook kunnen lukken?'

'Te laat. De goot is mijn wereld. Laat me maar. Red jezelf. Je doet het goed.'

Hij draait zich van me af en doet een paar wankele passen in de richting van de voordeur. Even lijkt het alsof hij zijn evenwicht verliest. Ik schiet naar voren en grijp zijn arm. De kracht waarmee hij zich losrukt verbaast me.

'Je moet me nu loslaten. Ik ben het niet waard. Jij kunt opnieuw beginnen. Zorg dat je mijn kleine vriendinnetje terugkrijgt. Jouw kans is nu gekomen. Roderick is dood. Het is zijn verdiende loon. Had hij maar niet… Niemand is onschuldig…' Dan klapt de voordeur achter hem dicht.

Daar sta ik dan, alsof ik vastgespijkerd zit in de koude betonnen vloer.

Mijn leven zit in een achtbaan. Het ene moment denk ik de hele wereld aan te kunnen, maar nu weet ik dat de put waarin ik zit dieper is dan ik had gedacht. De confrontatie met Horace is hard aangekomen. De onderlinge verbondenheid die ik steeds meer ben gaan voelen, heb ik beschouwd als een toevallige bijkomstigheid, maar nu besef ik dat het meer is. Er is een lijntje tussen ons gegroeid. Ik loop niet meer alleen.

De pijn die ik nu voel is geen eigen kwetsbaarheid maar iets wat voortkomt uit die heel speciale band. Zijn kus op mijn vingers. Zijn ogen die verder naar binnen keken dan ooit iemand heeft gedaan. Het verdriet dat ik voelde toen hij zijn levensverhaal met me deelde. Is er meer dan een vriendschapsband?

Het woord dat binnenkomt verwerp ik direct. Onmogelijk. Horace is een man van de straat. Of is liefde in staat om dat te overbruggen?

Het gesprek met Gabrielle gaat slechts kort over werk. Schoonmaakwerk, elke avond, onhandige tijden. Ik heb al ja gezegd voordat tot me doordringt wat het betekent. Afgezakt naar de onderste trede van mijn eerdere carrière.

Gabrielle ziet er tiptop uit; goed verzorgd en jaloersmakend succesvol. Als ik niet had geweten welk leed haar was overkomen, had ik kunnen denken dat ze alles goed voor elkaar heeft.

'Het blijft een staaltje acteertalent dat je nodig hebt in deze harde wereld,' geeft ze aan als ik er een opmerking over maak. 'Toon alleen je sterke kant, zodat je niet op je zwakheden gepakt kan worden.'

'Toneelspelen. Ik heb nooit gedacht dat ik dat nog eens zou doen.'
Ik mompel het voor me uit.

'Mijn moeder heeft het haar hele leven gedaan, alleen ik heb dat nooit doorgehad.' Gabrielle blijft roeren in haar kopje thee, en staart in het vocht alsof ze opgeslurpt wordt door de draaikolk die ze zelf veroorzaakt.

Weer denk ik terug aan het verhaal dat Fenna me vertelde. Hoe kunnen de ouders van Gabrielle er in vredesnaam voor gezorgd hebben dat haar kind bij haar weggehaald is, alleen maar omdat ze niet meer getrouwd was?

'Zie je je ouders nog weleens?'

'Ik moet wel, anders zou ik mijn zoon nooit meer zien. Acteren houdt in dat je alles in dienst stelt van het geluk van je kinderen. Al het andere is niet belangrijk. Ik heb mijn verdriet en vooral mijn woede begraven.'

Het is opmerkelijk hoe rustig ze dit zit te vertellen. 'Hoe doe je dat?'

Slechts een korte spiertrekking geeft aan dat de rust een masker is. 'Ik heb een symbolische begrafenis gehouden op een plek met warme herinneringen. Samen met Loes. Dat helpt.'

'Heb je nooit…?'

'Natuurlijk heb ik daaraan gedacht.' Ik ben niet eens verbaasd dat ze precies begrijpt wat ik bedoel. 'Ik maak plannen, droom erover, zo levensecht dat ik wakker word met een jubelend gevoel. Ooit…' Ze maakt haar zin niet af en staart naar de woorden op de muur naast haar. WIE IS DE DADER?

Ik denk aan Loes en de vrouwengroep die ze coördineert. Het besef dringt door dat ik er misschien wel meer thuishoor dan ik eerder dacht.

'Wraak…' Slechts een fluistering die me terugbrengt bij mezelf.

Het woord lijkt nog in mijn kamer te hangen als Gabrielle allang weg is. Achteraf kan ik me niet meer herinneren of ik haar heb zien knikken of dat dit alleen maar mijn eigen invulling is geweest van het verdriet dat mijn binnenste aanvreet. Wraak is iets wat obsessief aanwezig blijft totdat het gestild wordt. Volgens mij is er maar één manier om ervan af te komen. Die gedachte is eng en troostend tegelijk. Er is al wraak genomen op Roderick. Maar was dat een bewuste moord of gewoon een noodlottig ongeval?

De duisternis settelt zich in mijn kamer, waar de stilte al te lang haar zware stempel drukt. Samen beheersen ze mijn leven, maar voor het eerst in maanden vind ik het geen probleem om in hun gezelschap te verkeren. Al te lang probeer ik met verdoving of juist schrille muziek de rust terug te vinden die eigenlijk overal al aanwezig is. Het is een kwestie van zien. Van voelen. Van terugvinden.

Het lijkt lang geleden dat ik een bepaalde vorm van tevredenheid voelde. Ik kijk rond in mijn woonkamer en zie de roze zitzak, die eruitziet alsof er iemand in heeft plaatsgenomen. Het kleed met de grote gekleurde vlakken die na een schoonmaakbeurt weer fris oogt. Zelfs de vreemdsoortige wandbekleding in de vorm van vellen vol kreten voor mezelf geven een hoopvolle sfeer. De troosteloosheid die ik er tot nu toe in zag zat eerder in mijzelf.

Het is fijn om me weer verbonden te voelen met andere vrouwen, ook al heb ik ze pas net leren kennen. De zachtheid van de kwetsbare vrouw gecombineerd met een oerkracht die niet te bedwingen is. Wat Jeugdzorg deze vrouwen ook aandoet met hun vreemde regels, het ontbreken van waarheidsvinding, de knijpende oneerlijkheid die je machteloos moet ondergaan, ergens diep in dat moederwezen zit een kracht die niemand ze af zal kunnen pakken. Iets onbedwingbaar sterks: ze vechten voor hun kind.

De stoel geeft mijn lichaam steun terwijl ik mijn hoofd achterover laat vallen en mijn ogen sluit. Ergens in mij moet meer informatie te vinden zijn over de bewuste avond waarop Roderick is vermoord.

De geur van donker water is opeens zo sterk dat ik de neiging heb mijn ogen te openen. Vochtige bladeren uit een herfstbos die ik als kind omhoog gooide, niet gevoelig voor de schimmelige grond die meekwam.

'Kijk mamma, het is herfst,' gil ik terwijl ik me luid schaterend in een hoop bladeren laat vallen. De glimlach op mijn moeders gezicht is zo vol liefde dat ik in een impuls mijn beide handen op mijn borst leg om mijn ontsnappende hart tegen te houden. De haren, die als een kroon om haar hoofd golven, veranderen in een omlijsting van bemoste stenen, waar een smal bruggetje de enige vluchtweg lijkt te zijn.

Heel even duikt er een verbazing op over de vervlechting van de tijd die opeens geen volgorde van seconden en uren blijkt te zijn, maar een eigen leven leidt van herinneringen en associaties. Daarna glijd ik weer verder.

Er beweegt iets onder de brug. Rodericks te nette krullen veranderen in vervilte klitten en weer terug. Hij lacht naar me zoals hij dat vroeger deed. De vlinders dansen in mijn maag als hij me het gevoel geeft dat ik er mag zijn. Hij vindt me mooi. De woest aantrekkelijke Roderick Bervoets is in míj geïnteresseerd. Hij is charmant, fluistert lieve woordjes en lacht naar me zoals alleen mijn ouders konden lachen. Al die jaren bij mijn oom en tante had ik maar één wens: ik had zo graag in die auto willen zitten, de aanstormende vrachtwagen willen zien, gezamenlijk met mijn beide ouders op reis gaan naar een bestemming die voor mij het paradijs is. Waarom hebben ze mij niet meegenomen? Een kind zonder ouders, dat klopt niet.

De woede is er zomaar. Het duwt de vlinders in het water dat onder de brug kolkt. Ik steek met iets scherps. Een lachende mond met een volmaakt gebit. Van wie? De zachte ogen van Horace, die me wil waarschuwen. Ik wil hem niet zien. Het kan toch niet zijn dat hij ermee te maken heeft? 'Roderick is dood. Het is zijn verdiende loon…' De woorden uitgesproken door een andere identiteit, die de mijne had kunnen zijn. Een fluistering die steeds luider wordt. 'Ga weg. Ga weg. Ga weg!'

Speelt mijn gevoel een spel in mijn hersenen?

# 31 Eerder

Mijn hakken klikken luid op de straatstenen, een galmend geluid tegen de hoge grachtenpanden. Het centrum van Utrecht wordt overspoeld door mensen die samenzweren om de eenzaamheid thuis te lijf te gaan. En ik ben daar slechts eentje van. Het wordt tijd dat Ilse en ik elkaar weer eens spreken. De verwijdering tussen ons heeft lang genoeg geduurd.

Fietsen omarmen elkaar en hangen onderuit tegen de paaltjes langs de gracht. Om me heen veel bedrijvigheid. Lachende studenten, geschreeuw van kinderen, stoere praat van wat oudere mannen, en een donker figuur die me lijkt te volgen, een zacht gefluit als begeleiding. Er speelt een gevoel van herkenning door me heen. Is het iemand die ik ken? Als het al zo is, dan ervaar ik geen voelsprieten die me waarschuwen voor gevaar.

Als ik het café binnenstap zie ik Ilse direct zitten. En niet alleen. Natuurlijk niet. Ilse is nu eenmaal altijd omringd door mannelijke aandacht. Haar rood gestifte lippen lachen voluit en ik voel het verdriet opeens nog dichter naar me toe sluipen. De luxe om plezier te hebben is uitvergroot. Ik weifel om op haar af te stappen. Nog nooit eerder in ons leven is de tegenstelling tussen ons zo groot geweest.

'Ha, daar ben je eindelijk.' Haar stem glipt boven het geroezemoes uit.

Nu kan ik me niet meer verstoppen. Ik duw mijn wangen omhoog en tracht er zo vrolijk mogelijk uit te zien. Het helpt dat de reactie van Ilse vrolijker is dan ik verwachtte. Het voelt goed dat onze ruzie voorbij lijkt.

Ik kruip op de barkruk naast haar. Een blonde man met een baard van drie dagen neemt me van onder tot boven op. Dan klikt hij met zijn tong, alsof ik goedgekeurd vee ben.

'Oké boys, nu even afnokken. Ik heb mijn vriendin een tijd niet gezien.' Ilse draait hen de rug toe.

'Nog eentje?' vraag ik met een knikje naar haar halflege bierglas.

'Doe maar een wit wijntje.'

Ik geef de bestelling door en kijk haar dan aan. Ons oogcontact is voldoende om alles uit te spreken.

'Joh, gekke meid. Ik heb je gemist. Dat moeten we niet meer doen, hoor.' Ze wrijft over mijn arm.

'Proost,' zeg ik alleen maar, als de wijn voor ons neergezet wordt.

Ilse neemt gulzig een paar slokken en ik volg haar voorbeeld.

'Vertel nou eens wat er gebeurd is, want uit jouw telefoontje kon ik echt geen wijs worden.'

Ik doe mijn verhaal over Fleur. Het voelt alsof er niemand anders meer aanwezig is. We zitten samen in een luchtbel die ons net voldoende zuurstof geeft om niet te stikken. Er ligt een onzichtbare hand om mijn hals die mijn woorden op een vreemde manier vervormt.

'Waar is Fleur nu?' is het enige wat Ilse vraagt als ik uitgesproken ben.

'In een pleeggezin.'

We drinken zwijgend en bestellen opnieuw.

'Ik was er al een beetje bang voor.'

'Hoezo dat?' Mijn stem schiet verontwaardigd omhoog.

'Ik hoorde Leyla een keer een opmerking maken. Ze was bang dat…'

'Ze speelt een vies spelletje en beschuldigt mij van dingen waar ik niets mee te maken heb.'

'Leyla ziet toe op het welzijn van Fleur.'

Ik weet niet wat ik hoor. Ilse was altijd zo negatief over mevrouw Dikbril. 'Die meid laat zich door Roderick inpalmen,' zeg ik hard. 'Je weet toch hoe hij is?' Ik hoor de stem van Leyla weer, toen ze hem een fantastische vader noemde.

Ik zie de peilende blik van Ilse. 'Je ziet spoken, Janna.'

'Zij ziet spoken! Ik zou Fleur nooit pijn kunnen doen. Ik doe alles voor haar!'

'Alles?'

Dat ene woord is voldoende. Ik knijp mijn lippen op elkaar. Keert Ilse zich nu ook tegen me?

'Mag ik nog een witte wijn, alsjeblieft?'

'Zou je dat wel doen?'

'Moet jij zeggen. Jij drinkt zeker nooit. Jij zei toch dat het helpt?' Een vlaag misselijkheid golft door mijn maag.

'Natuurlijk mag je je af en toe even laten gaan, maar er zijn grenzen en die moet je wel bewaken.'

Ik kijk haar nu vol aan. Ik ben het warme gevoel voor haar even helemaal kwijt. Is dit mijn vriendin?

'Luister, Janna, ik hoor van alles en wil je alleen maar helpen. Begrijp je dat?'

'Je bent heel duidelijk,' zeg ik cynisch. 'Drank is helemaal geen probleem. Ik kan makkelijk zonder. Is er nog meer?'

'Doe niet zo agressief. Ik wil je helpen. Je bent niet goed bezig. Moet je zien hoeveel uren je maakt voor je werk. Het is goed dat je ambitieus bent. Maar meer dan twaalf uur per dag... Niet normaal!'

'Aha, dus ik ben niet alleen een alcoholist, maar ook nog een workaholic. Weet je, mijn werk is belangrijk voor me.' Waarom heb ik het gevoel dat ik me moet verdedigen?

'Natuurlijk, dat begrijp ik.'

'Is dat zo? Ik heb geen man meer thuis die voor een inkomen zorgt. Dat vraagt dus de nodige inzet. Ik mag mijn werk niet kwijtraken.'

'En Fleur dan?'

Die komt aan. Het kan toch niet zo zijn dat iedereen opeens tegen me is? Ik heb sinds het vertrek van Roderick zo stinkend mijn best gedaan. Hard gewerkt. Voor Fleur gezorgd. Mezelf op de been gehouden. En nu zegt opeens iedereen dat ik het allemaal niet goed doe.

Ik neem een paar slokken. Sluit even mijn ogen als ik merk dat de omgeving een beetje te veel draait. Ben ik echt gek aan het worden? Is geel opeens blauw geworden? Een lantaarnpaal opeens een boom? Als iedereen dat beweert moet dat wel de nieuwe waarheid zijn. Ben ik dan zo verkeerd bezig geweest door me op mijn werk te focussen? Ik moet toch werken? Geld verdienen? Zien ze dat dan niet? Dat kan nooit de reden zijn waarom ze Fleur weggehaald hebben. Roderick is de schuldige. Hij heeft toch gedreigd mijn leven zuur te maken. Daar is hij nu hard mee bezig, maar iedereen lijkt zich achter hem te scharen in plaats van achter mij. Zelfs Ilse, die hem toch altijd als eikel heeft bestempeld, lijkt haar mening te herzien. Het is zo oneerlijk.

De ogen van Ilse staren me vreemd aan, ze veranderen in de blauwe meertjes van Fleur die alle vragen weerspiegelen. Mijn maag knijpt samen, speeksel schiet toe. Ik spring van de kruk en baan me een weg door een massa benen en besta dan voor een aantal minuten alleen maar uit maag, mond en zure pijn.

Mijn mond is droog en de tong die erin ligt kan nooit de mijne zijn. Luide carillontonen rammen ongenadig op mijn hersens die nog compleet buiten westen zijn.

Waar komt die herrie vandaan?

Ik probeer te bewegen, maar mijn armen lijken aan zware gewichten te hangen. Een klein lichtspleetje geeft me zicht op mijn situatie. Ik lig in bed. Opgelucht adem ik uit. Gelukkig. Mooi dat ik nog lang niet ga proberen om op te staan. Hooguit om mijn onnoemelijke dorst te lessen, maar voorlopig ben ik zelfs daar nog niet aan toe.

Ik draai me om en voel iets zachts naast me. Deze schok zorgt voor de eerste alerte gevoelens in mijn lichaam. Er ligt iemand naast me.

Binnen een seconde zit ik overeind. Staar naar de man die naast me ligt en heb geen idee wie het is. Een nadere inspectie van de ruimte waarin ik me bevind en waar ik, neem ik aan, vrijwillig terecht ben gekomen, geeft me ook totaal geen aanknopingspunten. Ik zie dat ik naakt ben, dat mijn kleren overal door de kamer slingeren en dat dit maar één ding kan betekenen.

Ondanks de stekende pijn, waar ik nu pas enig benul van krijg, beseft mijn duffe hoofd wel direct welke oorzaak aan deze rotsituatie ten grondslag ligt. Terwijl ik het dekbed tot aan mijn kin omhoogtrek, probeer ik mijn herinneringen op te diepen uit de holle ruimte onder mijn hersenpan, waar meer galmen klinken dan ik ooit in een grot heb gehoord.

Ilse in de kroeg. De witte wijntjes. Haar beschuldigingen en mijn uiteindelijke afgang naar de toiletpot. Het komt allemaal terug. Ook kan ik me nog voor de geest halen hoe waardeloos het voelde dat Ilse verdwenen bleek toen ik terugkwam bij de bar. En de man die...

Shit, de zoete cocktail die hij me aanbood wilde ik alleen maar gebruiken om de vieze smaak weg te spoelen. Dat had ik me toch voorgenomen? Verder dan dat voornemen kom ik niet meer. Het is alsof mijn leven daar opgehouden is en dat ik zonet pas weer ontwaakt ben. Ik moet hier weg, en wel zo snel mogelijk.

Voorzichtig schuif ik onder het dekbed uit, en ga op zoek naar mijn slipje en bh. Pas als ik zo zacht mogelijk de slaapkamer uit sluip hoor ik een slaapstem: 'Hé lekker ding, kom je nog even bij me liggen?'

Ik ben nog nooit zo opgelucht geweest dat ik een huisdeur achter me dicht kon trekken. Dan sta ik in een donker trappenhuis, en heb geen idee hoeveel etages ik naar beneden moet. Mijn hoofd is licht, maar als ik eenmaal buiten sta ben ik snel wakker. Hartje centrum. De grote Domtoren op nauwelijks honderd meter afstand.

Met mijn vingers fatsoeneer ik mijn haar en even vervloek ik mezelf dat ik het huis uit gerend ben zonder even in een spiegel te kijken. Alles wat had kunnen gebeuren is toch al gebeurd, dus die vijf minuten in de aanwezigheid van die man had het er niet erger op gemaakt. Koffie, schreeuwt mijn lichaam.

Pas als ik op mijn horloge gekeken heb, wordt deze prioriteit met geweld naar beneden geduwd. Shit, mijn werk. Het is al halfelf geweest. Had ik een afspraak vandaag?

Mijn hoofd wil verder nog geen informatie loslaten en dus zoek ik in de agenda op mijn telefoon. Al heel snel wordt mij duidelijk dat ik rustig op zoek kan gaan naar een cafeetje om die shot cafeïne te scoren. Die zal ik namelijk hard nodig hebben.

Alleen die ogen van Bram al, denk ik woest terwijl ik thuis in een gevecht gewikkeld ben met een dekbed dat geen zin heeft om in een frisse hoes gewikkeld te worden. Ik ga echter stug door en duw en prop met alle gefrustreerde woede die ik in me heb de dikke dons naar binnen. Die zogenaamde subtiele wenkbrauw die bijna een meter omhoog geduwd werd. Hij mag blij wezen dat ik uiteindelijk nog op het werk verscheen! Dat ik hem aanbood om de lijst in te voeren, waardoor die paar ontslagkandidaten die ik niet had kunnen redden tenminste tegelijk hun brief zouden ontvangen. Hij stuurde me weg als een lastige hond die te smerig was om in de buurt te hebben. Was dat zijn dank voor al die maanden overwerk?

Ik til de vormeloze prop omhoog en schud als een bezetene om alles enigszins gelijkmatig in de hoes te verdelen.

'Je hebt nogal wat te verstouwen gekregen de laatste dagen. Geef dat eerst maar eens een plekje. Neem een paar dagen vrij,' bood hij zogenaamd vrijgevig aan. Het voelde echter alsof hij niet geconfronteerd wilde worden met de persoonlijke problemen van een collega. En hij was niet de enige. Niemand vroeg hoe het met me was, hoe ik me voelde en of er iets was waarmee ze me konden helpen. Echt niemand. Ik ben een pion die alleen maar heen en weer geschoven wordt, maar waar niemand zich verder om bekommert. Onbelangrijk in het echte spel. Alleen maar goed om die ene slag te maken.

Het dekbed heeft zich naar mijn felle schudwerk gevoegd. De kabouters blijven naar me lachen, of Fleur ze nu bevuild of niet. Door het vele wassen zijn ze alleen wat vervaagd.

Ik laat me op Fleurs bed vallen, en duw mijn handen tussen mijn knieën. Ziet niemand dat ik enorm mijn best doe? De afgelopen maanden heb ik al die voorstellen, ideeën en nieuwe regelgeving uitgezocht, juridisch laten controleren en uiteindelijk door weten te voeren. Het moet het bedrijf tonnen besparen aan extra uitkeringen, een financieel gezonde start geven en een sterke, jonge basis voor een toekomst die vast en zeker succesvol zal zijn. Het doet zeer dat dit allemaal niets meer waard lijkt te zijn.

Zelfs Ilse viel me af. Ik ben geen alcoholist. Onzin! Ik kan stoppen als ik wil. En ik werk gewoon hard. Ik zal wel moeten. Niemand ziet hoe moeilijk het is om als alleenstaand moeder je hoofd boven water te houden. Niemand lijkt me meer te begrijpen.

# 32

De weekenden zijn leeg en stil en de ochtenden zijn het ergst. Ik wil helemaal niet dat de sluiers van de bewusteloze nacht optrekken en de pijn mijn hoofd wakker bonkt. Ik mis Fleur en haar vrolijke aanwezigheid.

Ik drentel door mijn flat op zoek naar het deel van mezelf dat ik opeens kwijt ben. Waarom heb ik niet harder gevochten? Ik ben zo kwaad op mezelf dat ik Fleur zomaar heb laten meenemen. Ik wilde haar iedere vorm van geweld besparen, maar heb ik haar juist daardoor niet in de steek gelaten?

Koffie is mijn ontbijt, lunch en diner. Ik moet volkomen zwart zijn vanbinnen, en zo voelt het ook. Steeds weer zie ik mijn eigen auto wegrijden. Roderick samen met Els. Een gezinsvoogd zou toch mijn vertrouwenspersoon moeten zijn? Hoe heeft hij zich zo snel in haar wereldje weten te dringen? Die onechte charme van hem ligt er zo dik bovenop, toch lijkt iedereen erin te trappen.

Ik mag me niet laten leiden door de haat die ik voel voor Roderick. Ze komen er vanzelf wel achter dat hij anders is dan dat ze nu denken. Roderick met zijn mooie gebaartjes, zijn praatjes, zijn beloftes. Ooit zullen ze inzien dat hij een arrogante kwal is die mooi weer speelt terwijl het stormt vanbinnen. Hulpverleners van Jeugdzorg moeten toch mensenkennis hebben? Hoe kunnen ze anders inschatten of pleegouders de juiste mensen zijn?

Wie is die familie Kramer waar mijn liefste bezit nu haar leventje leidt? Hoe gaan ze met haar om? Weten ze wel dat ze 's nachts soms angstig wakker wordt? Dat ze dan even bij haar moeten gaan liggen, en dat alleen zacht strelen over haar ruggetje voldoende is om haar rustig te krijgen?

Terwijl ik het denk zie ik een grote mannenhand die over de blote huid van Fleur streelt. Nee, niet doen! Misbruik in de pleegzorg, de kranten staan er vol mee. O nee, niet Fleur.

Vertrouwen. Vertrouwen. Ik blijf het woord hardop herhalen terwijl ik terugloop naar de keuken. Als ik een kopje wil pakken klemt het deurtje. Alles lijkt scheef te zitten, te klemmen of op een andere manier niet te functioneren. Ikzelf incluis. Mijn hele omgeving is ontwricht.

Ik gooi mijn hoofd naar achteren en schreeuw het uit. Het galmt rond en klinkt als een angstig dier. Het plafond is nauwelijks wit meer te noemen, langs de hoeken is een donkergrijze rookaanslag zichtbaar. Het afzuigkapje van de mechanische ventilatie zit vol zwarte plukken stof, nauwelijks bewegende spinnenwebben hangen triest naar beneden. Alles straalt de vieze armoede uit die ik zelf constateerde toen ik hier voor het eerst binnenstapte, maar waar ik nooit wat aan veranderd heb.

Ik stap achteruit. Het veroorzaakt een kettingreactie van vallende flessen. En als ik buk om ze rechtop te zetten, kruipen een stel zilvervisjes snel weg.

Ik kots opeens van de gore woning. Hoe kan ik hier leven? Ik kan niet uitstaan dat ik Fleur aan deze smerige bende heb blootgesteld. Dat moet veranderen. Volgende week is ze weer thuis. Bij mij. Dat kan niet anders.

De radio speelt op een geluidsniveau dat mijn hoofd goed bezighoudt. Het is een manier om geen ruimte te geven aan gedachten waar ik geen raad mee weet. Tijdens het schrobben zing ik zelfs mee met de liedjes van Nick en Simon, en dat wil wat zeggen.

Na een halfuurtje trillen mijn knieën van vermoeidheid. Even pauze. Ik heb wel een drankje verdiend. Pas als ik het glas al heb volgeschonken aarzel ik. Dan sla ik de borrel in één keer achterover. Ik heb het verdiend, vind ik zelf. Moet je zien hoe hard ik heb gewerkt! Gewoon één glas, meer niet. Ik heb mezelf heus wel in de hand. Zeker nu ik besef dat Fleur de inzet is.

Dan zet ik me aan het maken van een todolijstje. Orde in de chaos. Als het lijstje af is, geef ik mezelf als beloning nog een glas. Op de achtergrond maakt de muziek plaats voor het nieuws. De naam zorgt ervoor dat ik beter luister. Ons bedrijf in het nieuws?

'Na contact met een verontruste werknemer is gebleken dat deze grote reorganisatie al gedurende enige tijd voorbereid is. Morgenochtend zal een deel van de werknemers een brief in de bus krijgen met daarin de harde werkelijkheid. Wij spreken met een woordvoerster van het bedrijf.'

Ik herken de stem direct. De speciale intonatie waarmee Barbara de 'o' uitspreekt, is verschillende keren onderwerp van gesprek geweest. Plagerijtjes van de mannen met natuurlijk een seksuele ondertoon.

Met de fles in mijn hand loop ik naar mijn computer. Onze reorganisatie wordt totaal anders in het nieuws gebracht dan we van tevoren hadden afgesproken. Er vallen veel meer ontslagen. Al die mensen die ik had willen behouden... Ik wil elk nieuwtje volgen, tot Twitter aan toe. Ik voel me betrokken bij de organisatie en al helemaal bij een goede afwikkeling van deze ontslagronde. Waarom is Barbara opeens woordvoerster? Dat was toch niet de afspraak?

Na het telefoongesprek met Bram word ik vervuld met een waanzinnige angst. 'Barbara neemt jouw zaken waar. Zorg maar voor jezelf. Je hebt genoeg aan dat mooie hoofdje van je.' De kleinerende opmerking raakte me, zoals alles me deze dagen veel dieper lijkt te raken. Het valt me mee dat ik nu alle gedachten aan mijn werk zomaar rigoureus weg kan duwen. Het gaat zelfs zo ver dat ik me probeer neer te leggen bij het mislopen van de bevordering tot onderdirecteur, gewoon om me te wapenen tegen nog meer tegenslag.

Mijn gedwongen vakantie probeer ik nuttig te besteden. Als Fleur straks weer thuis is zal het druk zijn. De twee weken zonder haar zijn omgekropen, maar vandaag besef ik dat de grote dag erg dichtbij komt. Tijd om aan de slag te gaan met Fleurs kamer. Wat zal het een verrassing zijn als ze thuiskomt en een echte prinsessenkamer ziet.

Als ik twee vuilniszakken met afval weggebracht heb, staat Horace opeens voor mijn neus.

'Dag schone Janna.'

'Dag Horace.' Ik wil verder lopen.

'Waar is mijn kleine vriendin gebleven?'

Ik aarzel. 'Ze is even uit logeren.'

'O, ik dacht even…' Hij staart naar de stuiterbal die hij naast zich op de grond gooit en weer opvangt. Steeds opnieuw.

'Ik ben haar kamertje aan het opknappen.' Pas als ik het gezegd heb, vraag ik me af waarom ik dat aan hem vertel. Misschien omdat hij er gewoon is. Iemand die luistert.

'Dat is goed. Een echte meisjeskamer zeker. Voor als ze weer thuiskomt.' Het klinkt niet als een vraag.

'Ja, voor als ze thuiskomt,' beaam ik. 'Ze wil graag een prinsessenkamer.'

'Dan moet je haar dat geven.' Het klinkt zo simpel dat ik me zelfs even schuldig voel dat ik dat niet eerder gedaan heb.

Als ik door wil lopen pakt hij me bij de arm. 'Wacht even, ik heb wat voor je.' Ik zie hem wegduiken onder de trap en hoor een hoop geritsel. Als hij weer zichtbaar wordt heeft hij een plastic tas in zijn uitgestrekte arm. 'Voor kleine Fleur.'

'Wat is dat?' Ik hoor een wantrouwende toon in mijn stem terwijl ik dat eigenlijk niet voel. 'Wat heb je voor haar?' zeg ik vriendelijker terwijl ik hem aankijk. Het valt me op dat de lach zijn gezicht op wonderbaarlijke wijze verzacht, zijn bruine ogen glimmen een beetje verlegen. De stralend witte tanden als visitekaartje in een vreemde tegenstelling met het straatleven.

'Boven een prinsessenbed hoort een roze hemeltje. Ik had deze tule gordijntjes nog liggen, dus ik dacht… Nou ja, misschien is het wat voor haar. Verder heb ik nog wat leuke spulletjes. Ooit gevonden, op straat. Ik houd altijd mijn ogen open. Horace, zien en zwijgen.'

Even weet ik niet wat ik moet doen. Het idee om oude tule op te moeten hangen in haar kamertje dat nu net fris en vrolijk is geworden, voelt niet prettig. 'Dat is aardig van je, dankjewel.' Ik pak de tas aan en vlucht bijna de lift in.

Pas als ik binnen ben, gluur ik voorzichtig in de Scapino-tas. Vrolijke snuisterijen, waaronder een koekoeksklok en roze tule, gekreukt en met wat aangekoekte modder. Ik pak er wat spullen uit en zet de tas daarna opzij.

# 33

Als Els voor de deur staat heb ik de neiging om de parkeerplaats af te zoeken. Is ze alleen? Toch laat ik haar met een brede glimlach binnen. De klok wilde vandaag maar niet vooruit, en de kussens op de bank zijn zeker tien keer opgeschud.

'Hoe gaat het met Fleur?' is mijn eerste vraag.

'Ze begint zich al aardig thuis te voelen.'

Ook al wil ik niets liever horen dan dat het goed met haar gaat, deze boodschap hakt erin. Ik bijt hard op mijn onderlip om een opmerking binnen te houden. Vandaag moet ik me beheersen, alleen Fleur is belangrijk.

'Ik heb een verrassing voor haar,' vertel ik met een opgewonden blijheid in me. 'Wil je het zien?'

Zonder iets te zeggen volgt ze me naar Fleurs slaapkamer, die ik met een verwachtingsvol gevoel opengooi.

De slaapkamer straalt warmte uit. De roze muren worden zacht verlicht vanuit het raam waar witte vitrage op een sierlijke manier de harde randen afdekt. Nog geen roze hemeltje, maar wel een frisse dekbedhoes en kussentjes die ik bekleed heb met kroontjesstof. Het maakt van het bed een slaapplaats waar een maharadja zich niet voor zou hoeven schamen.

Ongeduldig wacht ik op het commentaar van Els. Ze lijkt alles goed in zich op te nemen.

'Je hebt hard gewerkt,' zegt ze uiteindelijk.

Dan loopt ze op de kleine koekoeksklok af, die ik grondig heb schoongepoetst. Wat kale plekken op het hout zijn de enige sporen van het straatleven van dit wandsieraad.

'Een koekoek,' zegt ze terwijl ze met haar vinger over de wijzerplaat strijkt. 'Het is de enige vogel die zijn ei in het nest van een ander legt.'

Het duurt even voor de opmerking binnenkomt, maar daarna verschrompelt mijn trotse gevoel tot een pluisje. Ik draai me om en loop naar de woonkamer, waar ik mijn nagels diep in mijn handpalmen drijf om mezelf onder controle te houden. Nu een borrel, kan ik alleen maar denken.

Het bloed gonst nog steeds in mijn oren als Els terug komt lopen. 'Een leuke meidenkamer,' zegt ze alsof er niets aan de hand is.

Ik concentreer me op mijn handen. Voel de scherpe punt van mijn nagels. Wissel ze af om controle over mezelf te blijven houden, niet toe te geven aan de impuls om haar het huis uit te zetten.

'Fleur heeft je gemist,' zegt ze dan. Mijn nagels schieten los.

'Heeft ze dat gezegd?'

'Ja, ik ben er zonet nog even geweest om zeker te weten dat de afspraak duidelijk is. Als het goed is zit ze nu op ons kantoortje.' Een korte blik op haar horloge.

'Ik ben klaar om te gaan,' geef ik direct aan. Alles in mijn lijf popelt om haar te zien, haar vast te houden, te knuffelen, te horen en te ruiken. Mijn Fleur. Straks is ze weer thuis.

Aan haar rijstijl is te zien dat ze dagelijks op de weg zit. Els reageert snel, voegt makkelijk in en aarzelt geen seconde als een grote Mercedes denkt voor te kunnen dringen. Els staat haar mannetje.

'Ik heb Fleur ook gemist,' zeg ik, een opening creërend nadat we al tien minuten zwijgend naast elkaar hebben gezeten.

'Vanzelfsprekend, het is niet niks om op deze manier met Jeugdzorg te maken te krijgen.' Ze kijkt me tersluiks aan. 'Ik hoop dat je begrijpt dat het welzijn van kinderen ons aan het hart gaat.'

'Dat begrijp ik.' Het woordje 'maar' wat op mijn lippen brandt slik ik in.

'Ik heb een paar keer meegemaakt dat ik te laks ben geweest.' Ze stuurt de auto naar de linkerbaan. Er hangt iets in de auto dat een schuldgevoel benadert. Ik weet even niet of ik door moet vragen. Tegelijkertijd interesseert het me ook niet echt. Alleen Fleur is belangrijk.

'Dat heeft invloed op het functioneren in een volgende zaak.'

Is ze nu bezig zichzelf in te dekken? Fleur en ik zijn geen 'zaak'. 'Dat kan ik me voorstellen,' zeg ik mat.

Els zwijgt tot we de rotonde gepasseerd zijn.

'Ik ben zo nieuwsgierig naar Fleurs reactie,' zeg ik terwijl ik de blijdschap weer voel opbloeien. 'Ze wilde zo graag een echte prinsessenkamer. Ik had het veel eerder op moeten pakken.' Het was goed om de spullen van Horace aan te nemen. Ik weet zeker dat Fleur het direct met me eens zal zijn.

Els kijkt me even van opzij aan. 'Je weet toch wel dat Fleur vandaag niet mee naar huis gaat?'

'Niet?' Weg is de roze wolk.

'Heb je de brief niet gelezen? De rechter heeft niet voor niets besloten tot een gedwongen uithuisplaatsing. Er zijn heel wat dingen gebeurd, Janna. Je dochter zal voorlopig bij het pleeggezin blijven.'

'Voorlopig?' Ik probeer het woord te doorgronden, en er een termijn aan te verbinden, maar het lukt me niet. In mijn hoofd dansen begrippen door elkaar. Ik wist zeker dat ze vandaag mee naar huis zou gaan. 'Twee weken. Dat zei je de vorige keer.' Het gevoel geen adem te krijgen is opeens zo sterk dat ik het raampje in de portier open. De kille wind brengt echter geen verbetering.

'Voorlopig mag je Fleur elke twee weken zien. Dat heb ik gezegd.'

'Nee, je zei twee weken. Ik zou haar over twee weken weer zien. Fleur zou naar huis komen.' Ik voel de verwarring die de woorden in me losmaken. Ook nu weer.

'Dat kan ik nooit gezegd hebben, dan zou ik tegen het advies van de rechter in zijn gegaan.'

Els parkeert haar auto. Ik herken het gebouw waar ik voor het eerste gesprek ben geweest. Dan draait ze zich naar me toe. 'De rechter heeft bepaald dat Fleur een jaar in een pleeggezin zal wonen. Je mag blij zijn dat we zo snel een geschikt gezin voor haar hebben gevonden, want dat is nog niet zo gemakkelijk in Utrecht.' Dan stapt ze uit.

Blij? Een jaar? Waar heeft ze het over?

Alles is vergeten als ik Fleur in mijn armen klem. Het gevoel weer compleet te zijn overheerst alles. Ik wil haar voortdurend aanraken, maar als ik mijn neus in haar haren steek merk ik dat ze anders ruikt. Het schept een afstand die er niet hoort te zijn.

'Hoe is het met je, lieverd? Zijn de Kramers goed voor je? Zijn er nog meer kinderen in huis? Heb je een eigen kamertje?' De vragen rollen met een onstuitbare snelheid op haar af.

'Het is er wel leuk,' zegt ze slechts. Ze nestelt zich op mijn schoot en begint mijn haar om haar vinger te winden. Iets wat ze al sinds groep twee niet meer gedaan heeft.

'Hé, er is een tand uit.'

Ze knikt en steekt haar vingers in haar mond.

'Heb je 'm bewaard? Wel doen, hoor. Dan kunnen we hem in het tandendoosje stoppen.'

'Tante Ank heeft hem.'

Ik streel door haar haren en trek haar opnieuw tegen me aan. Wat heb ik dit gemist. Dat zachte, kleine lijfje. Mijn meisje. Hoe kunnen ze in vredesnaam denken dat ik niet goed voor haar zou zorgen. Ik werp een tersluikse blik opzij en zie Els in een tijdschrift bladeren. Waarom ziet ze nu niet hoe Fleur op mij reageert? Daaraan moet ze toch kunnen zien dat we bij elkaar horen?

'Ik heb je slaapkamer opgeknapt,' fluister ik in Fleurs oor.

'Echt?' Zelfs Els kijkt van haar leesvoer op.

Ik knik en vertel precies hoe het er nu uitziet.

'Hoe lang moet ik nog logeren?'

Mijn keel knijpt dicht. Ik zou haar nu mee willen nemen. In haar prinsessenbed willen leggen. Zelfs ontvoeren. Alles om maar voor altijd weer bij haar te zijn.

'Ik weet het niet precies,' lieg ik terwijl er een waas voor mijn ogen zit.

'Tante Ank zei dat ik een hele lange tijd bij hun zou wonen.' Haar prachtige ogen ontroeren me. Nooit zal ik dingen zeggen waardoor er pijn in haar ogen te zien zal zijn.

'Misschien heeft tante Ank daar wel gelijk in,' fluister ik omdat mijn stem geen geluid voort kan brengen.

'Moet jij veel werken dan?'

'O, nee. Mijn werk is niet zo belangrijk als jij. Ik zou willen dat...' De rest slik ik in. 'Zullen we de volgende keer iets leuks gaan doen? Wat zou je graag willen?'

'Ik wil graag vogels kijken. Kan dat?'

'Ik zal het overleggen, lieverd. Oké?'

Stil zitten we tegen elkaar aan. Ik voel haar hartje stevig slaan, haar vingers kroelen en ik voel het verdriet dieper worden dan ooit tevoren nu ik besef dat ik dit in de komende tijd zal moeten missen.

Ik trek haar dicht tegen me aan en pak een boekje. Hier heb ik tijd voor dat soort dingen. Ik zit al zeker tien minuten voor te lezen als Fleur overeind gaat zitten. Ik zie een denkrimpel tussen haar rossige wenkbrauwen. Heeft ze al die tijd na zitten denken terwijl ik dacht dat ze ademloos toeluisterde?

'Mamma? Waarom komt pappa wel bij me en jij niet?'

Het is donker in de kamer, ik zie slechts de contouren van mijn leefwereld. Mijn geest is leeg, mijn lichaam koud, alleen de woede is springlevend. Mijn hele lijf lijkt te bestaan uit die borrelende kwaadheid.

Els heeft me in de auto gewoon laten razen. Haar antwoorden waren kort en zonder enige informatie. 'Voor zover ik weet...' afgewisseld met 'Dat zal ik moeten navragen...' Geen enkele informatie. Zelfs toen ik haar confronteerde met het contact dat zij en Roderick moeten hebben, gaf ze aan dat 'er alleen maar sprake is van een zakelijke relatie met haar cliënt.' Haar gezicht stond hierbij zo onbewogen dat ik haar bijna ging geloven.

Zie ik dingen die er niet zijn, vraag ik me die avond voor de zoveelste keer af. Is mijn waarnemingsvermogen vertroebeld door het verdriet en de vermoeidheid? Was het wel mijn cabrio waar Els die dag instapte? Zat Roderick aan het stuur?

Vanavond ga ik me bezuipen.

'Wie houdt me tegen? Hè? Nou, wie?' Ik gooi mijn armen in de lucht terwijl ik mijn vragen aan de muren stel.

Ik word aan alle kanten genaaid of in de steek gelaten. De hele wereld is tegen me en ik kan me alleen maar afvragen of ik daar zelf een aandeel in heb. Mijn bankrekening is één groot gat waarin het geld volkomen zoekraakt. Bedragen worden afgeschreven terwijl ik geen idee heb waarvoor ik in vredesnaam betaal. Er zijn afschrijvingen van kledingwinkels waar ik naar mijn weten niets gekocht heb. De rekeningen die ik wel thuis kan brengen stapelen zich op, omdat de limiet ruim voordat mijn salaris gestort moet worden is bereikt. Zodra mijn geld binnen is pin ik wat, zodat ik in ieder geval eten kan kopen. De huur is deze maand nog niet betaald en ik heb geen idee waar ik geld vandaan moet halen om dat op te lossen.

Nog nooit in mijn leven heb ik me met financiële zaken bezig moeten houden. Het ligt me niet. Roderick heeft dat altijd gedaan en dat beviel me uitstekend. Nu krijg ik te maken met de consequenties van dat gemakzuchtige gedrag. Belastingen? Beleggingen? Spaartegoeden? Ik begrijp er nauwelijks iets van, hoewel de bedragen duidelijk aangeven dat er in de afgelopen tijd meer uitgegaan is dan dat er inkomt.

Maar deze geldproblemen vallen in het niet bij de woorden van Fleur. Wat deed Roderick in het huis van de pleegouders? Waarom is hij opeens geïnteresseerd in zijn dochter? En hoe zit het met het contact tussen Els en Roderick? Ik heb ze toch samen gezien in dat café? Of ben ik gek? Zie ik samenzweringen die er niet zijn?

Opeens bevind ik me in Fleurs kamertje. Alles glimt roze. Mijn ogen blijven haken aan de koekoeksklok, de enige vogel die haar ei in het nest van een ander legt. De woorden maken me radeloos kwaad. Niemand mag dit soort dingen tegen me zeggen.

Ik grijp een kussen en sla om me heen. De klok krijgt een klap, piept onduidelijk, maar blijft standvastig hangen.

'Ik ben geen koekoek!' huil ik dan. 'Fleur is mijn vogeltje.' Ik demp mijn verdriet in het kussen tot ik bijna stik. Dan mik ik het kussen in een hoek van de kamer en gooi de deur met een klap dicht.

Met grote passen loop ik naar de keuken om een nieuwe fles wodka te halen. Er gebeuren allemaal dingen die niet kloppen. Mijn leven is één grote chaos, waarin niets meer duidelijk is. Ik weet wie de grote schuldige is. Roderick maakt zijn dreigement meer dan waar. Hij is degene die mijn leven zuur maakt, die ervoor gezorgd heeft dat ik mijn kind kwijt ben. Hij zit hier achter.

Wat drijft hem? Wat speelt er nog meer behalve wraak omdat ik hem op straat zwart heb gemaakt? Dat kan toch niet zijn enige beweegreden zijn? Er moet meer spelen. Zaken waar ik geen weet van heb, en waar Fleur de dupe van is geworden. Dat eerste is niet zo belangrijk, maar dat tweede mag ik nooit toelaten. Ik heb beloofd dat ik Fleur zal beschermen, wat er ook voor nodig is. Dus dat ga ik doen. Ik moet hem tegenhouden, zelfs als ik hem daarvoor om zal moeten brengen.

Pas als de intentie hiervan tot me doordringt, schrik ik van het enorm kille gevoel dat zich genesteld heeft op de plek waar mijn warme hart hoort te kloppen.

# 34

Natuurlijk ben ik bij de Maliebaan gaan kijken. Daar woont het pleeggezin. Ik wil niet alleen Fleur zien, maar ik wil ook ontdekken of Roderick inderdaad bij haar langsgaat.

Uren heb ik op die troosteloze dag gepost aan de weg waar de Kramers wonen, ondanks het verbod dat Els heeft uitgesproken. Waarom zou ik me aan haar regels houden terwijl Roderick alle regels van fatsoen overtreden heeft? Zelfs samen met haar!

Fleur heb ik nog steeds niet gezien. Toch heerst er een storm in mijn binnenste omdat ik Roderick niet alleen in de buurt van de woning, maar zelfs uit het huis van de pleegouders heb zien komen. Hij was in een heftig gesprek gewikkeld met de pleegvader, alsof ze elkaar al een tijdje kennen.

Roderick was dus bij Fleur. Hoe is dat mogelijk? Wat doet hij daar? Hij heeft Fleur altijd als een lastig aanhangsel in het gezin gezien, waar hij liever zo min mogelijk tijd aan spendeerde, en nu gaat hij gewoon bij de Kramers op bezoek. Waarom hij wel?

Er wordt een oneerlijk spel gespeeld waarvan de regels door Roderick bepaald worden. Een dominospel, waarbij alle facetten van mijn leven in de steentjes verborgen zitten die één voor één met haatdragende precisie omgeknikkerd worden. Roderick speelt een dubbelrol, maar het lijkt erop dat dit alleen voor mij zichtbaar is.

Helaas is Els erachter gekomen dat ik daar ben geweest. En dus ben ik gestraft. Heeft ze me die consequentie van mijn stiekeme bezoek verteld? Ik weet het niet meer. Nu is het meer dan duidelijk: ik mag voor straf mijn Fleur nog minder vaak zien. Els is hard en consequent. Fleur heeft haar rust nodig en dus mag er tussendoor geen contact zijn met de ouders. En Roderick? Die lult zich er vast weer uit met die vette charme die voor mij zo overduidelijk van zijn gezicht afdruipt.

De muren lijken alles rondom mij samen te drukken. Er heerst een doordringende stilte en een leegte die dieper is dan de eenzaamheid die ik in de afgelopen week heb gevoeld. Juist nu ik Fleur weer zo dicht bij me heb gehad, kan ik met geen mogelijkheid rust vinden.

Ik vlucht weg uit mijn woning. De tram brengt me knarsend naar het centrum. Daar ga ik eerst op zoek naar een pinautomaat. Met de tien euro in mijn portemonnee kom ik niet ver. Onvoldoende saldo, lees ik. De mep op het apparaat is nutteloos, maar geeft toch een vreemde genoegdoening.

De kroeg opent zijn deur en de barman weet wat hij voor me in moet schenken. Eindelijk thuis. Er klinkt gelach om me heen en ik voel me opgenomen in de samenleving, ook al zit ik alleen aan de bar met een glas dat te snel leeg zal zijn.

De stekende pijn die vanaf het afscheid van Fleur in mijn gehele borststreek te voelen is, begint geleidelijk af te nemen. Haar ogen verzachten in mijn hoofd. Fleur zag er eigenlijk best goed uit. Ik ben niet belangrijk.

'Ha schoonheid, helemaal alleen?' Zijn kale hoofd valt me als eerste op. Ik schiet in de lach, maar als ik zijn zachte bruine ogen zie slik ik mijn commentaar in.

'Dat zie je goed,' antwoord ik hem.

'Je staart al een tijdje naar een leeg glas.'

Wat een opmerkingsgave.

'Wat drink je?'

Er wordt een vol glas voor me neergezet, waar ik niet tegen protesteer. Hij blijkt Fred te heten. Natuurlijk weet ik wat hij wil. Met Fred naar bed, vul ik mijn gedachten aan. Weer moet ik lachen.

'Je hebt wel plezier, hè?' Fred proost op onze kennismaking.

'O ja, ik heb alleen maar lol in mijn leven.' Het sarcasme ontgaat hem geheel.

'Hou je wel van plezier maken?'

Mijn ogen hebben wat moeite met focussen, toch probeer ik hem serieus aan te kijken. Zijn ogen schieten echter heen en weer. Een nieuwe lachbui volgt.

Hij begint een heel verhaal op te hangen over een vriend die mogelijk nog zal komen, maar die kennelijk iemand is tegengekomen. 'Zo gaat dat, hè? Zo ben je alleen en zo ontmoet je een leuke vrouw.' Hengelend naar een reactie.

'Laten we maar gaan,' zeg ik tegen hem. Fred is een leuke vent, alles beter dan alleen zijn. Het is zelfs niet erg om totaal beneveld te raken en wakker te worden in een vreemd bed met een gat in mijn geheugen. Niet nadenken betekent geen pijn.

Als we buiten lopen, en hij mijn arm stevig vasthoudt, lijken mijn hakken elastisch te zijn geworden. Fred speelt zijn rol van steun en toeverlaat met veel passie. Ik moet echter onnoemelijk nodig naar de wc en hoop alleen maar dat hij dichtbij woont. Ook al woon ik al jaren in Utrecht, vanavond laat ik me graag leiden. Te veel donkere winkeltjes, kroegen waar vooral veel harde stemmen te horen zijn en plotseling opduikende fietsen.

Als we langs het terras van de Winkel van Sinkel lopen, bekruipt me een onheilspellend gevoel. Er is iemand.

Ik duik dieper weg onder de arm van Fred.

'Hé, koud?'

'Nee, iemand houdt me...' Ik maak mijn zin niet af, maar gluur naar het terras dat in het donker tussen de imposante pilaren verscholen ligt. Vier vrouwenfiguren staan strak als bewakers opgesteld. Als ik iets zie bewegen, stop ik abrupt en ik staar in de duisternis. Op de grond, strak tegen de muur aan, zit een donkere figuur.

Pas als hij opkijkt en zijn vervilte haren opzij vallen dringt er een vage herkenning door. De angst vervliegt, maar het gevoel bespied te worden blijft hangen. Waarom houdt hij me in de gaten?

'Kom, schatje. We zijn er bijna.'

Fred leidt me langs de hoge pilaren, maar pas als we tussen de hoge gebouwen van de Ganzenmarkt lopen, begin ik me rustiger te voelen.

'Ik heb dorst,' stamel ik terwijl ik mijn droge lippen bevochtig.

'Dat kan ik me nauwelijks voorstellen, maar mocht je er straks nog zo over denken, dan heb ik vast wel iets liggen.' Hij stopt en drukt een zoen op mijn mond. Al snel draaien onze tongen gepassioneerd om elkaar heen, elkaar aftastend en proevend. Het geeft een gevoel van geborgenheid. Als hij me los wil laten stribbel ik tegen, hunkerend naar het warme gevoel.

'Je bent een lekkere meid.' En opnieuw voel ik zijn lippen. Als een diepverliefd stelletje zwalken we verder. De kille avond heeft plaatsgemaakt voor een gloeiende lust. De woorden die we tegen elkaar lispelen slaan nergens op, en toch zijn ze belangrijk. Ik leef even alleen in het nu. Alle ellende is vergeten. Ik heb zin in hem.

Ik herken het pand pas als we er langslopen.

'Wat een kwal,' stoot ik naar buiten. Ik wil me losmaken, maar Fred houdt me stevig vast. Het bruggetje over de gracht trekt aan me. De deur die strak in de donkerrode verf zit, de deurkruk die glanst in het licht van de straatlantaarn, beide zijn zo bekend dat het zeer doet. Het nieuwe huis van Roderick.

'Kom, we zijn er bijna.' Fred wil me meetrekken.

'Vuilak!' gil ik hard naar de ramen die afgedekt zijn met te rustige gordijnen. 'Je speelt een smerig spel.'

'Hé, wat is er met je?'

'Hier woont de grootste klootzak van Utrecht.' Mijn woorden resoneren tussen de huizen en verdwijnen in de nacht.

'Je ex zeker,' stelt Fred vast. 'Kom, we vergeten hem en gaan gewoon samen lol maken.'

'Hoe kan ik hem vergeten? Die vent blijft zich in mijn leven roeren. Hij maakt alles kapot. Ik haat hem. Ik haat je, hoor je dat?!' Verbeeld ik me dat het gordijn bewoog?

'Ja, natuurlijk, dat begrijp ik,' klinkt de inderdaad begripvolle stem vlak bij mijn oor. 'Exen hoor je ook te haten.'

Ik kijk hem verbaasd aan, zie de zachtaardige ogen die zo tegenstrijdig zijn met zijn bewering. 'Haat jij je ex?'

'Natuurlijk. Als ik nog van haar zou houden, was ik nog bij haar.' Hij loodst me mee, langs de hoge panden. Het klinkt logisch, maar is het niet.

'Heb jij ook zo'n hekel aan haar dat je soms...' Ik stok.

'Dat ik wat?' Hij veegt mijn haar uit mijn gezicht, wat zo'n lief gebaar is dat ik ter plekke tranen in mijn ogen krijg.

'Ik zou hem wel... Ik had nooit gedacht dat ik dat ooit hardop zou zeggen.' Mijn stem piept vreemd door de emoties die zomaar opduiken.

'Misschien moet je het dan maar niet zeggen.' De rust die Fred uitstraalt is precies wat ik nodig heb nu mijn buik draait en mijn hart samengeperst wordt.

'Ik zou hem kunnen vermoorden,' fluister ik dan. Nu het eruit is, schiet alles in mijn lijf los. Dat is het: ik wil hem dood.

Een kneepje in mijn schouder geeft aan dat hij me gehoord heeft. Verder niets. Ik ben hem dankbaar dat hij niet doorvraagt, omdat ik hem nooit uit kan leggen hoe diep mijn afkeer van Roderick is.

Weer voel ik ogen prikken. Als ik achterom kijk zie ik alleen een schaduw die oplost in de nacht. Het is zowel rustgevend als vreemd. De straat is zijn leefwereld, maar toch lijkt hij hier niet thuis te horen.

Uiteindelijk stoppen we voor een pand dat zo hoog is dat ik al duizelig word als ik de eerste verdieping probeer te bekijken.

'Je moet even op je eigen benen staan, schatje.' Hij opent de deur en het enige wat ik zie zijn blauwe traptreden zover mijn oog reikt. Het is een golvend geheel, waardoor ik me vastgrijp aan de deurpost.

'Ik kan niet zwemmen,' mompel ik, waarbij mijn mond moeite heeft met de afzonderlijke woorden.

'Ik zou je met liefde dragen, maar...'

'Dan wil je eerst met me trouwen,' vul ik hem aan. De geschokte uitdrukking op zijn gezicht is enorm grappig.

Natuurlijk red ik het om die trap te beklimmen. En de volgende ook. Als we zijn kleine woning betreden valt me op hoe stil het is. En dat in hartje centrum.

Terwijl ik nog rond sta te kijken word ik uit mijn jas geholpen. En uit mijn shirtje. De rest van mijn kleding sneuvelt op weg naar zijn slaapkamer, die fris en netjes is. Dan land ik al op het dekbed, waarbij mijn kaalhoofd direct over me heen komt liggen.

'Met Fred naar bed,' mompel ik zacht en ik grinnik om mijn eigen grapje.

Ik voel me vrij en totaal schaamteloos. Mijn tong gaat op zoek naar warme en vochtige plekken. Fred blijkt een fantastische zoener, zacht maar toch vol passie. Zolang ik op mijn rug lig voel ik me fantastisch. Zijn vingers strelen mijn lijf, en vinden plekjes waarvan ik het bestaan alweer bijna vergeten was. De reactie die uitgelokt wordt laat mijn lijf kronkelen terwijl ik mijn ogen gesloten houd om nog intenser te kunnen genieten. Als mijn handen totaal onverwachts over zijn kale hoofd glijden voelt dat even vreemd. De harde krullen van Roderick opeens vervangen door huid die warm en glad aanvoelt. Veel aangenamer dan ik had verwacht.

'Je bent een mooie vrouw... eh...?'

'Zeg maar schatje,' antwoord ik prompt. Ik zie de bruine ogen vlak voor mijn gezicht. Een geile glimlach ligt over zijn lippen die mijn mond alweer in beslag nemen.

'Kom eens op me zitten.' Hij pakt me onder mijn oksels en helpt me omhoog. Een korte duizeling, gevolgd door een misselijk gevoel.

'Wow, wacht even.' Ik leg mijn hand op mijn voorhoofd en sluit mijn ogen. Langzaam trekt het weg.

Ik voel dat hij bij me naar binnen glijdt. Behoedzaam. Warm en erotisch. Ik steun met mijn handen naast zijn hoofd en volg zijn ritmische bewegingen.

'Ben je aan de pil?'

'Ja, en ook aan de drank.'

Ik probeer zijn reactie te peilen, maar hij heeft alleen maar oog voor mijn borsten die zacht op en neer deinen. Op dit moment zou ik willen dat mijn hoofd helderder is. Genieten van seks is zo lang geleden. Maar niets in mijn leven lijkt te lopen zoals ik wil. Het stoten in mijn lichaam brengt alles in beweging, ook zaken die ik liever rustig had gelaten.

'Sorry, ik...' Ik schuif van hem af en ren de slaapkamer uit. In de hal probeer ik in het straaltje licht vanuit de slaapkamer het toilet te vinden.

Zittend op de bril wordt alles rustiger. Mijn maag houdt alles vast, mijn hoofd bonkt niet meer en mijn blaas is geleegd. Tegelijkertijd is ook de geilheid verdwenen. Wat doe ik hier? Ik tuur naar de verjaardagskalender met namen als Froukje en tante Geertje. Namen die nog nooit in mijn contactenkring zijn opgedoken.

Ik buig voorover, leg mijn hoofd in mijn handen en vraag me af wat ik eigenlijk wil. Fred en zijn bed? Naar mijn lege huis? Mijn hoofd heeft geen idee. Pas als mijn kin van mijn hand afglijdt en ik met een schok wakker schrik, besef ik dat het tijd wordt om naar huis te gaan.

In de hal diep ik mijn shirtje op, volg het spoor naar de slaapkamer waar het verdacht rustig is. Het dekbed verbergt mijn gepassioneerde minnaar.

Met mijn bh in mijn jaszak, mijn kleding rommelig gedrapeerd om mijn lijf, grijp ik mijn jas en daal de watertrap af. Mijn horloge vertelt me dat de laatste tram allang vertrokken is. Ik zal een eind moeten lopen om thuis te komen.

# 35 Later

Twee feiten zijn overduidelijk: Roderick is dood en begraven, en Fleur woont al veel te lang bij een pleeggezin. Het waarom van beide feiten is schimmig. Mijn verwarring van waarheid en verbeelding is er in de afgelopen maanden ingesleten. Ik ben zo diep gekwetst dat ik een eigen waarheid gecreëerd heb. Het moeilijke hiervan is dat ik zelf niet weet wat echt gebeurd is en wat een fantasiebeeld is. Ik heb hulp nodig om onomstotelijke bewijzen te vinden. Maar wie kan ik voldoende vertrouwen om me hierbij te helpen?

Natuurlijk komt Ilse in me op. Ze is al die jaren een vast ijkpunt geweest in mijn leven, maar de stap naar haar toe is nog te groot voor me. Vriendschap is iets wederkerigs. Daarbij ben ik de fout ingegaan. Ik heb alleen maar gebruik gemaakt van haar en niets van haar aangenomen of iets voor haar teruggedaan. Zo fout. Dat mag me niet nog een keer gebeuren.

Horace is een nieuwe vriend, op een vreemde manier hebben we elkaar nodig. Bestaat er vriendschap op straat? Of leeft vriendschap niet langer dan de inhoud van een fles? Hij moet toch ook behoefte hebben aan iemand naast zich? Dat kan niet anders. Waarom zou ik dat niet kunnen zijn? Kan ik hem ook uit de klauwen van de drank bevrijden, zodat hij een normaal leven kan opbouwen? Ik neem me voor om Horace bij mij thuis uit te nodigen. Hoe zal hij dat vinden? Misschien kan hij me helpen om de zaken goed op een rijtje te krijgen.

Ik besluit de trap te nemen en als een dartel veulen huppel ik de treden af. In de hal van de tweede verdieping staat Ana Rodriguez, een vrouw van halverwege de zeventig, nog gezegend met pikzwart haar en fitter dan ik in de afgelopen maanden ben geweest. Vandaag voel ik me echter beresterk.

'*Buenos días*,' begroet ik haar.

'*Hola, cómo estás?*' Ze lacht me vrolijk toe.

'Heel goed,' antwoord ik naar volle waarheid.

'Je ziet er als een echte schoonheid uit.' Haar stralende ogen bevestigen dat.

Ik lach en loop door, lichter dan ik me in jaren heb gevoeld.

In de hal zie ik Horace gebukt onder de trap zitten, zijn rug naar me toe. Een bloot stuk huid steekt onder drie lagen kleding uit. Zijn wervels steken omhoog als dikke knopen onder een bleek vel. Hij wroet in een doos met spullen.

'Hallo Horace!'

Hij lijkt te schrikken van mijn plotselinge aanwezigheid.

'Waar kom jij opeens vandaan?'

'Gewoon van de trap.'

'Je ziet er goed uit.' In een snelle beweging duwt hij iets weg voordat hij overeind komt.

'Ben je wat kwijt?' Ik wil naar hem toelopen, hem begroeten, maar hij doet een paar passen opzij.

'Eh… Nee, ik…' Hij wendt zich af.

'Hé, we zijn toch vrienden? Als ik iets voor je kan doen…'

Hij aarzelt en draait zich dan weer naar me toe. 'Ik heb jou toch een keer wat spulletjes gegeven?'

'Die dingen voor Fleurs kamertje?'

'Ik zoek een Scapino-tas, waarin ik wat dingen bewaarde.'

Ik zie de rood met gele tas zo staan, in de hoek van Fleurs slaapkamer. Het schuldgevoel knaagt aan me. Ik heb er slechts een paar dingen van gebruikt. De rest staat daar al maanden onaangeroerd. Nu pas besef ik dat het voor hem straatschatten moeten zijn geweest.

'Wil je die spullen terug?'

'Nee, nee natuurlijk niet. Die zijn voor mijn vriendinnetje, maar…'

Ik zie hem worstelen.

'Er zitten denk ik ook dingen in waar zij niets aan heeft. Als je de rest niet nodig hebt...' Hij kijkt me met een brede glimlach aan, toch trilt er iets onder zijn rechteroog.

'Ik zal de tas wel even halen. Of weet je wat? Kom je vanavond bij me op bezoek? Dan kun je de tas direct meenemen.'

Hij kijkt me aan alsof ik hem een oneerbaar voorstel heb gedaan. 'Bezoek?'

'Ja, je weet wel, een...' Ik slik het woord in. Het automatisme is zo ingevreten in het dagelijks leven. Iedereen gaat ergens een drankje drinken, een borrel of een afzakkertje.

Terwijl een blos mijn wangen verwarmt, groeit zijn grijns. 'Een kopje thee drinken. Dat lijkt me gezellig. Vanavond. Ik zal er zijn. Is er nog een dresscode?'

Zijn opmerking maakt het ongemakkelijke moment dragelijk.

'*Streetware*,' geef ik aan.

'Doe ik. Maar vertel eens, jij ziet eruit alsof je naar een feestje gaat.'

'Ik ga naar Fleur.' Het klinkt net zo warm als het voelt.

'Dat is een tijdje geleden, toch?'

'Een maand.'

'Doe je haar de groeten van me?'

'Natuurlijk.'

Op dat moment schuift de lift open en staat mevrouw Rodriguez naast ons.

'Hier, vers gekookt water. Vind je ook niet dat onze *chica* er goed uitziet?'

Horace bekijkt me met een trotse blik, alsof hij er persoonlijk voor gezorgd heeft. Hij pakt de kan aan en loopt naar de zijkant van zijn onderkomen.

De dozen waarin hij net aan het rommelen was, staan schots en scheef door elkaar. Uit een van de dozen zie ik een rood puntig voorwerp steken. Het doet me aan iets denken, maar voordat ik beter heb kunnen kijken, staat Horace er weer voor. Er klopt iets niet, maar ik kan de vinger er niet op leggen.

'Dan ga ik maar,' zeg ik, een beetje onhandig met de situatie.

'Doe de groeten aan mijn vriendinnetje. En tot vanavond!' roept Horace me achterna. Zijn stem klinkt zo vrolijk dat mijn vreemde gedachten meteen belachelijk lijken.

Het is duidelijk te merken dat de zon meer kracht krijgt, alles krijgt een vrolijker uitstraling. Over een van de balkons hangt een kleed te luchten, roze roosjes omkleed door ornamentversieringen in een oudroze kleur, en randen die mij aan woestijnzand doen denken. De lichte franje beweegt als het gras in een zomerbries.

Een jonge Marokkaanse man is ijverig bezig de gezinskameel te poetsen. Een auto is een statussymbool dat moet glanzen, net als de ramen en de vrouwen. De man groet met een glimlach die de woestijnzon zou laten verbleken.

Misschien moet ik ook trots zijn dat ik deel uit mag maken van deze gemeenschap, het deel van Utrecht dat hun satellietschotels gericht heeft op een contact met hun thuisland, terwijl ze hier openstaan voor een nieuw leven.

Het is opvallend hoeveel helderder ik zaken registreer nu mijn hoofd niet meer verdoofd is. Het is of ik grip krijg op een nieuw leven. Alsof details al die maanden verborgen hebben gezeten onder een laagje zand. De gezichtstrekken van mensen en hun toenaderingspogingen heb ik al die tijd bekeken door een bril met de verkeerde sterkte.

Dat alles zijn eigen waarheid heeft blijkt als ik ook balkons passeer die volstaan met vuilniszakken, emmers en oude vloerbedekking.

Fleur is direct bij binnenkomst op mijn schoot gekropen en draait mijn haar weer om haar vinger, alsof ze zich met me wil verstrengelen. Alles gloeit vanbinnen door de liefde die ik voor haar voel. Ik wil niets liever dan nu met haar verdwijnen in een eigen wereld die alleen van ons tweetjes is. Zij en ik. Dat is alles wat ik nodig heb. Opeens is het schoonmaakwerk waarmee ik net begonnen ben niet meer van wezenlijk belang, verschuift mijn woning naar de achtergrond en is geld van geen enkele waarde meer. Leven van liefde. Zelfs doodgaan van liefde. Samenzijn, waar dat ook mogelijk is. Op dit moment is er niets anders meer.

'Wanneer mag ik weer bij jou wonen?'

'Ik hoop heel snel, meiske.' De brok in mijn keel drukt mijn woorden samen.

'Met Pasen?' Ze legt haar hand op mijn wang en draait mijn gezicht naar het hare. Hoe kan ik haar aankijken en liegen? Els heeft net aangegeven dat de hechting met de pleegouders vooropstaat. 'Dat is het beste voor Fleur,' zei ze met een stembuiging die aangaf dat dit een vanzelfsprekendheid was.

'Ik ga het met Els overleggen. Is dat goed?'

Ze knikt en is er sneller mee tevredengesteld dan ikzelf.

Fleur glipt van mijn schoot, pakt een puzzel en kijkt me vragend aan.

'Begin maar vast, ik zal direct even…' De rest van mijn voornemen om Els om toestemming te vragen blijft in mijn keel steken als ik haar stem door de deur heen hoor klinken.

'Ja, ik weet dat er een groot tekort is aan pleeggezinnen. Maar daarom kan ik nog niet…'

Met mijn hand op de deurkruk blijf ik staan luisteren.

'Nee, dat durf ik niet aan. De Kramers zijn nog veel te onervaren, dit is hun eerste pleegkind.'

Ik kijk om naar Fleur die aan de grote tafel is gaan zitten en al begonnen is met de rand van de puzzel.

'Het was een aanbod van de vader,' hoor ik Els verdergaan. 'Hij kende het echtpaar van de tennisclub en hij wist dat ze gek zijn op kinderen.'

Terwijl zich in mijn hoofd een beeld vormt van wat zich heeft afgespeeld, zie ik hoe Fleur het ene na het andere puzzelstukje aan elkaar legt. Mij wordt duidelijk hoe slim Roderick zijn spel heeft gespeeld. Ik staar naar de punten van mijn schoenen. De tennisclub. Daarom stond Frank bij de zwarte netwerkmannen tijdens de begrafenis van Roderick. Frank en Roderick zijn netwerkmaatjes. Hij heeft Fleur weten onder te brengen bij een van zijn vriendjes. Zo kon hij de controle houden en zelfs alle contacten tussen Fleur en mij verzieken. Dat was zijn enige doel: mij dwarszitten.

'Mamma, kom je me helpen?' Fleur heeft intussen de rand van de puzzel klaar en is bezig de rest op kleur te sorteren.

Ik knik, maar beweeg me niet. Roderick heeft Els bewerkt, het vermoeden is bevestigd.

'Ik zal erover nadenken, maar eerst wil ik de problemen bij dat gezin oplossen. Er is iets met de pleegvader, net alsof hij het na de dood van de vader niet meer zo goed aankan.'

Ik klem mijn kiezen op elkaar. Dan zie ik dat Fleur naar me toe komt lopen en me aan mijn hand meetrekt naar de tafel. Ik kan niets anders doen dan haar volgen.

'Wat ben je al een eind. Goed, hoor,' complimenteer ik haar, terwijl mijn gedachten blijven hangen bij de woorden van Els.

'Wanneer gaan wij naar een speeltuin? Denk je dat we van Els een keer naar de Efteling mogen?' De klank in haar stem is zo doordrenkt van hoop dat ik haar een dikke knuffel geef, wat me de kans geeft om ongemerkt de opgewelde tranen weg te vegen. Ik leg een stukje van de puzzel neer, waardoor het reuzenrad van de afgebeelde speeltuin vorm begint te krijgen.

Op dat moment gaat de deur van de ontmoetingskamer in het centrum open. De aandacht van Fleur lekt weg naar de man die binnenkomt.

'Daar is oom Frank. Moet ik al weer naar huis?'

Het laatste woord snijdt naar binnen.

Ik krijg het niet voor elkaar haar antwoord te geven en staar naar de pleegvader. Er komen beelden omhoog. Roderick die met deze man in een felle discussie gewikkeld was. Beelden van de begrafenis, waarbij de geringe lengte van Frank opviel tussen de zwarte netwerkmannen.

Franks gezicht staat zorgelijk. Welke zorgen kan hij hebben als hij straks mijn dochter weer mee naar huis mag nemen? De eer-

dere boodschap van Els, dat de hechting aan de pleegouders vooropstaat, staat nu in schril contrast met de net gehoorde informatie.
Mijn kind moet zich hechten aan een echtpaar dat zelf problemen
heeft, terwijl voor mij de onthechting de boventoon voert?

Pas als hij mij ziet glijdt er een vluchtig lachje over zijn gezicht.
Hij komt naar me toe en schudt mijn hand.

Ik registreer alleen maar. Zijn ogen, die omringd zijn door dunne lijntjes. De reactie van Fleur op zijn aanraking. Het litteken op
de rug van zijn hand, die daarna een korte aai over Fleurs bolletje
geeft. En er valt me nog iets op aan zijn hand, maar het flitst weg uit
mijn hoofd voor het duidelijk heeft kunnen landen.

# 36

Loes biedt me een luisterend oor, waardoor ik mijn frustratie van me af kan praten. Daarna geeft ze me het duwtje dat ik nodig heb. 'Vraag een gesprek aan met Els. Kom voor jezelf op en laat zien dat je weer stevig in je schoenen staat. Ze moet er ook voor jou zijn, dat is haar taak.'

Zo zit ik diezelfde middag opeens weer in de wachtkamer die gevuld is met herinneringen. De eerste keer dat ik hier zat te wachten was ik nog volop bezig met de race om het onderdirecteurschap. Compleet gestrest door iedereen die aan me leek te trekken. Het is nog geen jaar geleden.

Els ligt als een waakhond voor Fleur, terwijl ik op afstand word gehouden. Haar woorden, dat de prioriteit ligt bij hechting aan de pleegouders, gaan me veel te ver. Ze zou juist over een versteviging van het contact met míj moeten beginnen.

Als ik tegenover haar aan tafel zit valt me op dat Els er moe uitziet. Haar donkere haar is vettig en haar ogen zijn zwaarder aangezet dan ik van haar gewend ben. Wat weet ik eigenlijk van haar, schiet door me heen. Ik heb nooit enige moeite genomen om door te dringen tot haar als persoon. Dat pakte Roderick heel wat slimmer aan. Hij slijmde met alles en iedereen en kreeg daardoor veel meer voor elkaar dan ik met mijn vechtinstelling. Niet slim, besef ik nu. Gabrielles toneelspeeltip ga ik gebruiken.

'Je ziet er moe uit.'

Even drukken haar ogen verbazing uit, voordat ze ze weer op het dossier richt. 'Ja, er zijn een aantal moeilijke zaken.'

Zaken? Wordt er zo over ons gesproken?

'Het lijkt me een emotioneel zware baan.'

'Ja…' Ze zwijgt.

'Ik kan me voorstellen dat je sommige…' Ik aarzel slechts kort. '…zaken mee naar huis neemt.'

'Meestal kan ik alles wel goed van me afzetten, maar de laatste tijd lukt dat minder goed.'

Het valt me op dat ze haar hand op haar buik legt.

'Ben je getrouwd?'

Ze kijkt op en tast mijn gezicht af. Ik blijf glimlachen of mijn leven ervan afhangt.

'Ja, Marcel en ik zijn net een paar maanden getrouwd.'

'Een paar maanden pas. Wat een heerlijke tijd is dat, hè?' Ik vertel over de begintijd met Roderick, hoe verliefd we waren. 'Bij ons duurde het een paar jaar voordat ik in verwachting was. Hij wilde eerst aan zijn carrière werken. Mijn verlangen naar een kind werd echter steeds groter.' Ik houd haar gezicht goed in de gaten. Peil of ik een reactie zie die mijn vermoeden bevestigt. 'Roderick was bang dat ons vrije leven erg beïnvloed zou worden door een kind, maar voor mij was die kinderwens zo sterk dat ik alles opzijschoof.'

'Ja, dat ken ik.' De harde lijnen op haar gezicht verzachten als een glimlach doorbreekt.

'In het begin was het best zwaar om alles te combineren. Gelukkig was Fleur een makkelijk kind. Bovendien is een kind een groot geschenk. Mijn leven was vanaf dat moment zo waardevol geworden. De liefde voor je kind is iets wat er gewoon is, daar hoef je je best niet voor te doen. Ik hou van Fleur alsof ze mijn hart is, zij maakt mijn leven kloppend.' Ik verzwijg de ruzies die Roderick en ik steeds weer hadden omtrent de opvang, en de klappen die ik kreeg als hij de schuld van zijn beknotte vrijheid bij mij neerlegde. Els moet zich betrokken gaan voelen bij mij als moeder, niet bij de zaak Bervoets-Van Dongen.

Els opent haar mond alsof ze iets wil gaan zeggen, maar dan bedenkt ze zich. Ze zucht en pakt haar pen op.

'In de tijd dat de problemen met Roderick begonnen, slurpte dat veel energie op,' ga ik verder. Ik probeer er schuldbewust uit te zien. 'Misschien was het wel goed dat er ingegrepen is door Jeugdzorg.' Ik noem bewust haar niet als schuldige.

'Het blijft moeilijk om alles goed in te schatten. Jullie waren zo...' Ze laat haar pen de gedachtes uiten. Wolken die ze blijft omlijnen.

Ik wil haar niet uit laten praten. Als ze woorden geeft aan de situatie van toen, komt ze ook terug in dat gevoel. Ik wil haar hormonale labiliteit vanwege haar zwangerschap gebruiken.

'We waren allebei even de weg kwijt. Op dat moment zag ik dat niet zo, maar nu besef ik dat het goed is dat Fleur rust heeft gevonden bij de familie Kramer.' Terwijl ik de woorden zeg die voor een groot deel gelogen zijn, knijp ik onder tafel mijn handen tot vuisten. Nu is het belangrijk die zelfbeheersing vast te blijven houden.

'De familie Kramer is heel goed voor Fleur. Ze heeft het daar getroffen, dat moet je echt van me aannemen.'

Ik duw mijn kaken op elkaar. Wil schreeuwen dat Fleur bij mij hoort, en dat ze haar nooit bij een vreemd echtpaar had mogen zetten. 'Fleur ziet er inderdaad goed uit.' Ik stoot het bijna naar buiten.

Ik staar naar de punt van de pen die maar nieuwe randjes om het wolkje blijft trekken. 'Maar verloopt alles ook zonder problemen?' Ik kan de vraag niet binnenhouden.

'Het verloopt allemaal goed. Fleur is een lief meisje, maar als een ouder overlijdt kan dat zijn weerslag hebben op haar functioneren.'

Ik knik als een willoze pop.

'Vanmiddag ga ik er nog even langs. Een iets intensievere begeleiding zal de pleegouders helpen.' Els scheurt het blaadje af, frommelt haar gedachtewolkjes in elkaar en mikt de prop in de prullenbak. 'Maar dat is niet iets voor jou om je zorgen over te maken.'

Wam, weg is de juiste sfeer. Het kost me enkele seconden voor ik mezelf herpakt heb. Els is me echter voor.

'Fleur voelt zich veilig bij dat gezin, vandaar dat we juist de hechting tussen haar en de Kramers willen verstevigen.' De woorden van Els zijn weer clean en professioneel.

'Ik kan ook wel weer voor haar zorgen.'

Els kijkt me aan alsof ik iets heel belachelijks zeg.

'De rechter heeft bepaald dat een langdurige plaatsing bij de familie Kramer het beste was. Je weet toch dat ze ook de voogdij hebben gekregen? We hebben er echt alles aan gedaan om Fleur goed op te vangen.'

Mijn zelfbeheersing krijgt de ene tik na de andere.

'Ik waardeer heus de goede intenties van Jeugdzorg en van de rechter.' Mijn hele lichaam lijkt in een verkeerde vibratie terechtgekomen te zijn, toch probeer ik mijn woorden nog steeds zo zorgvuldig mogelijk te kiezen. 'Als er problemen bij de Kramers zijn, kunnen we misschien ook gaan werken aan een herstel van de hechting aan mij.'

'Er zijn geen problemen bij de Kramers, hoe kom je daarbij? Bovendien is de uithuisplaatsing een gerechtelijke uitspraak. Je hoeft heus niet ongerust te zijn, de Kramers zorgen nog steeds goed voor haar.'

'Mag ik haar dan misschien wat vaker zien?' Els moet toch beseffen hoe belangrijk een kind voor een moeder is.

'Het spijt me, daar zijn strikte regels voor.'

De machteloosheid krijgt opeens de overhand. 'Zie je dan niet dat ik veranderd ben? Ik heb woonruimte, en een nieuwe baan. Ik kan voor haar zorgen.' Hoe kan ik haar duidelijk maken dat Fleur bij mij hoort.

'Het heeft geen zin hier opnieuw over te praten.'

Het broze contact tussen Els en mij is verdwenen. Hoe deed Roderick dat, verdomme! Waarom kan ik dat niet?

'Kan de rechter dan geen andere uitspraak doen? De hele situatie is nu toch veranderd? Roderick is dood. Fleur hoort nu weer bij mij. Roderick heeft haat gezaaid, hij heeft voor een vals alarm gezorgd. Zie je dat dan niet? Hij heeft een spelletje met je gespeeld. Het enige waar hij op uit was, is wraak nemen op mij!' Ik heb de rand van de tafel vastgegrepen en toren hoog boven haar uit.

'Wraak?' vraagt Els irritant rustig. 'Ik ken maar één persoon die wraak heeft genomen. En dat was met een fatale afloop.'

# 37

Sinds Horace binnen is zit hij op het puntje van de stoel. Zelf kan ik niet eens de rust vinden om te gaan zitten. Terwijl ik door mijn kamer heen en weer blijf lopen doe ik verslag van mijn gesprek met Els.

Horace luistert, en volgt mijn geijsbeer met een blik die het midden houdt tussen medelijden en berusting.

'Ik heb het verpest. Wat een enorme sukkel ben ik toch. Ik had…' Met een krachtige ruk scheur ik een van de opdrachtvellen van de muur. Als ik dan toch niet naar die oproepen acteer, dan kunnen ze net zo goed verdwijnen. De knalrode letters van opdracht NOG NIET TE LAAT frommel ik driftig in elkaar.

'Doe eens rustig. De verleden tijd is niet interessant. Je moet aan je toekomst denken.' Horace staat nu voor me en legt zijn handen op mijn schouders. 'Ontspan je eens. Je maakt jezelf helemaal gek.'

Ik sluit mijn ogen en leg mijn hoofd neer. Als mijn schouders beginnen te schokken, voel ik dat hij door mijn haren streelt. Het geeft een gevoel van veiligheid dat ik lang gemist heb.

'Sorry,' mompel ik, terwijl ik weer rechtop ga staan en onderwijl mijn tranen aan mijn mouw afveeg. De kreet 'en nu een borrel' duw ik met geweld weg.

Ik kijk verbaasd hoe hij zijn jas in de hoek van de kamer uitspreidt. Pas als hij met zijn rug tegen de muur zit, klopt hij op de plek naast zich.

'Kom je naast me zitten?'

De glimlach is er al voordat ik me ervan bewust ben. Horace

voelt zich veilig in hoekjes, zijn rug afgedekt door stevige muren. De stoel midden in de kamer moet een marteling voor hem geweest zijn.

Een arm om mijn schouder. Een warm lijf naast me. Zo zou mijn leven moeten blijven. Alleen Fleur ontbreekt.

Ik staar naar de resterende vellen papier op de muur tegenover ons. VRAAG OM HULP, DENK AAN HORACE. Het zijn zaken die ik me niet alleen voorgenomen heb, maar ook echt tot uitvoer heb gebracht. De grootste vraag die als een dikke traliewerk tussen mij en Fleur in staat is WIE IS DE DADER?.

Juist door het gesprek met Els is me duidelijk geworden dat hoe hard ik mijn best ook doe om weer een gestructureerd leven op poten te zetten, de verdenking van moord op mijn ex mij parten zal blijven spelen. Ik ben pas definitief vrijgesproken als de echte dader gepakt is.

Een eindeloze vermoeidheid overvalt me. Het is of alles bij elkaar komt en ik me gewoon even kan laten gaan, me zelfs niet groot hoef te houden.

'Stapje voor stapje. Probeer niet te rennen. Laat zien dat je de langste adem hebt.'

De stem van Horace kriebelt in mijn oor. 'Wil ik te snel? Fleur is al zo lang weg.'

'Je moet Jeugdzorg steeds weer laten zien dat je er bent voor Fleur. Verder heb je alles weer voor elkaar. Je laat de alcohol staan, je hebt woonruimte en je hebt zelfs weer werk gevonden.'

'Dat heb ik ook verteld.' Ik haal mijn neus op.

'Heel goed. Druk ze met de neus op die feiten, elke keer weer. Laat zien dat je weer stabiel in het leven staat. Je mag niet van hen verwachten dat ze jou direct de zorg weer terug zullen geven. Stapje voor stapje. Dat is ook beter voor Fleur.'

Ik voel zijn strelende vingers aan de zijkant van mijn hals. Zijn woorden dalen neer in mijn jagende hart. Heeft hij gelijk? Is dat beter voor Fleur? Zo heb ik er niet eerder tegenaan gekeken.

'Els denkt nog steeds dat ik mijn ex vermoord heb.'

'Roderick verdiende het.' Zijn grommende woorden veroorzaken een rilling over mijn rug.

Ik draai me naar hem toe. Zijn ogen staan hard. Wat weet hij allemaal?

'Hoe ken je zijn naam?'

'Van jou... neem ik aan.' Hij kijkt van me weg.

'Ik heb jou toch nooit verteld wat Roderick allemaal uitgehaald heeft?'

'Dat hoefde ook niet. Ik herken dat soort kerels direct. Weet je nog die keer dat hij jou lastigviel bij de vuilniscontainer? Sinds die avond besefte ik dat je hulp nodig had.'

Ik leun weer naar achteren en pak zijn hand, terwijl ik terugdenk aan de bewuste avond dat ik door Roderick in het nauw gedreven werd. 'Ik had nooit gedacht...'

'Dat een zwerver dit soort zaken ziet? Dat een zwerver andere mensen wil beschermen?'

Zijn woorden klinken hard, maar zijn wel waar.

Ik buig mijn hoofd. Streel zijn ruwe vingers. Zelfs de rouwranden betast ik, omdat ze bij hem horen. Door de muur heen is Marokkaanse muziek te horen. De vreemde klankwisselingen zijn steeds gewoner geworden. Een sfeer van harde stemmen, onverstaanbare woorden en de muziektonen die zo anders klinken dan de westerse muziek, horen bij het leven dat ik nu leid.

Het voelt zo veilig om hier te zitten, met zijn hand in de mijne. Ik voel dat hij me aankijkt, maar ik durf niet terug te kijken, bang om niet te zien wat ik nu zo overduidelijk aan warmte voel.

Dan draait hij oneindig zacht mijn gezicht naar zich toe. Zijn bruine ogen glanzen in het weinige licht. 'Jouw dochter deed de rest. Kleine Fleur, stond zo open voor mij. Ze bracht me terug in mijn verleden dat niet meer te herstellen was. Ze vond me niet eng of vies.'

Ik open mijn mond, maar hij legt zijn vinger op mijn lippen. 'Niets zeggen, lieve Janna.' Zijn gezicht nadert en ik sluit mijn ogen. Dan voel ik een lichte beroering van zijn lippen op de mijne.

Terwijl mijn maag lijkt te dansen en tegelijkertijd pijnlijk in elkaar krimpt, gaat hij verder. 'Voor Fleur was ik een portier, en ze geloofde me toen ik zei dat ik jullie wilde beschermen. Kinderen voelen feilloos aan of iemand iets echt meent. Die bescherming kwam diep uit mijn hart. Sindsdien heb ik alles een beetje in de peiling gehouden. Het voelde goed om weer een doel in mijn leven te hebben, bijna nodig te zijn.'

De schaamte voor mijn gedrag maakt dat ik hem niet meer aan kan kijken. Ik heb hem verguisd, gezien als een stuk straatvuil, zelfs niet goed genoeg om op dat onooglijke plekje van de flat te mogen wonen.

Horace lijkt het niet te merken. 'Ik ben echter faliekant mislukt. Misschien had juist ik het aan moeten zien komen. Maar hoe kon ik weten dat Jeugdzorg, die in mijn leven juist te laat heeft ingegrepen, bij jou onterecht zou ingrijpen?'

'Een misser en een vals alarm,' fluister ik zacht.

'Ik was alleen maar gericht op bescherming bieden tegen Roderick. Daarom ben ik je regelmatig gevolgd. Helaas moest ik zien hoe je weggleed in de klauwen van de alcohol, nadat kleine Fleur weggehaald was. Mijn eigen grootste vijand. Daarna bleef het gevoel over dat ik je tegen jezelf wilde beschermen. Er mocht jou niets overkomen.'

Het klinkt zo oneindig lief. Mijn lichaam trilt, en ik weet niet of het van vermoeidheid, spanning of misschien wel verliefdheid is. Als ik mijn gezicht naar hem ophef, me openstel voor alles wat hij maar voor wil stellen, voel ik opnieuw zijn lippen.

Het blijft bij een korte aanraking.

'Is dit wat je wilt?' fluistert hij, waarbij zijn adem over mijn vochtige lippen kietelt.

Ik knik bevestigend. Niets liever zelfs, denk ik erachteraan. Dan kus ik hem langer en intiem.

Nog vochtig van de douche liggen we even later tegen elkaar aan op mijn bed. Terwijl we omringd door warm water en zeepschuim elkaar aftasten, vroeg ik me af hoe lang dat geleden was. De gedachte maakt pijnlijk duidelijk hoeveel ik verloren heb.

De vingers van Horace brengen mijn gedachten terug in mijn lijf. Het gevoel bemind te worden is zo lang geleden. Handen deden meestal alleen maar pijn. Nu merk ik dat mijn huid nog kan tintelen, dat de ontdekkingstocht van mijn lichaam niet alleen maar door Horace gemaakt wordt, maar ook door mijzelf.

Met mijn ogen dicht ontdek ik zijn zachte huid, kneed zijn schouders en grijp me vast aan zijn gespierde billen. Ik open mijn benen en merk hoe goed onze lichamen in elkaar passen. Alles komt bij elkaar in een vloeiende beweging. Zijn knedende handen die toch uiterst zacht mijn borsten betasten, mijn tepels ontdekken en me naar adem laten happen. Ik kreun en voel een mate van ontspanning die ik bijna vergeten was.

Met twee handen grijp ik zijn hoofd, strijk zijn haren naar achter en kijk diep in die glanzende bruine knikkers. De geilheid in zijn ogen windt me nog meer op. Terwijl ik hem in me voel, spelen onze tongen met elkaar. Overal vochtige warmte. Geile geuren. Een machtig spel van zoeken, vinden en gevonden worden. Van elkaar geven wat we beiden zo hard nodig hebben. Elkaar laten genieten.

Ik merk hoe sterk hij is als hij me met een onvoorstelbaar gemak optilt en bovenop zich zet.

'Wat ben je mooi,' zucht hij, terwijl hij niet alleen zijn ogen gebruikt om te kijken.

Er ligt een onbedwingbare glimlach om mijn lippen, voel me de mooiste vrouw op aarde en pak mijn eigen borsten om hem nog gekker te maken. Dan nestel ik me weer in zijn armen, kus zijn hals, en laat mijn tong een vochtig spoor trekken tot ik uiteindelijk in zijn mond beland. Pas als hij mijn tong loslaat kan ik hem weer bekijken, zie zijn bleke maar stevige huid. Ik speel piano op zijn ribben alsof zijn klankkast tonen kan voortbrengen die alleen wij kunnen horen.

'O Janna, je maakt me gek,' zucht hij. Dan grijpt hij mijn middel en stoot een paar keer heftig omhoog. Zijn hoofd strekt zich naar achteren, zijn mond opent zich. Volslagen geluidloos komt hij klaar. Er dringt een tevreden geluksgevoel in me op. Hoe mooi is het als je iemand zo kan laten genieten.

Ik lig tegen hem aan en voel zijn hartslag van een razend tempo langzaam normaal worden. Streel met mijn vingertoppen over de donkere haren die onder zijn navel de aanzet vormen tot meer. Met mijn hoofd op zijn schouder vorm ik tekeningen waarvan ik hoop dat de toekomst ze werkelijkheid maakt. Pas als ik mijn hoofd ophef om hem aan te kijken zie ik een vochtig lijntje vanaf zijn ooghoeken lopen.

'Hé, wat is er?' Ik richt me nu op.

'Dit... Ik kan niet...' In zijn stem klinken tranen.

'Wat is er aan de hand? Was het niet lekker?'

'Het was fantastisch, maar...' Hij duwt me zacht opzij en gaat op de rand van het bed zitten, en begint zich aan te kleden. 'Ik kan jou niet hetgeen bieden dat je nodig hebt.' Hij kijkt me wanhopig aan. In zijn ogen lees ik zo veel verdriet dat ik volledig dichtklap. Mijn spieren verlammen, mijn hartslag vertraagt en ik kan niet anders dan hem aanstaren.

Hij draait zich van me af en terwijl alles in mij schreeuwt om hem tegen te houden, laat ik hem zich aankleden, hoor ik de afscheidswoorden waarin hij dingen zegt die niet kloppen met de onuitgesproken signalen. Er is een complete verwarring van tegenstrijdigheden, gevoelens die vechten en excuses die totaal niet aankomen omdat ze niet nodig zijn.

Dan zie ik hem de slaapkamer uitlopen. Het geluid van de voordeur die achter hem sluit is zo zacht dat ik minutenlang bewegingloos op bed blijf liggen, me afvragend of hij echt verdwenen is.

Het lijkt alsof een onzichtbare hand mijn keel dichtknijpt. Alles in huis benauwt, terwijl ik mijn hele appartement doorzoek.

Hij is echt vertrokken. Hoe kan het dat de intieme sfeer opeens veranderd is in een spook met vijandelijke ogen en grijpende klauwen die al het vocht uit mijn lijf lijken te willen persen?

Niet doen, schreeuw ik mezelf toe. Je weet dat het een tijdelijke verdoving is. Dat de pijn weer terugkomt. Drank trekt hard en on-aangekondigd. Alsof de vingers uit de fles je op de meest onver-wachte momenten grijpen en je pas loslaten als je lam bent.

Ik graai naar de telefoon en wil Loes bellen. Op elk moment van de dag, heeft ze toch gezegd?

Langzaam leg ik het toestel weer neer. Nee, nu moet ik het zelf kunnen. Ik wil geen slachtoffer blijven, niet iemand die geholpen moet worden. Horace heeft het veel harder nodig te weten dat er iemand voor hém is. Ik moet hem zien te vinden.

Ik heb zijn zachtheid gezien, zijn liefde gevoeld. Het is lang ge-leden dat ik me zo verbonden heb gevoeld met iemand. Zijn wel-zijn maakt opeens deel uit van mij. Ik wil hem omhoog helpen, samen met hem een nieuwe wereld scheppen. Eentje zonder alco-hol, maar met liefde.

Met mijn sleutels nog in mijn hand sta ik binnen een paar tellen op de galerij. De regen valt loodrecht naar beneden en zorgt voor een vochtige kou.

'Kom op,' moedig ik de lift aan, die echter totaal geen haast heeft. Ik tik met mijn sleutel tegen de metalen deur. Geen enkel effect, be-halve dat het mijn onrust nog meer vergroot.

Dan ren ik naar het trapportaal, neem de treden met twee tege-lijk, blij dat ik gympen aan heb geschoten.

'Horace? Ben je hier?' Ik begin al met roepen halverwege de laat-ste trap.

De hal ligt er verlaten bij. Door het grote raam staart de nacht me aan. Ondoordringbaar met al zijn onzichtbare gezichten.

De spanning zakt langzaam weg uit mijn lijf. Ik ben te laat. Ho-race is de straat op. Waarom heb ik hem niet direct tegengehou-den?

Het is nauwelijks voor te stellen dat in deze kille hal de man woont die ik net in mijn armen heb gekoesterd. Liggen onze levens dan toch te ver uit elkaar om ooit een overlap te kunnen vinden?

Met mijn ogen tast ik zijn onderkomen af. De kleden die hem enige zachtheid moeten geven, zijn netjes opgevouwen, het gordijn is opzijgeschoven, alsof hij zijn nestje aan kant heeft gemaakt voordat hij bij mij op bezoek ging. De dozen met al zijn bezittingen staan in een rij aan de zijkant.

De herinnering aan het rode puntige voorwerp duikt op. Nog nooit heb ik de behoefte gehad om tussen zijn spullen te snuffelen. Maar nu ik de desbetreffende doos herken sta ik in dubio.

Mijn adem zet zich vast als ik een rode stilettohak zie die als een dolk tussen de rest van de straatzooi uitsteekt. Ik graai in de doos en sta opeens met een schoen in mijn handen. Hoe komt Horace daaraan? Er schieten beelden door mijn hoofd van de avond van de moord. Een hand om mijn arm, iemand die me meesleurt, de stem die mij weg wil hebben. Op dat moment slaat de verbijstering over mijn vondst over in een redeloze kwaadheid. Ik ren naar buiten, staar over de duistere parkeerplaats en schreeuw de greep om mijn keel los.

'Waar ben je?! Horace. Wat wil je van me? Je hebt me in de gaten gehouden, me zelfs achtervolgd.' De regen klettert op me neer terwijl de koude lucht rauw door mijn borst wordt gepompt. Het valt me nauwelijks op dat ik binnen een paar seconden doorweekt ben. Kou, vocht, duisternis, alles is op dit moment beter dan de pijn te voelen in mijn binnenste.

Ik hef mijn beide armen op en wijs met de schoen naar de maan die op dat moment kort tussen de wolken door komt kijken.

'Horace, waarom jij? Heb ik nog niet genoeg meegemaakt? Ik ben alles en iedereen al kwijt.'

Mijn schouders schokken als ik mezelf omhels. Er loopt een regenstraal van achteren mijn shirt in. De koude druppels vinden hun weg langs mijn ruggengraat. Mijn tranen vermengen zich met de regen op mijn wangen.

'Waarom dring je mijn leven binnen als ik niet weet of ik je kan vertrouwen? Had dan in ieder geval mijn hart met rust gelaten...' Het is nog maar een fluistering tussen het geweld van neerstromende regendruppels op de natte straatstenen. Dan streel ik de schoen in mijn hand. Voel de scherpe punt van de stilettohak. Er denderen herinneringen door mijn rusteloze hoofd nu ik de schoen heb herkend als de mijne. Verloren op de avond van de moord. Mijn onbesuisde stekende bewegingen. Wat heb ik gedaan?

# 38

In de stromende regen, met mijn rode schoen in mijn armen, is er iets in me geknapt. Sindsdien bestaat er niets anders dan de pijn en de bijbehorende verdovingstechniek.

De nacht is voorbijgeschoven in een stilte die ik de nek om heb proberen te draaien. Weg met Enya, Norah en Katie. Shakira is aan de macht en ze drijft me met haar bijtende stem op in een waanzinnig ritme dat maakt dat ik de brandende slokken nauwelijks als 'verkeerd' kan beschouwen. De drank stilt zowaar de vragen die omhoog blijven komen als braaksel na een te heftige nacht.

Alles wat afleidt van mijn gedachten aan Horace is goed. De schoen heb ik naast haar evenbeeld geflikkerd, het stel hoorde samen.

Het is al de derde keer dat de bel gaat, maar ik wil niemand zien. Zelfs als ik de stem van Fenna herken die, tussen het roepen door, mijn voordeur met haar vuisten bewerkt, duw ik mijn hoofd onder een stel kussens. Niemand kan mij helpen. Er piept zelfs ergens nog iets redelijks tussendoor als: niemand mag mij zo zien.

'Ik hoor niet bij jullie!' gil ik in de richting waar ik de voordeur vermoed. Elk zelfmedelijden wordt overeind gehouden door een gevoel dat ik het niet waard ben om geholpen te worden door die vrouwenorganisatie. Slechts een kleine tegenslag en madam zit alweer met haar hoofd in de fles.

'Ik heb belangrijke informatie.' Fenna's stem dringt zelfs door de synthetische rommel van het kussen heen.

'Belangrijk? Niets is meer belangrijk. Ik ben echt alles kwijt.' De laatste woorden voeden mijn wens om dood te zijn. Het lijkt zelfs alsof een wezenlijk deel van mij al gestorven is. Mijn binnenste is koud en totaal niet meer in staat enige compassie met wie dan ook te voelen.

Het blijft stil bij de voordeur. Zie je wel, ook Fenna laat het afweten.

'Allemaal mooie woorden,' mopper ik voor me uit, terwijl ik rechtop ga zitten. 'Iedereen belooft van alles, maar als het er werkelijk om gaat spannen...'

Weer die stem. 'Ik ben het helemaal met je eens: jíj bent even niet belangrijk.'

Fenna is er nog, zet zich in mijn hoofd vast als ik haar woorden hoor. De tegenstrijdigheid in woord en actie dringt slechts vaag tot me door.

'Waarom kom je dan bij me?'

Ik grijp me vast aan de deurpost, terwijl ik naar de hal wankel. De drank lijkt nu al flinke happen uit mijn hersens te hebben genomen. Het focussen op het spionnetje in mijn deur blijft mislukken, het rondje glipt steeds opzij.

Dan zegt Fenna heel duidelijk: 'Ik heb nieuws over Fleur.'

Pas na de derde kop koffie lijkt mijn bloed de normale bloedbaan te hebben hervonden. Paracetamol in tweevoud doorgeslikt komt zowaar op de plek van de grootste schade aan. Ik kijk naar Fenna die op de zitzak heeft plaatsgenomen. De journaliste zit duidelijk in een oncomfortabele houding, maar haar gezicht vertoont de verbeten trekken van een puber die nooit toe zal geven dat ze er misschien de leeftijd niet voor heeft. Haar ogen blinken fel achter haar bril. De pigmentvlekken op haar linkerwang waren me nog niet eerder opgevallen, ze doen me denken aan de sproeten die zomers altijd mijn eigen wangen bevolken. Leeftijds- of seizoensafhankelijke lichaamskenmerken, wat maakt het uit.

Geen van ons heeft een woord gesproken. Stilzwijgend is er koffie gezet en heb ik wat pijnstillers genomen. De drank wordt compleet verzwegen, hoewel ik me niet voor kan stellen dat mijn terugval deze vrouw ontgaan is.

'Wat weet je van Fleur?' De vraag komt er eindelijk uit.

Ze duwt zich wat op uit de zitzak, wat alleen maar tot gevolg heeft dat ze nog schever komt te zitten.

'Ik heb opnieuw gesproken met een vertegenwoordigster vanuit de Tweede Kamer. Het is een vrouw die heel betrokken is bij de jeugdzorgproblematiek.'

'Ken ik haar?' Waarom deze aanloop voor de nieuwtjes over Fleur?

'Vast wel, ze is regelmatig te gast in televisieprogramma's over dit onderwerp. Laten we haar voorlopig maar gewoon "de politica" noemen. Het is een gedreven vrouw, beetje ADHD-type, donkere krullen, brilletje, open gezicht. Ze is een soort beschermvrouw voor de schrijnende gevallen uit de jeugdzorg.'

'Kent ze Gabrielle ook?' Ik merk dat mijn betrokkenheid met deze politica nauwelijks van de grond komt. Er zijn al zoveel hoopgevende hulpscenario's bedacht dat ik nu niet verder kom dan ik-zie-wel.

'Nou en of. Ze zet haar tanden in dat soort *cases*.'

Zaken of *cases*, wat maakt het uit. 'Wat wist zij te vertellen?'

'Ik heb geen leuk nieuws.'

'Sorry, dan pas ik.' Ik zucht en wil opstaan om haar weer naar buiten te bonjouren. De pot zit vol, er kan geen ellende meer bij.

'Wacht, Janna. Laat me uitpraten. Het is echt belangrijk voor Fleur en jou.'

Belangrijk, ik kan het woord niet meer horen. Ik giet het laatste restje lauwe koffie in mijn keel.

'Ik heb je toch verteld over die nieuwe wet op de jeugdzorg en de pleegkinderenwet in verband met herziening van de maatregelen van kinderbescherming.'

'Spreek eens normaal Nederlands.' Pleegkinderen en Jeugdzorg zijn de enige begrippen die blijven hangen in mijn half functionerende brein.

'Het komt erop neer dat als een pleeggezin een kind gedurende een termijn van één jaar verzorgt en er geen vooruitzicht is op verbetering van het gedrag van de ouders, de pleegouders adoptie kunnen aanvragen.'

Er ontstaat een connectie tussen ons die zich het best laat omschrijven als een sleepkabel tussen een truck en een wrak. Ze sleept me mee naar een wereld die de mijne niet is, maar waar ik me wel op zal moeten richten om geen grotere schade op te lopen.

'Adoptie?' Het woord lijkt slechts uit sis-klanken te bestaan.

'De politica noemde het een verkapte adoptiemarkt. Ze heeft er al die tijd tegen gevochten, maar de wet is nu aangenomen.'

'Maar dan ben ik Fleur definitief kwijt.'

'Alleen als ze ook de voogdij hebben.'

'Dat hebben ze.' Dat had Els me wel duidelijk gemaakt.

'Het is nog niet helemaal verloren. Deze politica maakt zich er enorm kwaad over. De beredenering was eerst andersom. Een kind zou naar huis gaan, tenzij zou blijken dat het kind het thuis niet goed heeft.'

'Fleur had het wel goed bij mij!' Ik spring op uit mijn stoel en begin heen en weer te lopen. 'Ze kan toch allang weer thuis komen wonen? Ik heb een woning, een baan en de structuur is ook weer terug in mijn leven.'

'Is dat laatste waar?'

Ik blijf staan. 'Slechts één zwak moment. Als Fleur weer thuis is heb ik geen reden meer om die fles te pakken. Ze duwen je juist die afgrond in.'

Vanuit het raam staar ik naar de troosteloze wereld die mijn flat omringd. De leegheid van de vlakke velden die in de mist verdwijnen geeft precies weer hoeveel uitzicht ik heb op een beter bestaan. De stilte hangt in de kamer en geeft alle informatie de ruimte om te landen waar het hoort.

Dan draai ik me weer om. Fenna lijkt dieper weggezakt te zijn tussen het roze canvas. 'Zei je één jaar?'

Ik zie haar knikken.

'Shit, het jaar is bijna voorbij.' De wanhoop nestelt zich tussen mijn woorden. Mag de familie Kramer haar dan zomaar adopteren? Ze is toch mijn dochter?

Fenna duwt zich moeizaam op uit de ongerieflijke zitplaats. Als ze voor me staat pakt ze mijn handen vast. 'Luister, de politica wil zich ook voor jouw zaak inzetten, ik heb haar alles verteld wat nodig was. Ze zal vandaag nog contact opnemen met het programma *EenVandaag*. Ze kent daar wat journalisten. We gaan deze belachelijke wetswijziging aan de kaak stellen. Heb je nog meer informatie over het pleeggezin?'

Als ik alles verteld heb blijft de blik van Fenna hangen tussen peinzend en kwaad. We zitten nu elk op een stoel die we naast elkaar geschoven hebben. De muur tegenover me bevat nog steeds een paar kreten, het valt me op dat Fenna er nog niets van gezegd heeft.

De pot thee wordt warm gehouden door een waxinelichtje, dat tegelijkertijd een zacht licht over het tafeltje werpt. Een paar kaarsen op de sidetable brandt rustig, waarbij alleen de rode kaars af en toe fel opflikkert. Vuur leeft en beweegt, waardoor het de aandacht blijft trekken.

Fenna pakt een stukje chocola van het schoteltje voor ons. 'Een duidelijk voorbeeld van vriendjespolitiek. Natuurlijk komt dat vaker voor, maar juist door de dubieuze rol van Roderick in jouw zaak is dit niet wenselijk. Wie weet wat hij allemaal achter de schermen heeft bekokstoofd met de familie Kramer.' De chocola verdwijnt in haar mond. Ik zie haar mond heen en weer bewegen, tastend naar de door haar zo geliefde smaak.

'Roderick heeft vanaf het begin een vies spel gespeeld.' Ik vertel haar over zijn charmeoffensief naar Els toe, waardoor hij meer privileges had in zijn contact met Fleur dan ik.

'Wat een eikel.'

Mijn gedachten schieten naar Ilse die de laatste keer dat ik haar zag opeens een ander oordeel had.

'En nu zijn er dus problemen bij de Kramers?' vraagt ze met volle mond.

Ik knik, en neem ook een stukje. 'Ik weet niet wat er aan de hand is, maar het lijkt misgegaan te zijn nadat Roderick...' De smaak is wel erg bitter.

'Vermoord is?' helpt Fenna me.

Als ze me ziet knikken schudt ze heftig met haar hoofd. 'Er moet iets meer aan de hand zijn. Waarom zijn er bij Frank opeens problemen nu Roderick van het toneel is verdwenen? Er klopt iets niet.'

Zo heb ik het nog niet gezien.

'Misschien heeft Roderick ze wel financieel ondersteund en kost de zorg van Fleur ze nu eigen geld.' De donkerblauwe ogen van Fenna kijken me fel aan. 'Zou het iets met die pleeggezinnenvergoeding te maken hebben?'

'Geld ligt aan de basis van alles,' mompel ik voor me uit.

'Wat zeg je?'

'De meeste dingen hangen samen met geld, dat zei de visman tegen me.' Het is een vreemde gewaarwording dat door associaties mijn herinneringen terug lijken te komen. Ik verwacht een opmerking over de visman, maar Fenna kijkt peinzend voor zich uit.

'Dat moet het zijn,' stamelt ze binnensmonds. 'Geld, natuurlijk.'

'Ik kan me niet voorstellen dat Roderick ze geld toe zou stoppen. Hij was meer iemand die overal geld uit zou slaan.'

'Dat kan natuurlijk ook. Rijke mensen kennen de smaak van geld. En die bevalt ze vaak heel goed. Ze willen dan meer en meer. Ik zal er eens induiken, en kijken wat het op gaat leveren.'

'Dan blijft er nog een ander probleem bestaan.' Ik durf Fenna niet aan te kijken. Dit is en blijft een moeilijk onderwerp. Ik heb al talloze malen geprobeerd de avond van de moord te herleven, maar kom niet bij de herinneringen in mijn hoofd.

'Wat dan?'

Ik sta op en ga in de hoek staan waar Horace en ik de avond ervoor hebben gezeten. Dan begin ik te vertellen. Over ons speciale contact, de steun die hij mij heeft gegeven, maar ook over mijn schoen die ik tussen zijn spullen heb gevonden. Ik staar al die tijd naar de woorden op het stuk papier tegenover me: DENK AAN

HORACE, ooit bedoeld om me te behoeden voor het straatleven, nu heeft het ook een andere betekenis gekregen. 'Ik heb geen idee meer of ik hem kan vertrouwen. Het is een zwerver, maar eigenlijk heb ik hem steeds meer als vriend gezien. Alleen, hoe kan hij aan een schoen van mij komen?'

'En die ben je op de bewuste avond kwijtgeraakt?' Fenna is rechtop gaan zitten.

Ik knik en kijk haar aan.

'Verdenk je hém van de moord?'

Waarom is die vrouw zo verdomd slim in het verwoorden van gedachten die ik niet eens toe wil laten in mijn hoofd. 'Ik weet het gewoon niet.' Ik stok.

Fenna zegt niets, ze blijft zitten en wacht rustig af.

'Er is een vage herinnering dat ik ingestoken heb op iemand. Of op iets. Ik weet het niet precies. Het is allemaal zo vaag doordat ik... Ik had me totaal lam gezopen. Alle gebeurtenissen lopen door elkaar, niets is helder.'

'Je bent toch vrijgesproken door de rechter?'

'Er was geen grond meer voor verdenking, dat is toch wat anders?'

'Maar waarom verdenk je Horace dan nu?'

'Hij heeft me steeds gevolgd. Misschien heeft hij wel...' Ik durf de zin niet af te maken. 'Hoe komt hij anders aan die schoen? Dat is toch vreemd? Hij moet daar geweest zijn. De hak is zo scherp. Het kan toch zijn dat hij...' Alles is zo verwarrend dat ik opeens helemaal niets meer helder voor ogen heb. Ik staar naar de woorden WIE IS DE DADER?. Het papier DENK AAN HORACE hangt ernaast. Is hij de dader? Wat weet hij eigenlijk allemaal?

Fenna staat op en begint heen en weer te lopen. Ik volg haar met mijn ogen terwijl ze als een nerveuze hond om de meubels heen blijft lopen.

Dan stopt ze plotseling. 'We kunnen niet alles tegelijk. Ik stel voor dat we ons eerst bezig gaan houden met dat pleeggezin. Die politica is voor ons bezig, dus we moeten de onduidelijkheden over de moord even laten rusten. Bovendien moet je niet twijfelen aan je eigen onschuld, de politie laat je heus niet zomaar vrij. Als ze op een of andere manier denken dat jij er iets mee te maken had, dan hadden ze verlenging van het voorarrest aangevraagd. Je moet wel onschuldig zijn.'

'Wist ik maar hoe hij dood is gegaan,' verzucht ik. 'Niemand wilde mij iets vertellen, omdat ik dan kennis zou hebben die ik kon misbruiken.'

Eigenlijk heb ik het me ook nooit afgevraagd. Er is een deel van mij dat hem zo graag dood wilde dat ik een logische schuldige was. Nu begin ik daar steeds meer aan te twijfelen. Maar wil ik wel weten wie de echte dader is?

Als Fenna weg is grijpt de onrust me in een houdgreep waar nauwelijks uit te komen is. Adoptie. Het is nauwelijks voor te stellen dat anderen kunnen beslissen bij wie mijn eigen kind voortaan leeft. Nog een maandje en het jaar is voorbij.

Ik staar naar de klok aan de muur en ben me opeens bewust van het luide getik. Normaal een achtergrondgeluid dat niet eens meer opvalt, nu een tijdbom waarvan elke tik mij dichter bij een definitief einde brengt. Elke seconde die onbenut blijft kan ik nooit meer inhalen. Mijn lot ligt nu niet meer in mijn eigen handen. Fenna is op jacht.

De deur naar Fleurs kamertje staat open. Het is de enige plek in huis waar ik rust kan vinden, net alsof haar aanwezigheid me ondersteunt. De roze kleur die hier overheerst doet me denken aan mijn vader. 'Meisjes houden van roze,' zei hij steevast als hij met een van zijn goedbedoelde cadeautjes thuiskwam. Ik hield meer van rood en zwart. Een harde confrontatie van tinten. Maar ik heb het nooit over mijn hart kunnen verkrijgen om het hem te vertellen. Wat zou hij gek geweest zijn met een kleindochter die hij naar hartenlust had kunnen verwennen met elk roze frutseltje dat hij in handen kon krijgen.

Mijn oog valt op mijn herinneringskastje dat al die maanden al in Fleurs kamertje staat. Hier trok ik me terug als het niet goed met me ging en ik terug wilde naar gelukkiger tijden. Houvast zoekende in bewijzen dat die er toch echt geweest waren.

Zo schuif ik het eerste laatje open. Een klein stenen hart, gevonden op het strand van Schiermonnikoog. Nadat ik het aan mijn moeder had laten zien opperde ze het idee om er een hangertje van te laten maken. Het is er nooit van gekomen.

De laatst toegevoegde herinnering heb ik pas opgeborgen nadat Fleur weg was. Het is van haar. Ze krijgt het terug als ze weer thuis is. Als ik het laatje openschuif rolt het tolletje van Horace naar voren. Als het tolletje draait vormen de gekleurde lijnen een bewegend palet, nu zijn het slechts grillige strepen zonder enig verband. Het is net als mijn contact met Horace. Heb ik het daarom in mijn kastje gelegd? Wilde ik dat er ook iets van hem tussen mijn herinneringen lag? De stuiterbal draag ik altijd met me mee in mijn jaszak, zijn energie zit erin, dat koester ik graag.

Als in een trance open ik het ene na het andere laatje en doorloop zo allerlei fasen in mijn leven. Het gedroogde klavertje vier, de kastanje waarop mijn vader oogjes had getekend, het kleine flesje met zand uit de tuin van de Wilhelminalaan, toen Roderick en ik ons huis hadden gekocht. 'Belachelijk sentimenteel' noemde hij me op dat moment. Toch sloeg hij een arm om me heen en vierden we het die avond met champagne.

Dan zie ik het wit satijnen bandje liggen, met een bruinrode vlek in het midden. Ilse en ik waren net elf jaar geworden, stonden op het punt naar de middelbare school te gaan. Die middag bedachten we een ritueel om elkaar trouw te blijven. Bloedvriendinnen, lachten we trillerig, terwijl we een tijdlang aarzelden om die naald daadwerkelijk in onze vingers te drijven om zo een druppel bloed aan elkaar cadeau te doen.

Ik pak het bandje op en bindt hem om mijn pols. Waar is het misgelopen? Ik mis haar nu zo erg dat ik met liefde een naald in elke vinger zou steken om haar weer terug te hebben als vriendin.

Dan valt me de Scapino-tas op, hij staat vergeten in de hoek van de kamer. Het is me volledig door het hoofd geschoten om die aan Horace te geven toen hij bij me was. Waarom wilde hij de tas eigenlijk terug? Wat zit er in behalve die modderige roze tule?

Ik grijp de tas en haal het roze spul eruit. Losse klontjes aarde vallen op de vloer. Verder niets. Ik kijk rond in haar kamertje, maar ook bij de spulletjes die ik al eerder heb opgehangen kan ik geen zaken ontdekken die niet voor Fleur bedoeld zouden zijn.

Als ik het tule oppak om het terug te stoppen in de tas, rolt er iets uit. Een ring. Ik aarzel om de zegelring op te pakken. Pas als ik de tekens op de ring bekijk weet ik waarvan ik hem ken: de tennisclub. Maar hoe komt Horace daaraan?

# 39 Eerder

Mijn verjaardag, de kerstdagen, oudjaar, het zijn allemaal ge-
passeerde dagen waarop Fleurs aanwezigheid in uren afgemeten
wordt. Op alle andere dagen mis ik haar alleen maar.

Elke dag is een worsteling geworden met de eenzaamheid die
in elke hoek van mijn woning op de loer ligt. Zelfs de allereerste
voorjaarsbloemen hebben mijn hart niet laten buitelen, zo zonder
Fleur om me heen. Zij wees me altijd op de eerste sneeuwklokjes,
een unieke kleur van vroege krokussen of een winterakonietje die
het beton als voedingsbodem had gekozen. Het was een genot om
door haar ogen naar het leven te kijken en eigenlijk ben ik dat al
langer kwijt dan de vijf maanden die ze nu bij Ank en Frank Kramer woont.

Het ergste zijn de vragen van Fleur, altijd vlak voordat ons bezoek afgelopen is. Hoe lang moet ik nog logeren? Waarom komt
pappa wel langs? Ik vind pappa niet lief. Waarom kom jij niet bij
ons thuis? Mamma, ik mis je.

Het huis aan de Maliebaan, waar Fleur nu woont, trekt vandaag
weer zo hard dat ik heel bewust een doel aan mijn wandeling moet
geven om die drang te kunnen weerstaan. Het geeft me al rust als
ik alleen al mag kijken naar het raam waar zij zich achter bevindt.
Maar zelfs dat is me niet gegund.

Het onstuimige winterweer kan me niet tegenhouden om de stad
in te lopen. De natte sneeuw valt gestaag uit een drukkend grijze
lucht, soms als zachte vlokken, soms in een wervelwind van kris-
tallen.

De wind suist om de hoek als ik langs café Olivier loop. De natte sneeuw spat koud op mijn gezicht terwijl ik wegduik in de kraag van mijn jas. Ik wil mensen om me heen, de drukte van de stad helpt, is mijn ervaring. De wind speelt met mijn haren die hierdoor af en toe een deel van mijn blikveld afschermen. Strelingen van de natuur, die net zo stormachtig is als mijn leven.

Elke maand vraag ik opnieuw aan Els of ik Fleur vaker mag zien. Of ik haar mee mag nemen naar een dierentuin. Of ik een dagje met haar weg mag. Het antwoord is altijd hetzelfde. Haar regels gelden in deze verdraaide wereld. Zíj bepaalt of ik mijn kind mag zien, of dat ik nog verder uit haar buurt word gehouden. Zíj bepaalt dat ik me niet meer rondom het huis van het pleeggezin mag ophouden. Zíj bepaalt dat ik niet met eigen ogen kan zien of de Kramers goed voor haar zijn. Regels, regels, regels. En ik heb maar te gehoorzamen, anders straft ze me met nieuwe verordeningen die me nog verder van mijn eigen kind afbrengen.

Het enige wat goed is geweest voor mijn gemoedsrust, is de toevallige ontmoeting met Frank Kramer, al weer enige tijd geleden. Natuurlijk was het niet helemaal toevallig. Zijn huis trekt harder dan de polen van de aarde.

Ik zie hem zo voor me, het goedlachse gezicht, de speelse baard die het gebrek aan hoofdhaar volledig compenseert. Hij had me meegenomen voor een kop koffie in een cafeetje vlakbij. De manier waarop hij over Fleur praatte was zo liefdevol dat ik aan zijn lippen hing. Al mijn vragen beantwoordde hij met een openheid die ik nodig had, maar die Els mij totaal ontnam.

Pas 's nachts in bed kwamen alle bedenkingen, de angsten, de vooroordelen. Mannen en kinderen. Hij is té aardig. Daar moet iets achter zitten. Hoe vaak gaat die combinatie niet fout? Wat flikken ze allemaal met meisjes die hun mond niet open durven doen? Fleur is een gekwetst meisje. Het prototype van een slachtoffer voor misbruik. Maar hoe kan ik haar beschermen als elke vorm van controle van me afgepakt is? Els bepaalt op dit moment mijn leven. De Maliebaan is verboden gebied en rechtstreeks contact met de Kramers is onbespreekbaar. Het scheurt me uit elkaar, maar de dreiging aan extra beperkingen zorgt ervoor dat ik alles slik. Alles wat ik bedenk om Fleur weg te halen of te beschermen, is voor mij onuitvoerbaar omdat het consequenties zal hebben voor de bezoekregeling. Ik kan niet anders dan toezien hoe anderen over Fleur beslissen.

'Janna?'

Ilse is niets veranderd, hooguit lijkt haar make-up zwaarder aangezet dan anders.

'Hé, ik herkende je bijna niet. Hoe is het met je?'

Ik voel haar ogen over mijn lichaam dwalen.

Ik lach en wurm de woorden naar buiten. 'Redelijk goed. En met jou? Is alles weer goed met Dennis?'

De omschakeling van mijn gedachten over Fleur naar Ilse en het leven dat ik ooit heel lang geleden leidde, kost me moeite. Soms vertelt Fleur nog wat verhalen, maar meestal praten we vooral over nieuwe plannen voor een toekomst die ik het liefst direct in zou willen laten gaan.

'Dennis heeft lang gekwakkeld met zijn gezondheid, maar hij is gelukkig nog dikke maatjes met Fleur. Ze ziet er trouwens goed uit.'

Ik glimlach geforceerd. 'Ja, de rust doet haar goed.' De woorden zijn al zo ingesleten dat ik ze zomaar spontaan naar buiten kan flappen.

Ik kijk langs haar heen. De Domtoren staat fier in de beukende wind. Het middenstuk van de machtige kerk is ooit door een harde storm ingestort en het lijkt alsof de toren heeft besloten dat haar zoiets nooit meer zal gebeuren.

'Moet je niet werken vandaag?' Ilse doet een stap opzij om een fietser meer ruimte te geven.

'Nee, ik hoef niets meer. Niet te werken, niet te zorgen, niet op te voeden. Niets.' Ik weet dat het hard en sarcastisch klinkt.

Ilses ogen schieten naar beneden. 'Het spijt me.'

Ik zou mijn harde opmerking terug willen nemen. Ik kan me voorstellen dat mensen liever niet geconfronteerd worden met mijn huidige leven. Zelf weet ik al bijna niet beter meer. De brief met de ontslagaanvraag, die ik nota bene zelf heb opgesteld, kwam als een complete verrassing. Navraag bij Bram gaf aan dat ik nu tot een van de slachtoffers behoorde. Niet alleen was ik mijn promotie misgelopen, de baan die ik tot die tijd had gehad was gewoon geschrapt. En dus stond ik op straat. Een rang die eigenlijk al vertrouwd begon aan te voelen. Als alles in een draaikolk naar beneden terechtkomt, kun je je haast niet meer voorstellen dat er ooit nog iets goed zal gaan. Vechten had geen zin gehad, bovendien bleek het vluchten vele malen gemakkelijker.

'Het maakt niet uit.' Ik probeer opgewekt te klinken. 'Ik red me wel, hoor. Leuk dat Fleur nog steeds zo veel met Dennis speelt.'

De opluchting is duidelijk van Ilses gezicht af te lezen. Zo zou een vreemde reageren, kan ik alleen maar denken. Een vriendin zou juist doorvragen, proberen op te peppen, of een schouder bieden. Die vlucht niet weg in geleuter over de knutselwerkjes van school, het weer, of bibliotheekboeken die allang teruggebracht hadden moeten worden.

'Fleur heeft het wel goed getroffen. Die Frank Kramer is echt een warme persoonlijkheid.'

'Ja, dat geloof ik ook.'

Waarom zeg ik niet dat Fleur bij mij hoort? Dat niemand het recht heeft mijn dochter om zich heen te hebben? Die woede blijft ergens in mijn onderbuik aanwezig, maar in tegenstelling tot enige tijd geleden laat ik de lava niet meer naar buiten spuwen. Ik luister nauwelijks en laat Ilses te opgewekte woorden langs me heen glijden. Tot ik de naam Roderick hoor.

'Hij komt haar regelmatig ophalen, en brengt haar dan naar de Kramers. Op zich wel makkelijk, want als ik met twee kinderen weer de hele stad door zou…' Ze stokt. Ik merk dat ze mij aanstaart.

'Roderick mág haar helemaal niet zomaar ophalen.' Ik knijp mijn lippen tot een smalle spleet om mijn woede tegen te houden.

'O, dat wist ik niet. Roderick kent Frank toch? Wat maakt het uit. Ik heb…'

'Je hebt wat?' blaf ik haar toe.

'Ik kwam hem tegen bij school en hij bood het zo spontaan aan dat ik dacht dat het wel goed zat.'

'Meneer Eikel, weet je nog wel?' Ik bal mijn handen tot vuisten, en steek ze diep in mijn jaszak.

Ik kan me niet voorstellen dat mijn vriendin dit zegt. Ilse, die haar mening altijd klaar had en die een nog grotere hekel aan Roderick had dan ik. En juist zíj zorgt er nu voor dat hij veel vaker bij Fleur is?

'Weet je nog hoe weinig hij voor zijn dochter wilde doen? Fleur was bij voorbaat een lastige vlieg die om zijn hoofd zoemde terwijl hij rust wilde. Hij haat vliegen, die slaat hij weg. Dus waarom zou hij Fleur dan op willen halen? Heb je daar al eens aan gedacht?'

'Kom op, Janna. Hij is veranderd.'

'Jij bent veranderd!' Ik voel alles in mijn lichaam aanspannen en weet dat ik nu weg moet gaan om niet meer stuk te maken dan alleen onze vriendschap.

'Kijk ook eens naar jezelf. Je bent niet eens meer een schim van jezelf. Volgens jou is iedereen schuldig aan de dingen die jóu overkomen zijn, alleen jijzelf niet. Je strooit met klaagliederen over Roderick, de bso, Jeugdzorg en over Ank en Frank Kramer, die hun stinkende best doen om Fleur weer vertrouwen in het leven te geven.'

Ik kijk haar aan en doe vreselijk mijn best de controle terug te vinden, maar alles doet pijn. Haar woorden, haar oordelende ogen, de beschuldiging aan mijn adres.

'Het is niet eerlijk,' spuug ik in haar richting. 'Iedereen is eropuit om mijn leven moeilijker te maken dan het al is. Niemand vraagt hoe het met míj is. Iedereen heeft het over het welzijn van Fleur, van het bedrijf, zelfs van Roderick. Ik voel me zo in een hoek geschopt. Het lijkt alsof ik op de grond getrapt word en dat iedereen bezig is om me als een kakkerlak plat te trappen. Te vies om met de handen aan te raken. Een verschoppeling die het nooit goed kan doen.' Alles wordt weer opgehaald. De pijn van de laatste maanden komt weer aan het oppervlak terwijl ik zo mijn best heb gedaan het weg te stoppen om het maar niet te hoeven voelen. Nu mijn beste vriendin, die ooit aan mijn kant heeft gestaan, mij zo duidelijk laat vallen, komt alles terug. Begrijpt zelfs zíj me niet?

'Er zijn zo veel handen naar je uitgestoken, Janna. Je hebt de hulp alleen niet aanvaard. De fles is je nieuwe houvast geworden. Waarom heb je niet meegewerkt toen Jeugdzorg wilde helpen? Je bent gewoon weggebleven, en hebt Fleur daarmee tekortgedaan.'

'Ik Fleur tekortgedaan? Ik doe alles voor Fleur. Echt alles! Ze is van me afgepakt. En weet je wat me nu wordt verweten? Dat ik de hechting in de weg sta. Hechting aan de pleegouders, welteverstaan. Ik mag haar nog maar één keer per maand zien. Eén keer per maand! En waarom? Omdat ik wilde weten waar ze woonde. Wilde zien dat die pleegouders goed voor haar waren. Ze houden me bij haar weg.'

'Dat is toch logisch? Je stond zo vaak voor hun deur dat het op stalken ging lijken.'

Ik staar naar de grond en concentreer me op de straatstenen. Ik heb een pesthekel aan al die beschuldigingen die bij iedereen zo makkelijk over de lippen glijden. Steeds weer word ik in een verdediging gedwongen, terwijl ik helemaal niet wil vechten.

Ook nu krijg ik weer nieuwe informatie die ik moet zien te verwerken. Roderick die zo handig gebruik maakt van zijn mannelijke charme, van zijn netwerk, en van het vertrouwen dat mensen nu eenmaal in een advocaat stellen. Hij blijkt andere regels opgelegd te krijgen dan ik. Die oneerlijkheid wringt met mijn rechtvaardigheidsgevoel. Het klopt gewoon niet, maar niemand schijnt dat te zien.

Dan voel ik twee handen op mijn schouders. Ilses gezicht is vlak bij het mijne. Een sprankje van de oude verstandhouding komt terug, tot ze begint te praten. 'Kijk ook eens naar jouw aandeel in deze hele geschiedenis. Je bent niet de eerste gescheiden vrouw die naast haar huishouden en een baan, een kind moet verzorgen. Waarom loopt het bij jou dan fout? Waarom zie je niet dat mensen geprobeerd hebben om je te helpen. Kan het niet zo zijn dat Roderick veranderd is en zijn best doet om zijn fouten te herstellen?'

Ik schud haar handen van me af. Ze heeft geen gelijk. Het is niet mijn schuld! Het is Roderick, die is bezig iedereen om zijn vinger te winden. Ik wrijf driftig over mijn ogen waar tranen zomaar zijn opgeweld.

'Je ziet het verkeerd. Jij trapt net zo hard in zijn mooie praatjes als iedereen, terwijl jij hem toch beter zou moeten kennen. Roderick is niet te vertrouwen, hij doet niets uit liefde voor Fleur. Hij wilde toch nooit iets met haar te maken hebben? Geld, succes en een goede naam, daar was hij mee bezig. Nu strooit hij iedereen zand in de ogen. Er zit iets anders achter, en ik zal ontdekken wat het is. Dat ben ik aan Fleur verschuldigd. Zij mag hier nooit het slachtoffer van worden.'

Dan wend ik me van haar af en loop weg. Door de waas in mijn ogen bots ik tegen mensen op, maar niets kan me tegenhouden om mijn woorden tot waarheid te maken. Roderick is iets van plan, en ik zal hem tegenhouden, wat ik daar ook voor moet doen.

# 40

De woorden blijven steeds weer terugkomen, bij elke bocht die ik omsla, bij elk café dat ik in duik, bij elk glas dat ik leeg. Roderick zal nooit zomaar iets doen. De nieuwe informatie van Ilse maakt me duidelijk dat hij iets in zijn schild voert. Hij heeft zelf aangegeven dat hij alles zou doen wat in zijn macht lag om mij het leven zuur te maken. Híj is vast degene die een melding heeft geplaatst bij het AMK. Daarom krijgt hij wel contactmogelijkheden met zijn dochter en zijn de mijne beperkt.

*Roderick kent Frank toch?* Zei Ilse dat? Of kent Frank Roderick, omdat hij de pleegvader ook een keer ontmoet heeft, net als ik. Ik weet niet meer precies wat Ilse zei. Zie ik de juiste waarheid nog wel? Ben ik echt bezig mijn verstand te verliezen?

'Wilt u nog wat gebruiken?' De serveerster lijkt op Fleur, is mijn eerste gedachte als ik de helderblauwe ogen zie in het door sproeten gekleurde gezicht. Opeens is de wens overheersend aanwezig dat ik van nabij wil meemaken hoe mijn dochter langzaam verandert in een jonge vrouw. Hoe ze haar nieuwe gebit zal poetsen, haar eerste make-up gaat dragen, ongesteld zal worden.

'Mevrouw? Voelt u zich wel goed?'

Weer die prachtige ogen. Er kietelt iets op mijn huid, als een vliegje dat langzaam de weg over mijn gezicht aan het verkennen is. Ik strijk in een opwelling over mijn wang, die nat blijkt te zijn.

Voel ik me goed? Nee, het verdriet wordt alleen maar dieper, het gemis groter, terwijl je zou verwachten dat je eraan moet kunnen wennen.

'Heb jij ooit iets verloren?' vraag ik dan aan het meisje dat haar aandacht al verlegd heeft naar andere klanten. Ik zie verderop een man die haar ongeduldig wenkt.

'Bent u iets kwijt, mevrouw?'

Mijn kind ben ik kwijt, wil ik schreeuwen, maar ik besef dat het zinloos is. Niemand schijnt me te kunnen helpen. 'Laat maar. Breng me er nog maar eentje,' zeg ik en ik wijs op mijn lege glas.

Ik kijk haar na, zoals ze handig langs de volle tafeltjes laveert en zich vooroverbuigt naar de man die met heftige gebaren zijn woorden kracht bijzet. Zijn bruine haardos is wild en zijn ogen fel. Een happende mond die woorden uitspuwt die het meisje onderdanig opvangt. Hij lijkt op een vis die te lang droog heeft gestaan.

De drukte in het café is tegenstrijdig met de stilte die om me heen hangt. Het is opeens volstrekt onduidelijk wie ik eigenlijk ben. Ik weet alleen nog maar wie ik was, ooit lang geleden. Toen was het makkelijk om mezelf te plaatsen. Ik was dochter van twee liefhebbende ouders, later verliefd, getrouwd, en als laatste zelf moeder van een lieve dochter. Nu ben ik mijn identiteit kwijtgeraakt. Ik ben niemand meer. Geen echtgenote, geen moeder en zelfs geen vriendin meer. Het is alsof mijn leven compleet verdwenen is en ik in een andere wereld sta. Er is geen duidelijkheid meer, geen vast punt, geen persoon die ik onvoorwaardelijk kan vertrouwen. Mensen zeggen dingen die voor mij een andere waarheid bevatten. Alsof rood opeens blauw geworden is, en ik de enige ben die dat niet weet. Ik vecht tegen waarheden die alleen voor mij lijken te gelden.

'Dit drankje wordt u aangeboden door die meneer.' De serveerster wijst in de richting van de visman. Ik wil het afwijzen, maar ze is al weer verdwenen. Binnen een minuut zit de man bij me aan tafel.


De drank van de visman is niet eens lekker, maar de uitwerking blijft prettig. Het is een staat van ontspanning die ik me slechts vaag herinner als normaal. Alsof in een vorig leven andere maatstaven golden.

'Geef mij nog wat.' De fles wordt uit mijn handen getrokken. 'Je hebt nu wel genoeg gehad, dame.'

'Onzin,' mompel ik. Een zware arm hangt om mijn nek, terwijl ik mijn evenwicht probeer te bewaren. De straat waarop we lopen beweegt.

'Straks moet ik je nog dragen.'

Ik kijk omhoog en probeer zijn ogen te vangen. 'Niet overdrijven, Sjaak.'

'Tom.'

'Tom of Sjaak, wat maakt het uit.' Ik begin te giechelen als ik zijn mond weer die naar lucht happende beweging zie maken. Zijn hand glipt als een koude metalen tang onder mijn shirt en knijpt onzacht in mijn borst.

'Geef me eens een kusje, lekker ding.'

Ik zie twee dikke lippen voor mijn neus. De vis blijft happen.

'Je moet terug,' zeg ik.

'Terug?'

'Ja, in het water.' Het is zo grappig, zeker als zijn ogen ook nog als vissenogen opengesperd worden.

'Ach mens, sodemieter toch op. Ik zoek wel iets anders.'

De duw komt onverwachts, en ik klap tegen een straatlantaarn aan die meteen uitfloept. Ik wrijf over mijn schouder en kijk de visman na. Was het zonet nog supergrappig, nu kan ik wel huilen. Bovendien heeft hij de fles meegenomen. Er valt niets meer te lachen. Boos wrijf ik de tranen weg die als kleine ijsdruppels op mijn wangen blijven hangen. Dan trek ik mijn jas om me heen. De nacht is kouder dan ik had verwacht.

Als ik de hoek omsla sluit de stilte me in. Ik hoor slechts wat stadsgeruis op de achtergrond. Vreemd in een studentenstad ergens halverwege de avond. Of is het al later? Ik probeer op mijn horloge te kijken, maar de cijfers zijn onleesbaar. Maakt ook niet uit. Er zit niemand op me te wachten. Niet meer.

Een onheilspellend gevoel kruipt omhoog. Ben ik wel alleen? Of word ik nog in de gaten gehouden door de visman? Of is de schim die ik denk te zien van iemand anders? Vast een andere eenzame ziel. Aan beide zijden ben ik nu ingesloten door hoge muren. Daarboven de grijze lucht in een omgeving die nooit echt donker wordt.

'Niets wordt meer zo donker als mijn leven nu is,' mompel ik voor me uit. Het is verdomme waar. Waarom ben ik er eigenlijk nog? Niemand heeft mij nodig. Roderick niet. Zelfs Fleur niet.

Het interesseert me niet dat mijn tranen blijven lopen, en het snot uit mijn neus blijft opwellen. Ik snuif hard, maar het verdriet is vanavond niet te stillen.

De punt van mijn schoen blijft steken achter een scheve tegel en in een reflex grijp ik om me heen om mezelf op de been te houden. Leegte. Niemand meer naast me. Als ik dat bedenk voel ik me zieliger dan ooit.

Achter me hoor ik stemmen. Drie fietsers rijden langs, een bel trilt zacht in het ritme van de straatstenen.

'Neem nog een borrel,' galmt een jonge stem door de straat. Gelach klinkt en ebt samen met het gerammel van de fietsen weg. Ik ben weer alleen.

In mijn binnenzak zit mijn reserveflesje. Klein, maar net voldoende voor een korte kick.

'Had je niet gedacht, hè?' gniffel ik tegen de visman die allang ondergedoken is in de stad. Met mijn ogen dicht volg ik de warmte die zich heerlijk door mijn koude lijf verspreidt. Als ik mijn ogen weer open valt me op dat ik vlak langs een gracht loop. De Kromme Nieuwegracht, hoe krijg ik het voor elkaar.

Ik schuifel naar het hekwerk dat verstopt ligt achter fietsskeletten. Ergens beneden mij moet de gracht liggen, veel smaller dan in mijn herinnering.

Als ik bij een bruggetje kom probeer ik het huisnummer te lezen. Een duizeling bevangt me terwijl ik een oude straatlantaarn naast me vind. Houvast in de nacht, bedenk ik, terwijl ik mijn arm om de kille paal sla. Ik begin weer te grinniken. Het is echt té grappig dat ik zomaar in het holst van de nacht bij Roderick voor de deur sta. Ik wil schreeuwen dat hij zijn vuile spel zal verliezen omdat ik er wel achter zal komen wat hem drijft.

Mijn vrolijkheid slaat om. Hij is de oorzaak van alles. Als hij me niet verlaten had was Fleur nog gewoon thuis.

Het lijkt al eeuwen geleden dat ik hem vanaf dit bruggetje toegeschreeuwd heb. Wat er daarna gebeurd is druk ik weg. Toen is het begonnen.

Midden op de brug stop ik. De geur van donker water dringt diep in mijn neus. Kil als de nacht, en met een herfstige prikkeling. Ik heb nooit begrepen waarom mensen een huis willen dat met zijn voeten in het water staat. Vochtig als de pest. Schimmels als huisdieren.

Ergens onder me lijkt iets te bewegen. Een man? Wie gaat vrijwillig in de nacht onder een brug liggen? Als de gedachte aan de visman terugkomt siddert mijn lichaam.

De voordeur ligt als een wazige wand voor me. Mijn benen voelen slap en de wereld heeft moeite om stil te staan, toch zijn het slechts drie grote passen tot aan de hoge voordeur.

Hier woont die klootzak die mijn leven verwoest heeft. De eikel. Het is gewoon niet voor te stellen dat iemand zoiets doet, en het ergste is dat niemand me gelooft. De grote charmeur. Een stemmingmaker. Niet voor niets heeft hij Els bewerkt, contact gezocht met de Kramers en nu zelfs Ilse om zijn vinger gewonden. Meneer de charmeur is in volle actie. Hij moet gestopt worden voordat hij nog meer ellende veroorzaakt.

'Doe open, Roderick. Ik weet dat je hier bent.'

Geen enkele vezel in mijn lijf wil hem zien, maar de waas die mijn handelen overneemt beslist anders. Die vent moet kapot. Ik zal hém eens slaan. Mijn vuisten eens op hém stukslaan. Eindelijk zal hij eens weten hoe dat voelt.

De hittebal aan wraakgevoelens zorgt voor een enorme kracht waardoor ik mijn vuisten kapotsla op de deur.

'Als je niet opendoet doe ik je wat aan.' De stem klinkt vreemd schril. Ben ik dat?

Moeizaam houd ik mezelf staande tegen de deur. Dan zie ik de metalen knop aan de zijkant. Ik ruk aan de bel.

Hoe kan hij me dit aandoen nadat ik zo veel jaren met hem getrouwd ben geweest? Wat wil hij nu nog? Hoeveel dieper kan hij me nog raken? Ik ben alles kwijtgeraakt. Zelfs mijn kind is elders ondergebracht.

Dat is het. Het idee dat hij nog verder zal gaan laat me niet meer los. Zie je wel dat hij nooit meer zal stoppen. Hij zal steeds nieuwe bronnen aanboren om me verder kapot te maken. Maar nog erger is dat Ilse vertelde dat hij het pleeggezin bewerkt. Nu gaat hij verder met Fleur. Lieve kleine Fleur. Dat mag niet. Nu gaat hij te ver. Ooit heb ik hem beloofd dat ik haar zal beschermen met mijn leven. Nu is die tijd gekomen om dat leven te nemen. Alleen dan dat van hem.

'Je bent wat van plan hè, vuile klootzak. Ik zal je tegenhouden.' Ik bonk op de deur, en voel dan opeens het koele hout tegen mijn wang als de wereld besluit een kwartslag te draaien.

Mijn lichaam schuift langzaam naar beneden, terwijl elk beeld in mijn hoofd vervaagt. Vochtig zand schuurt langs mijn wang, en een nat blad blijft plakken aan mijn mond. Ik spuug. Als ik me probeer op te duwen blijken mijn benen te zwaar te zijn en niet gemaakt om mijn gewicht te dragen.

Ik sla om me heen tegen alles wat ik naast me voel. Hard en totaal ongecontroleerd. Alles doet zeer, maar ik stop niet. Ik wil beuken op een lijf dat ik ooit liefhad. Hij is slecht, zo in en in slecht. Het ergste is dat ik hem nooit heb doorzien. Kapot moet hij. Dood, wat mij betreft. Wat maakt het uit als deze man er niet meer is. Er is niets aan hem verloren. Hij moet van mijn liefste bezit afblijven.

'Nooit, nee nooit zal jij haar krijgen. Ik vermoord je! Hoor je me? Je bent niet veilig meer.' Ik gil het uit, maar kan mijn eigen stem nauwelijks onderscheiden.

Hoor ik nu een deur opengaan? Ik probeer mijn hoofd op te tillen, maar mijn hersens tollen in het rond. Ik graai om me heen en voel dat er iets scherps in de palm van mijn hand gedreven wordt. Waanzin neemt het over. De pijn schreeuw ik naar buiten. Ik grijp de pin en trek hem uit mijn hand. Het is een openbaring dat mijn lichamelijke pijn zomaar te dragen valt en in niets vergelijkbaar is met de kramp die op een lege plek in mijn borst zit. Ooit zat daar een gevoel dat diep bonzend verlangen op kon wekken. Nu is er niets.

Met de pin in mijn hand sla ik opnieuw om me heen. Ik raak verward in de struiken die langs de vochtige stenen van het grachtenpand omhoog klimmen. De stengels houden me tegen en beperken mijn bewegingen.

'Laat me los,' roep ik, terwijl ik me steeds machtelozer voel tegenover alles wat met Roderick te maken heeft. Ik probeer me te bevrijden, maar mijn spieren gehoorzamen niet. Al kronkelend langs de muur houd ik angstvallig de gracht in de gaten. Daarbeneden is het koud, vies en vooral donker. De opstijgende geur van mos en rottende bladeren belooft geen welkome opvang. Als ik mijn ogen sluit begint alles om me heen te draaien. Donkere sluiers wentelen mee en bedekken bekende contouren. Er lijkt zelfs een bekende stem te klinken. Donkere ogen die me aankijken.

'Roderick?'

'Ga weg. Maak dat je wegkomt.' Een fluistering vanuit de diepte.

Weggaan? Nooit. Mijn ogen trachten weer beelden op te vangen. Die smeerlap staat vast minachtend op me neer te kijken. Ik ken die blik. Altijd als ik beurs geslagen op de grond lag, bleef hij staan kijken. De vuilak!

Mijn hand schiet los uit de beklemmende greep van de klimop. De scherpe pin duw ik met kracht naar voren. Iets zachts vangt hem op. Nog een keer. Keer op keer steek ik toe.

'Je hebt het verdiend.'

Is dat hese gefluister mijn stem? De woede zakt weg, tot ik me niet meer voor kan stellen dat de hitte me zo heeft beïnvloed. De neiging om hem nog vaker te steken is op slag verdwenen. Ik sla mijn handen voor mijn gezicht in een poging me te verbergen voor zijn ogen. Hij hoeft niet te zien dat ik huil.

Het is opeens stil. Er is helemaal niemand om me heen, alleen die irritante nevels blijven hangen. Ik probeer ze weg te slaan, maar ze zijn taai en hardnekkig. Was het echt Roderick of slechts een spookbeeld? Het maakt me allemaal niet meer uit. Ik ben moe van het vechten tegen al het onrecht dat me is aangedaan. Niemand wil luisteren. Niemand helpt me. Het is alsof de hele wereld tegen me is, met Roderick als boze aanvoerder. Het gevecht is nu geleverd, en ik mag eindelijk uitrusten en de vermoeidheid toelaten.

Mijn hoofd legt zich neer op de kussens van mijn armen. Eindelijk rust. Ik zak weg op de zachtheid die mijn eigen lichaam me biedt.

Slechts vaag registreer ik dat iemand me onder mijn oksels pakt, me overeind trekt en me vervolgens meesleept. Er komt geen enkele reactie op mijn 'laat me los'. Mijn voeten kunnen geen houvast vinden. Steeds die harde grond die onder me door blijft bewegen.

Eindelijk mag ik weer liggen. Waar ben ik? Het maakt me eigenlijk niet uit. Ik wil alleen maar slapen. Met rust gelaten worden. Te moe.

Dan zijn er handen die aan mijn kleding trekken.

'Laat me. Wat wil je?'

Het antwoord komt in de vorm van grijpende vingers op plekken die van mij alleen zijn. Ze zijn als lastige insecten in de zomer. Wegslaan helpt niet, ze blijven terugkeren. Ik sluit mijn ogen en verdwijn. Dezelfde stilte die ik in de afgelopen maanden zo vervloekt heb, vangt me nu op.

# 41 Later

'Het gaat om Fleur en jou, de moord is bijzaak,' zegt Fenna als ik haar bel over de gevonden zegelring. 'Dat klinkt misschien vreemd, maar we hebben er nu geen tijd voor. Ik wil eerst meer te weten komen over de familie Kramer.'

Pas nadat ze het contact verbroken heeft, besef ik dat er opeens iemand anders voor me aan het vechten is. Op dit moment kan ik zelf even niets doen.

Rusteloos staar ik door het raam naar buiten. Door alle emoties is het me ontgaan dat de zomer echt losgebarsten is. Ik gooi het raam open, sluit mijn ogen en adem diep door. De warmte dringt door in mijn hele lichaam, verwarmt mijn huid en zorgt ervoor dat mijn lichaam ontwaakt.

Op het kanaal in de verte zie ik een vrachtschip dat traag het water opzijduwt. Een lange rij hoge bomen vormt een afscheiding voor het achterliggende terrein vol zand en grintheuvels. De hoge schoorsteen steekt uit boven de met lopende banden en vreemde buizen gevulde kavel uit. Handelswaar die ingeladen en gelost wordt. Daarachter een leegte alsof dit het allerlaatste station is.

Dan valt me een figuur op, weggedrukt tegen de knoestige beukenboom. Een witwollen kraag. Lichtblond stekelhaar.

Dat kan niet. Voorzichtig schud ik mijn hoofd om het beeld te laten verdwijnen. Een waanbeeld door het intense verlangen niet meer alleen te zijn. Wanneer houdt dit nou eens op?

Als ik weer kijk is de vrouw weg. Zie je wel, denk ik. De teleurstelling druk ik weg. Waarom zou Ilse in deze wijk opduiken?

Het lijkt wel alsof het gemis in de loop van de tijd alleen maar sterker is geworden. Alsof het door geplengde tranen blijft groeien. Het gaat deel uitmaken van een nieuw leven, maar tegelijkertijd slaag ik er niet in om het geslagen gat op te vullen.

Tegen beter weten in speur ik de hele straat af. Dan zie ik haar opnieuw, ze staat tussen twee geparkeerde auto's in.

'Ilse?'

Ik hang nu half uit het raam.

'Ilse!'

Als haar ogen de mijne kruisen weet ik dat ik dit beeld kan vertrouwen.

'Blijf daar, ik kom naar beneden.'

Mijn hart gaat bonkend tekeer als ik de trappen naar beneden afstuiter. Geen Horace, registreer ik terwijl ik langs zijn spullen ren. Geen tijd voor gesprekken. Geen tijd voor vragen of excuses. Ik wil Ilse spreken. Onze laatste ontmoeting is niet echt een fijne afsluiting geweest. Pas later besefte ik dat ze toch maar naar de rechtbank was gekomen om me op te halen. Als enige uit de vernauwde vriendenkring van vroeger.

Op de hoek van de straat zie ik dat ze is blijven staan. Wilde ze weglopen? Mijn snelheid vertraagt tot een normaal looptempo, tot ik op een meter afstand blijf staan.

'Hallo Ilse.' Ik zie de trieste trek op haar gezicht. Ze blijft me aankijken waarbij haar ogen een compleet scala van boodschappen uitzenden.

'Ik vind jóu niet vies,' zegt ze uiteindelijk.

Even weet ik niet waar ze het over heeft. Dan slaak ik een zucht. 'Dat weet ik.'

'Je bent zo veranderd.'

'Het gaat nu beter met me.'

'Dat is fijn.'

'Ik drink niet meer.' Ik houd elke spiertrekking in haar gezicht in de peiling. Feilloos registreer ik dat ze me gelooft.

'Het was mijn schuld.'

'Mooi niet, die eer komt mezelf toe.' Ik schiet in een trekkerig lachje. 'Wil je niet binnenkomen? Ik heb je veel te vertellen.'

Het is zo vertrouwd. We hangen elk aan een kant van de bank en liggen met de benen over elkaar heen, terwijl we het ontbrekende stuk leven uitwisselen.

'Ik had je nooit zo terecht mogen wijzen,' geeft Ilse aan. Ze neemt een slok frisdrank, wijn of wodka is niet ter sprake gekomen. 'Pas later heb ik me afgevraagd wat ik gedaan zou hebben als iemand me Dennis had afgenomen. Ik denk dat ik iedereen die bij hem in de buurt wilde komen de ogen uitgekrabd had, de handen afgehakt of misschien wel erger.'

Ik denk aan mijn doodswens voor Roderick.

'Weet je dat ik hier al zo vaak langsgelopen ben dat de bewoners van deze flat me bijna als stalker zouden kunnen zien?' Ze schiet in de lach.

Er trekt een glimlach over mijn gezicht. 'Goed dat je er weer bent.'

De stilte die blijft hangen is gevuld met herinneringen uit een tijd die we allebei weer terug willen vinden. Ik geniet van de lome warmte van haar aanwezigheid.

'Ik weet niet of ik het eerder heb gezegd, maar ik wil je graag helpen. Ik wil alles voor je doen zodat je Fleur weer thuis zult krijgen.'

Ondanks het vanzelfsprekende gevoel dat nu weer heerst, durf ik eindelijk de vraag te stellen die al een tijdje op de loer lag. 'Jij kent de Kramers beter dan ik. Wat weet je van ze? Er schijnen problemen te zijn, maar de gezinsvoogd wil mij er natuurlijk niets over vertellen.'

'De Kramers zijn lieve mensen. Ik heb het idee dat ze goed voor Fleur zorgen, en dat ze het daar best naar haar zin heeft.'

Ilses woorden geven me een dubbel gevoel.

'Fleur is regelmatig bij ons geweest. Soms kwam Frank haar op-halen.'

'En soms deed Roderick dat,' vul ik haar aan.

'Ja, dat kwam wel voor. Op zich zag ik daar geen probleem in, tot jij aangaf waar Roderick mee bezig was. Ik heb er gewoon niet bij stilgestaan dat hij met andere zaken bezig kon zijn.'

'Welke andere zaken?'

'Eigenlijk drong alles pas tot me door nadat Roderick... was gevonden. Hij kende Frank uit het netwerk van de tennisclub. Ik wist dat Frank en Ank graag kinderen wilden, maar dat het niet lukte. Toen ik hoorde dat Fleur bij hen ondergebracht zou worden, vond ik dat eigenlijk alleen maar een heel goed idee. Het zou Fleur wat rust geven, jou de mogelijkheid om je zaken op orde te krijgen en de Kramers zouden het heerlijk vinden om tijdelijk voor Fleur te kunnen zorgen.'

'Tijdelijk.' De cynische klank laat het gezicht van Ilse betrekken.

'Ik wist toch niet wat er verder allemaal speelde?'

'Sorry, ga verder.' Ik streel even over het been dat nog steeds over mijn buik ligt.

'In die tijd bleek echter dat jij de weg een beetje kwijtraakte.' Ze kijkt me aan en wacht of ik reageer.

Ik knik echter alsof ik wil aangeven dat ik het met haar eens ben. Mijn keel zit echter zo op slot dat ik geen woord uit kan brengen.

'Ik heb geprobeerd je zo veel mogelijk op te vangen, maar toen werd Dennis ziek. Ik had zelf hulp en steun nodig en klopte tevergeefs bij jou aan. Ik moest je wel loslaten om zelf mijn hoofd boven water te houden. Ik was blij dat Dennis op gezette tijden welkom was bij de Kramers.'

Ik schraap mijn keel. Het schuldgevoel is immens aanwezig. 'Ik ben behoorlijk verkeerd bezig geweest. Toch blijft het bij mij knagen waarom Roderick zich zo ingespannen heeft om Fleur bij de Kramers te krijgen. Zijn dochter interesseerde hem helemaal niet. Of is hij er alleen maar op uit geweest om mij te kwetsen?' Dat laatste is het. Dat moet wel.

'Judith heeft Fleur soms ook wel opgevangen. Maar weet je wat zo vreemd was?'

De naam raakt me minder dan ik dacht. Ze is in Rodericks val getrapt, net als ik.

'Roderick wilde zijn dochter pertinent niet zelf in huis hebben. Hij wilde dat Fleur bij de Kramers zou gaan wonen. Hij gaf als reden op dat het voor Fleur beter was om niet geconfronteerd te worden met de minnares van haar vader, maar dat geloofde Judith helemaal niet. Ze vond het een vreemde inconsistentie.'

'Het klinkt wel precies zoals Roderick was. Hij vond Fleur alleen maar lastig.'

'Judith had het idee dat er iets anders achter zat. Vanaf de scheiding had Roderick opeens wel verdacht veel aandacht voor Fleur.' Ilse kijkt nu peinzend voor zich uit.

'Nou, in ieder geval was het geen vaderliefde, dat is mij wel duidelijk.' Ik trek mijn been iets opzij, omdat die langzaam afgekneld wordt.

'Judith vertelde dat hij het steeds over zijn oude maatjes had. Daar werd ze gek van. Die tennislui waren alles voor hem.'

'Zijn machtige netwerk heeft hem overal doorheen gesleept. Zo is de politie bewerkt, het straatverbod ingetrokken en heb ik geen alimentatie gekregen, omdat Roderick alles van tevoren op papier had gezet. Hij heeft zelfs Jeugdzorg ingeschakeld.'

De verbijstering op Ilses gezicht doet me goed.

'En hij heeft een prachtig pand kunnen kopen, maar zijn vrouw onderhouden vond meneer niet nodig.' Het klinkt zuur, maar dat maakt me niets uit. 'Geld is machtiger dan wat dan ook. Dat netwerk werd verbonden door geld, misschien waren de Kramers daar ook wel op uit.'

'Nee,' zegt Ilse heel beslist. 'De Kramers zijn niet zo, dat weet ik zeker. Ik hoorde…' Ze zwijgt abrupt.

'Wat hoorde je?'

'Nee, laat maar.' Ze buigt opzij om haar glas te pakken en neemt tergend langzaam een slok.

'Kom op, Ilse. Het is nu te laat om te zwijgen. Het gaat om Fleur, besef dat wel.'

Ze strijkt over haar blonde stekels, trekt haar benen naar zich toe en gaat rechtop zitten. 'Ik wil de Kramers niet zwartmaken.'

Wat kan ik zeggen? Ik zou haar door elkaar willen schudden, willen dwingen alles te vertellen wat kan maken dat ik Fleur weer terugkrijg. Maar ja, eigenlijk maakt het niet eens uit wat ze zegt, gezinsvoogd Els gelooft alleen de Kramers maar. Pas als ik dat duidelijk gemaakt heb, gaat ze verder.

'Op een dag was ik bij de Kramers om Dennis op te halen toen er aangebeld werd. Dat was Roderick. Vanuit de woonkamer hoorde ik Frank roepen. "Nee, ik ga er niet voor betalen. Doe je best maar als je dat niet laten kan." Daarna volgde een scheldpartij van Roderick en hoorde ik de deur dichtklappen. Natuurlijk heb ik er later niet naar gevraagd, dat zijn niet mijn zaken.'

Ik laat de woorden tot me doordringen. Frank moest ergens voor betalen? Dat is vreemd, je zou eerder denken dat Roderick de kosten zou vergoeden voor de opvang van Fleur, maar dat is dus niet zo. Mijn ex is ook niet iemand die graag betaalt, hij zou het eerder zo regelen dat hij betaald krijgt. Een stiekeme ritselaar die zaken zo draait dat ze hém goed uitkomen.

Een idee zet zich in mijn hoofd vast. Is hij betaald? Zou hij zoiets kunnen doen? Niets lijkt onmogelijk, maar dit gaat wel heel ver.

Ik laat mijn vastgezette adem ontsnappen. 'Fijn dat je het me verteld hebt, Ilse. Mogelijk kan het me verder helpen.'

'Wist je maar wie Roderick heeft vermoord, dan ben je ook direct vrijgepleit.' Ze zucht en laat zich weer wat onderuitzakken.

Een beetje stijf geworden sta ik op. Ik zie dat Ilse direct haar benen uitstrekt. Het voelt goed dat ze zich weer thuis voelt bij me, zelfs in een flat in Kanaleneiland. Ik schud mijn spieren los en loop naar het toilet. Er draait van alles door mijn hoofd, maar er lijkt zich ook een duidelijk spoor vast te zetten. Roderick is met veel smeriger zaken bezig geweest.

Haar laatste woorden brengen me terug bij Horace en ik wil haar graag vertellen over de speciale vriendschap die ik voor hem voel en de verwarrende verdenking die daar doorheen speelt.

Terwijl ik doortrek denk ik aan de ring die ik gevonden heb. Zou Ilse de ring herkennen? Ik glip de slaapkamer in en neem de ring mee terug naar de woonkamer, waar Ilse zachtjes ligt te neuriën.

'Zegt deze ring je wat?' Terwijl ik op de zitzak ga zitten houd ik haar gezicht goed in de peiling. Ze draait de zegelring om en om en bekijkt de afbeelding op de ring.

'TCU. Dat moet wel van de tennisclub zijn.'

'Klopt.' Ik knijp mijn lippen op elkaar.

'Had Roderick niet zo'n ring?' Ze geeft me de ring terug.

'Klopt weer.'

'Hoe kom jij er dan aan?' Ik peil of ik wantrouwen zie, maar haar blik vraagt alleen maar om meer informatie.

Ik vraag me af of ik de naam Horace moet noemen. Ik wil eigenlijk alleen maar positieve dingen over hem zeggen, vertellen over de zachtheid waarmee hij met me gevreeën heeft, de zorgzaamheid waarmee hij me omringd heeft en dan hopen dat Ilse met me mee wil dromen over een toekomst die misschien wel onzeker, maar tegelijkertijd weer vol hoop is. Het is echter ook duidelijk dat alles wat ik nu ga zeggen alleen maar verdenking oproept. Hoe kan het ook anders. Als ik zelf die achterdocht al heb, dan is die bij Ilse vast in de vergrotende trap aanwezig.

'De ring zat tussen spullen die ik van Horace heb gekregen.'

'Horace?'

Ze is hem vergeten, kan ik alleen maar denken.

'Die… eh man die beneden in de hal…'

'Getver, die engerd!' onderbreekt ze me direct. 'Hoe komt hij aan een ring van de tennisclub?' Haar ogen wijzen alles af wat met mijn Horace te maken heeft.

Ik vertel haar over mijn gesprekken met hem, de steun die hij heeft gegeven in de afgelopen maanden, wat hem zelf allemaal is overkomen waardoor hij op straat terecht is gekomen.

'Het is een zwerver. Janna, dat meen je niet.' Ik zie haar veroordelende blik.

'Hij heeft me bewaakt.'

'In de gaten gehouden, bedoel je,' zegt Ilse meteen.

'Hij wilde me beschermen.'

'Tegen zichzelf?'

'Nee, hij wilde me behoeden voor de dingen die hem overkomen zijn.'

'Je hoeft niet op straat te leven als je dat niet wilt.' Haar oordeel komt hard aan.

'Dat is niet waar. Ik heb nu zelf ervaren...'

'Jij leeft niet op straat.' Ik weet dat Ilse meestal snel een mening klaar heeft. Mannen zijn eikels, en de meeste kinderen lastpakken, vrouwen op platte schoenen boerinnen en politici spreken nooit de waarheid. Ik weet nu dat alles subtieler ligt. Het had niet veel gescheeld of ik was Horace achternagegaan.

Ik bestudeer een korstje op de rug van mijn hand. Het jeukt, een teken dat het geneest.

'Hé, je hebt ons bandje om,' merkt Ilse op.

Ik draai aan het satijnen bandje tot de bloedvlek zichtbaar is. 'Heb jij 'm nog?'

'Natuurlijk, die heeft een ereplaatsje in mijn sieradenkastje.'

Dus ook zij koestert ons teken van verbondenheid. Er zijn allerlei blokkades geweest, maar tot nu toe hebben we steeds de weg naar elkaar weer teruggevonden.

'Ik begrijp dat het lastig is om te geloven dat een zwerver ook een mens is, maar Horace is echt anders.' Waarom blijf ik hem toch verdedigen? Mijn schoen en nu de ring, wat heb ik nog meer nodig om te weten dat er iets niet goed zit?

'Hij heeft de ring van Roderick, dat is op zijn minst verdacht.'

Als Ilse weer weg is zit ik nog lang in de kamer. De schemering omsluit me. Met mijn vingers om de hak van de schoen geklemd probeer ik meer herinneringen terug te halen. Alles over de kroegbezoeken is wel terug te halen. Het drankje dat ik aangeboden kreeg van de visman, is ook blijven hangen. Daarna is er een mist, alsof de visman alles heeft laten overstromen. Hij had drank met een smerige nasmaak, maar ik heb geen idee meer hoe we daaraan gekomen zijn. Ik herinner me alleen die happende mond die steeds maar weer voor mijn ogen hing tot ik er knettergek van werd.

Weer staar ik naar de rode pump, glijd met mijn vingers over de scherpe hak. Wanneer heb ik mijn schoen verloren? Ik weet nog dat ik door de stad gedwaald heb, geen idee meer waar ik was. Was er toen niemand bij me?

Het beeld van Rodericks huis is iets wat me bijstaat. De luxe die zo onverenigbaar was met mijn eigen armoedige flat. Er komen alleen maar gevoelens op die in dat moment vastgelegd zijn: mijn onmacht tegenover zijn kracht, jaloezie op zijn georganiseerde leven, ondefinieerbare wraak, en de wens hem compleet kapot te maken. Hij moest boeten voor alles wat hij me aangedaan had. Die intense woede kan ik zo oproepen. Die heeft mij vastgegrepen op het moment dat ik de koperen klopper op zijn voordeur zag. Het staat symbool voor zijn rijkdom en maakte me duidelijk dat ik echt helemaal niets meer had. Ik was alles kwijt. Ook Fleur.

Verder zijn er slechts flarden. De brug waarop ik opeens lig, geen idee hoe ik daar terecht ben gekomen. De geur van rottende bladeren. Een stem. Een stem? Was er iemand?

Ik sluit mijn ogen en blijf de schoen betasten alsof ik mijn herinneringen vanuit die stiletto los kan masseren. Er was een man, weet ik opeens heel zeker. Niet achter me, of naast me, maar ergens beneden. Ik hoor een fluistering die me opdraagt weg te gaan, te verdwijnen in de nacht. Heeft Horace mij weggejaagd?

Was Rodericks beeltenis wel echt? Dat moet wel. Hij had die krankzinnige grijns op zijn gezicht, alsof ik het meest belachelijke schepsel op aarde was. Ik sla opeens met mijn schoen in het rond. Zo is het gegaan. Toch? Ik heb gestoken, met iets scherps.

Met een schok open ik mijn ogen. Ik herinner me de weekheid waar ik dat scherpe voorwerp ingedreven heb. Met mijn eigen handen.

# 42

'Je deed het geweldig,' complimenteert Loes me, als de filmgroep van *EenVandaag* weer weg is. Ik sta nog ademloos van spanning in de gang van het appartement dat op dit moment niet meer als mijn thuis aanvoelt.

'Ik heb gewoon verteld wat in me opkwam,' stamel ik nog onder de indruk van de camera, microfoons en lampen die opgesteld hebben gestaan.

'Dat is het beste. Kom hier.' Ze strekt haar armen naar me uit en enigszins onhandig laat ik me door haar omhelzen. 'Je zult zien dat dit een grote impact zal hebben. Dat kan niet anders.'

Ik loop achter haar aan de woonkamer in. Fenna staat voor het raam, maar draait zich om als ze ons binnen hoort komen.

'Fantastisch gedaan. Je hebt al mijn tips opgevolgd.' Ze loopt op me af en slaat een arm om me heen. 'Je trilt helemaal.'

Haar suggesties zijn me totaal ontschoten, maar dat zeg ik maar niet. Dat ik niet eens meer weet wat ik allemaal heb verteld, zeg ik ook niet. Dat ik me verdrietiger voel dan ik me in tijden heb gevoeld, verzwijg ik ook. Alle ellende van het afgelopen jaar is door het gerichte vragen stellen in een uurtje voorbijgekomen. Elk stadium heb ik weer doorleefd. Trillen? Ik heb eerder het gevoel alsof ik in een vogel zit die me zo uit gaat poepen. Flats! Een smerige vlek op het trottoir, dat ben ik.

Achter me hoor ik Loes aan de telefoon met een van haar contacten. Ze heeft het over 'kritische vragen' en 'onderzoek doen' en 'een beerput vol gevallen'. Loes is slim, en lijkt sterker dan een bulldozer als het erom gaat iets voor elkaar te krijgen. Ze weet overal wat van en heeft direct een goed onderbouwde mening klaar. Het is me nog steeds niet duidelijk wat haar overkomen is, maar als er één geschikt is als coördinator van een groep moeders, is zij het.

'Wat een moordwijf.' Loes is opeens naast me. 'Ik had die politica aan de lijn. Ze gaat de dag na de uitzending direct kamervragen stellen. Er zullen wel wat mensen zijn die zich in het nauw gedreven voelen.'

'Wanneer wordt het uitgezonden?' Mijn piepstem klinkt me niet bekend in de oren. Heb ik ook zo gepraat tijdens de opnames?

'Komende woensdag. Beter kan niet. Zullen we hier komen kijken?'

Ik knik. Voor geen goud wil ik in mijn eentje voor de televisie zitten om mezelf terug te zien. Ilse zal zeker ook willen kijken.

Ik denk aan Horace en zijn levensverhaal. Dat is de andere kant van het tekortschieten van Jeugdzorg. Had ik de missers ook moeten noemen? Hoe zou het met hem gaan? Na ons intieme samenzijn heb ik hem niet meer gezien, toch is hij geen moment uit mijn gedachten geweest. Ik word heen en weer geslingerd tussen verlangen en verdenking. Het vreet aan me. Ik moet naar hem toe.

Het is al erg laat als ik beneden in de hal kom. Als Horace zich van zijn slaapzak opricht zie ik de sluiers in zijn ogen, toch kan ik niet rechtsomkeert maken. We moeten praten.

Ik mag blij zijn dat de interviewer slechts terloops de moord heeft genoemd. Kennelijk zijn er toch woorden van Fenna blijven hangen. 'De politie laat je niet voor niets vrij.' Dat heb ik gezegd. Niet dat ik onschuldig ben. Dat kon ik niet, daarvoor zitten er te veel twijfels onder mijn huid.

'Hé, hallo.' De verrassing in zijn stem zorgt voor een ondefinieerbaar gevoel. Aan de ene kant zo close, maar toch zo ver verwijderd.

Ik loop op hem af en zie dat hij rechtop gaat zitten en zijn ogen uitwrijft. Slaap of drank?

'Je was opeens weg,' zeg ik zacht.

Hij buigt zijn hoofd. 'Het is beter zo.'

Ik wil hem tegenspreken, maar voel de ring die ik stevig in mijn vuist geklemd houd.

'Ik wil je wat vragen,' begin ik, en ik ga naast hem zitten. Zijn warmte die nog in de slaapzak hangt, dringt door mijn kleding heen.

'Dat mag. Ik wil je graag helpen, dat weet je.'

Hoe moeilijk is dit. Ik wil hem omhelzen, zijn lippen op de mijne voelen, en hem vasthouden tot alle ellende uit ons beider levens is verdwenen.

'Was jij in het centrum van Utrecht op de avond dat Roderick vermoord is?' De vraag is eruit. Ik knijp mijn kaken op elkaar alsof ik de woorden alsnog kapot kan bijten.

'Waarom denk je dat?' Hij plukt aan wat rafels, speelt met de rits die hij onrustig heen en weer blijft trekken.

Is dat het enige waar hij mee kan komen? Een wedervraag? Begrijpt hij niet hoe belangrijk het voor me is dat ik eindelijk te weten kom in hoeverre ik me verantwoordelijk moet voelen?

De hand, die tot dan toe op mijn rug verborgen lag, schiet naar voren en toont hem de ring. Hij reageert alsof hij totaal niet verrast is.

'Ik heb ook mijn schoen teruggevonden,' zeg ik, waarbij mijn schrille uithaal resoneert in het trapportaal.

'Dat was een kwestie van tijd. Ik wilde niets voor je verbergen, maar…'

'Je liep er anders ook niet mee te koop.'

'Nee, natuurlijk niet. Als zwerver word je snel verdacht, en nooit geloofd. Zo simpel is het in deze wereld.'

Zijn woorden komen binnen. Ik ben net zo veroordelend.

'Vertel,' zeg ik dan simpel.

Terwijl zijn ogen mijn gezicht aftasten vertelt hij zijn ervaringen van die nacht. Hoe hij mij volgde om me indien nodig te beschermen. 'Elke keer dat je met een man uit een kroeg kwam was ik bang dat je iets aangedaan zou worden. Je leek zo kwetsbaar dat ik je niet uit het oog wilde verliezen.'

'Ik heb je een keer gezien,' mompel ik zacht.

Horace knikt, en vervolgt dan zijn verhaal. 'Die avond had je de visman aan de haak geslagen.'

Ik schiet in de lach, ondanks de situatie. 'Visman? Noem je hem zo?'

'Iedereen kent hem zo. Een vervelend mannetje dat vrouwen dronken voert en dan hun lichaam flink gebruikt.'

Mijn lach sterft weg. Heeft hij me later meegesleept en verkracht?

'Gelukkig was je al zo dronken dat er voor hem nauwelijks lol aan te beleven was, en hij liet je ergens achter. Natuurlijk wist ik dat je bij het huis van Roderick uit zou komen. Het was alsof een grote magneet je elke keer weer in die richting trok. Om je tegen een eventuele geweldsuitbarsting van je ex te beschermen was ik meegegaan. Ik wilde me onder de brug verbergen, zodat ik indien nodig in kon grijpen.'

Ongemerkt kruip ik wat dichter tegen hem aan. Ik staar naar de ring die nu tussen ons in op de oude slaapzak ligt.

'Volgens mij ben ik inderdaad naar het huis van Roderick gegaan.'

'Bijna linea recta, want jij was al boven me aan het roepen toen ik Roderick vond.'

Mijn hoofd schiet met een ruk opzij. Ademloos staar ik hem aan. 'Roderick vond?'

'Hij lag onder de brug, levenloos.'

Mijn speeksel droogt op, waardoor ik eerst moet slikken voor ik ook maar een woord kan uitbrengen. 'Was hij al dood?'

'Nou en of. Zijn hoofd lag in een rare knik, alsof hij zijn nek had gebroken.'

'Maar dan heb ik hem niet vermoord.'

'Jij? Nee, natuurlijk niet, tenzij je eerder die avond al daar bent geweest, maar dan zou het wel heel stom zijn om je ex uit te gaan schelden terwijl die al dood was.'

'Had hij geen steekwonden?'

'Nee, hoezo dat?'

Er gaan zo veel vragen door mijn hoofd dat de antwoorden even moeten wachten.

'Waarom heb je dit niet aan de politie verteld? Je zou me vrij hebben kunnen pleiten.'

Het lijkt een eeuwigheid te duren voor er een zacht excuus over zijn lippen komt. 'Sorry, Janna, maar ik kon het niet. Bovendien was het zinloos.' Een lach gromt zacht in zijn keel. 'Denk je dat de politie een zwerver gelooft? Ik heb leren zwijgen. Ik wist dat ze je niets konden maken, dat sterkte me. Toen ik jouw schoen later voor zijn huis vond heb ik die natuurlijk meegenomen. Geen bewijs achterlaten, dat was belangrijk. Jij was intussen verdwenen, je had kennelijk mijn waarschuwing om weg te gaan opgevangen. Ook al wist ik niet waarheen je was gevlucht, je leek voorlopig veilig.'

Als ik zijn tevreden blik zie, pers ik mijn lippen op elkaar. Niets zeggen over de verkrachting. Nu niet.

'Ik heb mezelf daar uit de voeten gemaakt, ook ik liep gevaar. Hij zou vanzelf gevonden worden, als jij daar maar weg was, dat was het belangrijkste. Toen ik zag dat je gearresteerd was, bleef ik ervan uitgaan dat je wel vrij zou komen. Ik kon niets voor je doen.' Met zijn ogen vraagt hij om vergiffenis.

Mijn hart klopt veel te snel waardoor ik me licht voel in mijn hoofd. Ik kan hem niet langer in de ogen kijken, voel alleen maar verwarring terwijl ik eigenlijk opluchting zou moeten voelen. Ik ben niet schuldig aan de dood van Roderick. De ring ligt tussen ons in. Letterlijk en figuurlijk. Als ik hem oppak voelt hij koud aan.

'Waarom heb je de ring van Roderick mee naar huis genomen? Dat kan tegen je gebruikt worden.'

Hij pakt de ring aan en draait hem om en om tussen zijn vingers. Ik denk aan de zachte strelingen op mijn lichaam, het hoogtepunt dat hij me met diezelfde vingers bezorgd heeft, en voel trillingen in mijn maag die ik nu niet wil voelen.

'Deze ring is niet van Roderick,' zegt hij dan, en hij geeft me de ring terug. 'Die had zijn ring zelf nog om.'

# 43

Het is al de derde emmer sop die ik door mijn flat draag. Mijn handen zijn rimpelig van het vocht. De badkamer is aan de beurt.

Terwijl ik met de spons over de tegels boen, probeer ik ook helderheid te krijgen in alle razende gedachten. Elke voeg krijgt een aparte behandeling, elk korreltje vuil wordt weggeschuurd tot alles blinkt.

'Horace, waarom?' roep ik tegen de kraan, waarvan de kalkranden een goede uitdaging vormen. Waarom heeft hij zijn verhaal niet aan de politie verteld? Drie dagen cel.

De spieren in mijn rechterarm doen zeer, maar de kramp in mijn buik is erger. 'Me helpen? Beschermen? Had het op dat moment gedaan!' Ik pak de douchekop en sproei de tegels af. 'Waarom heb je me drie dagen in de cel laten creperen? Is dat liefde?'

Pas als ik het zeg dringt de betekenis door.

Met hernieuwde energie ga ik in de wastafel tekeer. Er blijft geen enkel hoekje onbewerkt. Steeds weer concentreer ik me op een nieuw stukje. Pas als ik de spiegel onder handen wil nemen, zakken mijn armen naar beneden. Ik kijk naar mezelf, naar het haar dat rommelig in een knoop op mijn hoofd vastgezet is, mijn gezicht dat bleek oogt in het felle licht, waardoor mijn ogen dieper liggen. Met mijn vochtige vingers strijk ik over de schaduw die onder mijn ogen hangt. Kan ik vermoeidheid wegpoetsen? Verdriet en gemis afborstelen? Moedeloosheid afbijten? Is een lichaam te reinigen van al het onrecht dat haar is aangedaan? Ik schud mijn hoofd en nader de spiegel.

Details worden duidelijker, de dunne lijntjes rond mijn ogen waar ik geen enkele aandacht voor heb gehad, mijn mondhoeken die naar beneden neigen en de sproeten die verbleekt zijn, alsof ze de verdwenen vrolijkheid in mijn leven vertegenwoordigen.

Nog nooit heb ik mezelf zo nauwgezet bestudeerd. Mijn ogen onderzoekend over elk onderdeel van mijn gezicht laten gaan. Het lijkt alsof de wereld even stilstaat, en ik mezelf ontmoet. Geen oordeel, slechts een samenkomst van lichaam en geest, waar ik zelf ergens tussenin zweef. Ik heb geen zeggenschap meer over de spieren in mijn gezicht, de handelingen van mijn lijf die door mijn brein gestuurd zouden moeten worden. Ik ben er, dat is alles.

Dan zie ik mijn lippen die zich tuiten en die steeds dichter bij mijn spiegelbeeld komen. De kou die ik aan mijn mond voel is vreemd, en bijna onwerkelijk. We lachen tegelijk.

In een opwelling trek ik mijn kleren uit, mik alles in de gang en stap onder de douche. De warmte van het water is weldadig. Zo moet het zijn. Ik hoor bij mezelf.

De televisie is vanavond het belangrijkste meubelstuk in de woonkamer. De wisselende poetsbeurten, 's avonds in de kantoren en overdag in mijn eigen appartement, hebben me goed gedaan. Ik heb kaarsen aangestoken en herfstchrysanten in een vaas gezet.

Natuurlijk krijg ik waarderende opmerkingen van zowel Fenna als Loes.

'In deze positieve sfeer past chocola misschien wat minder goed,' zegt Fenna aarzelend.

'Chocola past bij elke sfeer,' verzekert Loes ons direct.

Het is prettig dat ik heen en weer kan blijven lopen om hen van drinken te voorzien, een schoteltje voor de chocolaatjes te halen en tussendoor het telefoontje van Ilse kan beantwoorden. Hoe meer de uitzending nadert, hoe onrustiger ik word. Gelukkig hebben de beide vrouwen zo veel te bepraten dat het niet opvalt dat ik stil word. Het valt me zwaar om mijn aandacht bij hun gesprek te houden, steeds dwalen mijn gedachten naar Fleur. Zal ze ook naar de uitzending kijken? Hoe zal ze reageren als ze me alles hoort vertellen en tegelijkertijd haar pleegouders hun kant van het verhaal laten horen. Of zullen de Kramers wel beseffen dat het beter is dat ze deze uitzending nu nog niet ziet. Het loslaten van de bezorgdheid is zo moeilijk. Niet meer kunnen beslissen wat het beste is voor mijn kind. Kan ik erop vertrouwen dat zij dat nu in mijn plaats zullen doen?

Het nieuws is afgelopen. Het is volledig langs me heen gegaan. Nog vijf minuten. Ik probeer heel bewust te ademen om de knellende band rond mijn borst kwijt te raken.

'Iemand nog koffie of thee?' Ik moet wat doen.

'Het begint zo,' zegt Fenna ten overvloede.

Ik sta op en ga naar het toilet. Examenvrees, angst voor een sollicitatiegesprek of de spanning voor een belangrijke presentatie, het lijkt allemaal in het niet te vallen bij het gevoel dat nu op mijn blaas drukt.

Als ik terugkom zie ik Loes heen en weer schuiven in haar rolstoel. Zou ze pijn hebben? Wat zou er met haar gebeurd zijn? Hoe behulpzaam ze naar anderen ook is, erg openhartig over haar eigen verleden is ze niet.

'Kom gauw zitten.' Fenna houdt haar ogen op het scherm gericht. Ik zie dat haar mond continu in beweging is. Het schaaltje chocola is bijna leeg.

VALS ALARM. De titel van de uitzending beweegt over het scherm. Het is een dubbel begrip waarbij het eerste woord voor mij naar Roderick wijst en het tweede als een fel flashlight boven het hoofd van mijn dochter hangt.

De Kramers komen in beeld. Naast elkaar zittend op een leren bank in een strak ingerichte kamer. Ik slurp alle informatie in me op, en betrap mezelf erop dat ik zoek naar een glimp van Fleur. Mag ze er wel rommel maken? Mag ze plakken en knutselen, zoals ze zo graag doet? Opletten. Ik moet luisteren naar wat er gezegd wordt.

Frank doet het woord. Rustig, weloverwogen zijn woorden kiezend, stabiel. Pas als er gevraagd wordt waarom ze pleegouders zijn

geworden, kijkt hij opzij. De frêle vrouw naast hem oogt vriendelijk. Ze heeft een zenuwtrekje bij haar oog, waardoor ze in een hoog
tempo met haar ogen knippert. Als ze vertelt dat ze zelf geen kinderen kan krijgen, voel ik zelfs met haar mee.

'Dat doet ze goed,' bromt Loes naast me.

Is dat het? Een toneelspel opvoeren? Heeft Jeugdzorg de regie van
tevoren met ze doorgenomen? Mij heeft ze overtuigd, dan moet dat
ook bij de gemiddelde Nederlander zo binnenkomen. Ik kruip in
elkaar en kijk naar de vrouw die uitstraalt dat ze zo veel moederliefde in zich heeft dat ze elk kind wil opvangen.

De interviewer laat zich niet zo makkelijk inpakken. Hij is niet
zichtbaar, maar zijn stem is voor mij zo bekend dat ik het gezicht
voor me zie. De smalle bril met het groene montuur, zijn bruine
haar dat hij met een gewoontegetrouwe beweging steeds weer naar
achteren strijkt. 'Dus u heeft zelf geen kinderen,' concludeert hij.

Als in een gecoördineerde beweging kijken de Kramers naar beneden. Nee, we hadden ze graag gehad, zeggen hun lichamen.

'Waarom denkt u dan dat u goede ouders bent?'

'Zo, die zit,' barst Loes uit. 'Goede vraag. Laat ze daar maar eens
op antwoorden.'

Anks blik schiet naar haar man. Frank gaat rechtop zitten en begint een relaas over neefjes die graag komen logeren, de jeugdtrai-
ningen die hij bij de tennisclub verzorgt en de jaarlijkse speurtocht
die hij voor het buurthuis organiseert.

'Hij is goed.' Fenna's hand blijft halverwege steken als ze ziet dat
het schaaltje leeg is.

'Misschien is hij wel echt goed,' fluister ik, tegelijkertijd mijn
wens verwoordend.

'Krijgt u betaald voor uw werk?' vraagt de interviewer.

'Lekkere suggestieve vraag,' geeft Loes aan. Ze rolt iets opzij om
haar lege kopje weg te zetten.

Frank lijkt alles onder controle te hebben, maar ik zie dat Ank
onrustig beweegt. Haar ogen knipperen continu.

'De pleegzorgvergoeding is natuurlijk welkom, maar...'

Frank wordt onderbroken. 'Ik bedoelde eigenlijk door iemand anders? Kan het zijn dat iemand u betaalt om dit meisje op te vangen?'

'Ik... eh. Hoe bedoelt u?' stamelt Frank.

Al mijn spieren trekken samen in één grote bal energie. Fenna's ogen en die van mij ontmoeten elkaar en spreken een lotsverbondenheid uit die ik nog met weinig mensen heb gevoeld. Alles wat Ilse me verteld heeft heb ik doorgebrieft aan Fenna, die het gesprek met *EenVandaag* heeft voorbereid.

'Ik heb begrepen dat u de vader van uw pleegdochter goed schijnt te kennen. Kan het zijn dat hij u geld gegeven heeft?'

'Geen sprake van!' Frank barst nu los. Alle controle is in één klap verdwenen. 'Hij heeft me niets gegeven.'

'Is het dan misschien andersom? Heeft u geld betaald om een dochter te kopen?'

# 44

Als de tune van *Een Vandaag* aankondigt dat de uitzending is afgelopen, zwijgen we alle drie.

'Waarom zijn ze er niet dieper op ingegaan?' doorbreekt Loes als
eerste de stilte. Ik weet direct waar ze het over heeft.

Fenna staart voor zich uit. 'Een heftige insinuatie. Zeker in combinatie met die nieuwe wet die adoptie vergemakkelijkt. Maar kinderhandel is wel een zware beschuldiging.'

'Mijn kind als handelswaar, hoe ziek is Roderick bezig geweest?
Frank heeft het toch ontkend?'

'Die pleegvader heeft het zelf over betalen gehad. Jouw vriendin
had toch zoiets opgevangen?'

'Ilse hoorde Frank juist tegen Roderick roepen dat hij er níet
voor ging betalen.'

'Dan heeft Roderick dus wel degelijk geld van hem geëist.' Fenna
schakelt snel.

'Roderick kickt op geld,' brom ik. 'Ik zou er niet van opkijken als
hij zijn eigen kind heeft willen verkopen.'

De woorden blijven tussen ons in hangen. Is de ware schuldige
nu dood?

Als de bel gaat kijken we elkaar aan. De valse actie van Roderick is
vastgenageld in onze gedachten, terwijl we hebben besproken wat
dit aan de huidige situatie van Fleur verandert en welke stappen we
nu verder kunnen nemen.

'Verwacht je iemand?'

Mijn eerste reactie is een boze Roderick, geïnitieerd door de nieuwe inzichten waardoor hij ineens weer deel uitmaakt van mijn leven. Mijn adem ontsnapt als ik besef dat ik voorgoed van hem verlost ben.

'Hooguit Ilse, mijn vriendin. Ze heeft vast zitten kijken.'

'Zou je niet opendoen?' Loes duwt haar haren omhoog, alsof ze hoog bezoek verwacht.

Ik kijk toch eerst door het spionnetje. De achterkant van een hoofd met kort zwart haar. Ik ren terug naar de woonkamer. 'Els staat voor de deur.'

De bel gaat opnieuw.

'Aha, je gezinsvoogd. Dat komt goed uit. Laat maar binnen.' Met haar sterke armen duwt Loes haar lamme lichaam omhoog om er eens goed voor te gaan zitten.

Bij de voordeur aarzel ik. Loes kan dat nou wel zeggen, maar ik ben zo ontzettend bang voor nog meer bezoekbeperkingen dat ik niet weet of ik er goed aan doe. Bovendien ben ik zo moe dat ik moeite heb om me weer op te porren om een gesprek aan te gaan.

'Wat denk je wel niet dat je aan het doen bent!' Ze vliegt me meteen aan als ze de hal instapt. Ik deins terug en hul mezelf in stilzwijgen. Ze loopt verder maar stopt in de deuropening.

'O, je hebt bezoek.'

Ik stel iedereen aan elkaar voor.

Els blijkt Loes al te kennen. 'Ik had al begrepen dat je een gespreksgroep voor moeders opgezet had.'

'We hebben net samen naar *EenVandaag* zitten kijken.' De boodschap klinkt onschuldig, maar ik herken intussen de twinkeling in Loes' ogen.

'Daar heb jij zeker een handje in gehad?' Els gaat zitten en slaat haar benen over elkaar.

'We doen het voor Fleur. Dat kind hoort bij haar moeder.'

Ik kijk naar het gelaarsde been dat nerveus op en neer blijft wippen. Ik wil reageren, maar sluit mijn mond weer als ik een afwerende beweging van Fenna opvang.

'De kinderrechter heeft anders bepaald. We gaan heus wel zorgvuldig te werk.'

'Net zo zorgvuldig als bij mij zeker.' Loes zegt het zo rustig dat ik me afvraag of er een beschuldiging in verborgen zit.

'We doen ons best om alles goed af te wegen. Waar gewerkt wordt, worden fouten gemaakt. Ik wil mezelf niet verdedigen, ik had je zoontje nooit bij je weg mogen halen.'

'En hoe zit het dan met Fleur? Dit is vergelijkbaar. Leren jullie niet van fouten?'

Het lijkt erop dat de rustige manier van praten Els razend maakt. Er verschijnen rode vlekken in haar hals en ze wringt haar handen samen. 'Fleur heeft het goed bij de Kramers, dat heb ik Janna ook verteld. Het zijn goede mensen. Het is zo jammer dat jullie de media op hun dak hebben gestuurd. Het zou zomaar kunnen dat de Kramers nu definitief afhaken, ze zaten al op het randje. Er is een enorm tekort aan pleeggezinnen, je begrijpt dat we goede mensen natuurlijk liever niet zien vertrekken. Het zal me moeite kosten om ze te behouden.'

'Als je nou eens moeite deed om te kijken of Fleur weer naar huis kan?' Loes zet haar rolstoel van de rem en rijdt tot vlak voor de stoel van Els. Die moet wel stoppen met haar schopbewegingen. 'Kijk eens rond. Janna heeft een mooie, schone woning, ze heeft een nieuwe baan en ze is gek op haar dochter. Ze wil niets liever dan haar dochter weer dagelijks bij zich hebben. Wedden dat Fleur het bij haar eigen moeder nog beter heeft dan bij vreemde mensen.'

'De Kramers doen anders vreselijk hun best.'

'Het gaat niet om je best doen, het gaat erom waar een kind thuishoort. Fleur hoort bij haar moeder.'

'Het blijven pleegouders,' mengt Fenna zich in het gesprek. 'Ik heb als journaliste veel gesprekken gevoerd met andere ouders die hun kind kwijt zijn geraakt. Soms terecht, maar bij een aantal gevallen kun je vraagtekens zetten of uithuisplaatsing wel nodig was. Het geeft ook schade aan het kind als ze van haar moeder wordt gescheiden.'

'Journalist?' Ik hoor Els bijna slikken.

'In sommige pleeggezinnen gaat het er helemaal niet zo fijn aan toe. Dat moet jij ook weten.'

Els kijkt nu van de een naar de ander en buigt dan haar hoofd. Haar voet hangt stil. 'Ik was er helemaal niet bij die dag.'

'Niet?' Loes gaat iets achteruit, alsof ze haar ruimte wil geven.

'Het kwam zo ongelukkig uit. Die dag moest ik met mijn moeder naar het ziekenhuis. Een collega nam mijn dienst over. Ik las pas een paar dagen later dat er bij Fleur blauwe plekken waren geconstateerd.' Ze kijkt nog steeds naar de grond alsof die haar zal verontschuldigen. Bij mij gaan de alarmbellen af.

'Blauwe plekken? Laat me raden, Fleur had zich gestoten.' Ik kan me opeens niet meer inhouden.

Els kijkt op. 'Natuurlijk heb ik navraag gedaan. Frank gaf aan dat Fleur een dagje naar een pretpark was geweest. Toen haar vader haar thuisbracht...'

'Haar vader? Mocht Roderick met Fleur naar een pretpark? En dat terwijl ik...'

'Wacht even, Janna.' Fenna snoert me direct de mond.

Ik heb moeite om me in te houden. Inwendig kook ik.

'Dus haar vader bracht haar thuis met blauwe plekken?' Fenna neemt het over.

'Ja, dat staat in het verslag van mijn collega.'

'En diezelfde vader vertelde dat ze zich gestoten heeft? Of heeft Frank Kramer dat aangegeven?' De zorgvuldige manier van vragenstellen is Fenna wel toevertrouwd.

'Ja, dat was nogal verwarrend. In het verslag van mijn collega stond een opmerking dat Frank de plekken na het uitje met de vader had ontdekt, maar ik werd later gebeld door de vader. Ik moest de pleegvader in de gaten houden. Roderick gaf aan dat...'

'Dat Frank het kind mishandelde?'

'Ja, hoe weet je dat?' Els is oprecht verbaasd.

'Niet zo moeilijk te raden,' antwoordt Fenna. 'Ik vermoed dat wij de vader beter kennen dan jij. Die man was ziek, en hij gaf niets om

Fleur. Hij is alleen maar bezig geweest om Janna het leven zuur te maken.'

'Daarom heeft hij Jeugdzorg voor zijn karretje gespannen.' Loes trekt de conclusie die voor mij al lang geleden duidelijk was.

'Roderick was slim. Hij had het al voor elkaar dat Janna haar kind kwijt was, nu wilde hij Frank zwart gaan maken,' vult Fenna aan.

Ik begrijp niet waar ze heen wil en luister ademloos toe.

'Was het de eerste keer dat Roderick zoiets doorgaf over de Kramers?'

'We doen heus ons best om de pleegouders te screenen en de kinderen te beschermen.' Els' hand ligt beschermend op haar buik.

'Was het de eerste keer?' Fenna stelt dezelfde vraag nu met meer nadruk.

'Nee, de vader had het al een keer eerder geconstateerd. Frank kon echter alles weerleggen.'

'Roderick was echt ziek.' Fenna kijkt ons om beurten aan. 'Ik denk dat het tijd wordt om eens een praatje met Frank te maken.'

De stilte die valt wordt ingenomen door de vertrouwde Arabische muziek van mijn buurvrouw. Mijn mond is droog. Fleur mishandeld? Door Frank? Of is Roderick zelf schuldig? Maar waarom bleef hij dan naar Fleur toegaan?

# 45

Ik heb geen idee hoe lang ik al aan de eettafel zit als de telefoon me uit een soort trance wekt. De brief ligt nog steeds voor me op tafel.

'O, ben jij het Fenna.' De zucht in mijn stem kan ik niet tegenhouden. Ik sta op en begin door de kamer te lopen.

'Ik heb goed nieuws.'

Het liefst zou ik nu registreren dat mijn lamgeslagen gevoel opleeft, maar er is niets. Geen trilling in mijn maag, geen versnelling van mijn ademhaling, geen extra slag van mijn hart. Het maakt toch allemaal niets meer uit.

'Wat is er met jou?' Fenna houd je niet voor de gek.

Ik schraap mijn keel, maar merk dat ik me niet in staat voel om het te vertellen. 'Doe eerst dat goede nieuws maar.'

'Mijn politica heeft me gebeld. Het blijkt dat de uitzending veel mensen nerveus heeft gemaakt omdat hun aandeel bekend zou kunnen worden. Iedereen beseft opeens dat vooral de missers in het nieuws komen, maar dat het aantal valse alarmen in de jeugdzorg totaal onderschat wordt. Het is te hopen dat de beerput open gaat, daarvoor was deze *EenVandaag*-uitzending nodig. De kranten hebben het opgepikt en schrijven dat het goed zou zijn als er een grootscheeps onderzoek komt naar alle uithuisplaatsingen van de afgelopen vijf jaar. Steeds meer mensen beseffen dat elke onterechte uithuisplaatsing schade kan geven aan het kind. De uitzending heeft dus veel losgemaakt.'

'Dat klinkt goed.'

'Dit is nog niet alles. Volgende week komt er een debat over Jeugdzorg. Onze politica gaat kamervragen stellen, en reken maar dat die kritisch zijn. In de kranten wordt nu al melding gemaakt dat de *EenVandaag*-reporters een eigen interpretatie aan die nieuwe wet hebben gegeven.'

Ik kijk naar de brief op tafel. 'Voor mij is het te laat, Fenna.'

'Hé, kop op, soms heb je maar een klein vonkje nodig. Niemand heeft in de gaten gehad dat de wet een vrijbrief zou kunnen vormen voor een gelegaliseerde adoptiemarkt. Met een beetje mazzel wordt die wet aangepast. Dat was onze inzet. We gaan winnen! Heb je de kranten nog niet gelezen?'

'Nee, dat... Het is er nog niet van gekomen,' zucht ik.

'Prachtige koppen, variërend van VALSE KINDERHANDEL, VERKAPTE ADOPTIEMARKT tot MOEDERS SLAAN VAN ZICH AF. Het vuur brandt. Loes heeft het aardig opgepord' Fenna's stem juicht door de hoorn.

'Ik neem aan dat Loes veel telefoontjes krijgt.'

'Reken maar. Die staat haar vrouwtje wel. Een mooi mens, haar gedrevenheid zit niet in een rolstoel.'

Na enige aarzeling vraag ik: 'Wat is haar eigenlijk overkomen?'

Het blijft even stil aan de andere kant. 'Loes praat er niet zo vaak over. Medelijden helpt niet, zegt ze. Daar heeft ze natuurlijk gelijk in. Toch denk ik dat het goed is als zij ook met haar verhaal naar buiten zou treden. Het blijft onvoorstelbaar dat dit soort dingen kunnen gebeuren.'

Ik knijp de hoorn bijna fijn. Wil ik eigenlijk nog een pijnlijk voorbeeld horen? Alle verhalen blijven hangen en zorgen ervoor dat ik doorkrijg hoe machteloos we eigenlijk zijn tegenover de macht van de zogenaamde hulpinstanties.

'Loes was getrouwd en was een veelgevraagd model. Haar man mishandelde niet alleen haar, maar ook hun zoontje Sem. De vader had echter een dusdanig mooi verhaal en ondersteuning vanuit de justitiële macht, dat de aangifte geseponeerd werd. Hun zoontje werd bij een pleeggezin geplaatst, maar de vader had al snel voor elkaar dat hij de zorg weer terugkreeg. Elke keer als Sem bij Loes was geweest, huilde hij als hij terug moest naar zijn vader. Loes begon tegen te werken, hield Sem weg bij zijn vader, tot Jeugdzorg een strafmaatregel instelde. Elke keer dat Loes hem ook maar iets te laat terugbracht, kreeg ze een boete van vijfhonderd euro. Ze kon uiteindelijk niets anders doen dan hem steeds weer terugbrengen, terwijl ze wist dat Sem…'

Ik sluit mijn ogen. Ik zie geen huilend jongetje maar Fleur voor me. Hoe ze zich aan me vastklemt als ik haar weer terug moet geven aan Els om haar naar de Kramers te brengen. Is zij ook steeds mishandeld?

Na een diepe zucht gaat Fenna verder. 'Op een gegeven moment wilde pa met Sem op vakantie en Loes moest zijn paspoort meegeven. Moet je je voorstellen, ze wist dat kleine Sem wekenlang bij zijn vader zou zijn zonder dat zij hem zou kunnen beschermen of opvangen. Als ze zou weigeren zou dat heftige consequenties voor haar eigen contactmogelijkheden hebben. Loes wilde het niet laten gebeuren en hield Sem thuis. Pa kwam langs, ramde zowel haar als Sem compleet in elkaar. Sem heeft het niet overleefd en Loes kwam in een rolstoel.'

Het lijkt alsof er iemand op mijn borstkas zit. Met elk woord wordt de druk groter. Mijn hart bonkt als een bezetene.

Fenna praat nu zo zacht dat ik de hoorn dicht tegen mijn oor moet drukken om haar te verstaan. 'Het is hoog tijd dat mensen zich meer realiseren wat de impact is van het uit huis plaatsen. Natuurlijk moeten kinderen beschermd worden door wettelijke maatregelen, maar zorgvuldigheid en waarheidsvinding moeten vooropstaan.'

'Wat knap dat ze zich nu sterk maakt voor anderen,' zeg ik schor.

'Zij is een levend voorbeeld van de consequenties die een verkeerde inschatting van Jeugdzorg kan hebben.'

'Een mooi mens.' Het komt diep uit mijn hart.

Stiltes aan de telefoon zijn vaak ongemakkelijk, maar nu blijft het lijntje tussen Fenna en mij in stand. Ik wil zeggen dat ook zíj haar steentje bijdraagt, zonder er enig belang bij te hebben. Dat ik het fantastisch vind hoe betrokken ze is.

'Ben jij alleen vanuit jouw journalistieke werk geïnteresseerd?' vraag ik echter, terwijl ik terugloop naar de tafel.

Tot mijn verbazing schiet ze in de lach.

'Gelukkig wel. Ik had gewoon een man die een andere vrouw had ontmoet waardoor hij bij me wegging, een kleine aardverschuiving in mijn leven maar geen grote lawine aan niet te hanteren consequenties. Mijn kinderen waren in die tijd ook al wat ouder, dat scheelt. Mijn oudste zoon ging dat jaar net zelfstandig wonen. Nu woont alleen Tara nog thuis.'

'Jij hebt je dochter nog thuis.'

Pas als Fenna direct antwoordt, besef ik dat ik het hardop heb gezegd.

'Jij binnenkort ook weer. Ik reken erop dat de politiek zal zwichten voor de storm aan reacties uit de maatschappij.'

'Het maakt niets meer uit.' Ik pak de brief op en lees de passage voor die ik onderhand uit mijn hoofd ken. 'De rechtszitting van de kinderrechter is over twee dagen.'

'Spannend,' geeft Fenna aan.

'Spannend? Heb je wel geluisterd. Twee dagen... dan is de wet nog niet aangepast.'

Het is even stil. 'Dan moeten we andere stappen ondernemen. Ik had het eigenlijk later willen doen, maar ik stel voor dat we vandaag nog met Frank gaan praten.'

'Met Frank?'

'Hij weet meer van al die zieke acties van Roderick. De beschuldigingen, de blauwe plekken, de eis om geld. Ik wil wel weten waarom Roderick de schuld van die blauwe plekken bij Fleur in de schoenen van Frank wilde schuiven.'

'Maar het heeft allemaal geen zin meer!' roep ik uit. 'Snap je dat dan niet? Zelfs als we bewijzen dat Roderick een vies spel heeft gespeeld, dan nog krijg ik Fleur niet terug. Er hangt een verdenking aan mij. De moord op Roderick is niet opgelost. Els denkt nog steeds dat ík wraak heb genomen. Als ze dat vermoeden doorspeelt zal geen rechter mij Fleur weer toewijzen.'

Ik sta nu voor het papier met de woorden DENK AAN HORACE. Ooit heb ik dat met een andere reden opgeschreven. De eisende behoefte aan drank is gelukkig wat minder geworden, het verlangen naar duidelijkheid niet.

'Je zou moeten kunnen bewijzen dat je echt onschuldig bent.'

'Kon ik dat maar. Ik weet al zo veel, maar net niet genoeg.' Ik dreun alle details op die ik in de afgelopen weken heb gekregen. Over mijn schoen, de aanwezigheid van Horace op de plek van de moord, de ring, en hoe Roderick gevonden is.

'Een gebroken nek? Misschien is hij van het bruggetje gevallen?' oppert Fenna.

'Hoe kan ik dat bewijzen?'

'Misschien is hij geduwd?'

Ik schud mijn hoofd. Nee, dat kan niet, Horace kan dat nooit gedaan hebben. Het papier met de vraag WIE IS DE DADER? staart me aan. De grote open plek.

'Roderick is nu eenmaal niet erg geliefd,' hoor ik Fenna doorpraten. De woorden proberen hun eigen plek te vinden in de onoplosbaar lijkende kluwen in mijn hoofd. 'Zelfs Frank heeft hij smerige dingen geflikt, en dat is toch een van zijn tennismaatjes.'

'Dat is inderdaad vreemd, zijn netwerkmaatjes waren heilig voor hem,' zeg ik zuur.

Het idee zet zich vast in mijn hoofd. Het is of vijfhonderd stukjes van een puzzel in één keer op de goede plek vallen. Het is een vreemde gewaarwording om eindelijk een helder beeld te zien.

'Bij die ex van jou was op het laatst niets meer heilig,' klinkt Fenna's stem ergens in mijn oor.

'Roderick had zijn ring nog om. Dat is het,' onderbreek ik haar.

'Hè? Wat bedoel je?'

'Ik moet naar de Kramers.'

'Wacht, jij mag daar niet...'

'Niets mee te maken. Dit is belangrijk.'

'Dan ga ik mee. Wacht op me bij het Jaarbeursplein, ik pik je over een kwartiertje op.'

Ik verbreek het contact. Als een zenuwachtige beer struin ik door mijn kamer en graai mijn spullen bij elkaar. Telefoon, tas, sleutels. Daarna zoek ik me rot naar de ring, die ik uiteindelijk in het laatje van mijn nachtkastje terugvind. Zonder de ring zou het bezoek aan Frank zinloos zijn.

Als ik mijn jas aanschiet hoor ik de telefoon overgaan. Geen tijd. Snel trek ik de deur achter me dicht en loop naar de lift.

Niemand kan me meer tegenhouden. Over twee dagen is de rechtszaak, als ik nu niet ingrijp is het te laat. Ik heb niets te verliezen.


'Goedemorgen Janna.' Horace begroet me alsof er in de afgelopen tijd niets gebeurd is.

'Geen tijd,' roep ik hem toe. Ik spring over de stuiterbal die hij naar me toe gooit.

'Waar ga je heen?'

'Hij is geduwd,' roep ik in het voorbijgaan.

'Wie is…' De rest hoor ik niet meer. Ik ren langs de container in de richting van mijn berging.

Al na een paar minuten fietsen ben ik compleet buiten adem. De lucht is droog en mijn ademhaling schuurt langs mijn keel. Rode stoplichten negeer ik, getoeter van auto's ook. Ik weet nu hoe het zit, wat er gebeurd is, en vooral dat ík het niet geweest ben.

Ik zet mijn fiets bij het Beatrixtheater. Op het Jaarbeursplein is het een drukte van belang. Vele bussen staan klaar om vakantiegangers op te pikken die nog een paar weken zon willen meepakken voor ze de donkere winter weer tegemoet gaan. Vrouwen met koffers als olifanten en mannen die hun bermuda alvast aangetrokken hebben, de witte kuiten klaar om gebruind te worden. Vakantie, ik ben bijna vergeten wat het is.

Nergens zie ik de gifgroene auto van Fenna. Waarom zou ik op haar wachten? Er is geen tijd te verliezen. De wijzers op mijn horloge lijken stil te staan. De ene bus vertrekt waarna zijn plaats wordt ingenomen door een andere. Massa's mensen die instappen, een wolk van rusteloze ontspanning om zich heen. Ik wacht nog twee minuten, neem ik me voor, als ik het stuk trottoir voor de zoveelste keer overgestoken ben.

Eindelijk zie ik de Smart van Fenna het plein op komen rijden, ze sjeest tussen de enorme bussen door en komt piepend voor mij tot stilstand. Zodra ik ingestapt ben, trekt ze al weer op, mist op een haar na een man, die van schrik zijn vakantiepetje vastgrijpt, en rijdt de Croeselaan op. Pas als we voor een stoplicht moeten stoppen, draait ze zich naar me toe.

'Oké, vertel het me maar.'

'Roderick had zijn ring nog om.'

'Zijn ring?'

'Ja, de zegelring die al die netwerkmaatjes hadden.'

'Alleen zijn netwerkmaatjes?'

Ik knik heftig. 'Snap je het dan niet? Horace vond eenzelfde ring bij het lijk van Roderick. De ruzies die ze hadden. Het geld. De beschuldigingen aan het adres van Frank. Er moet iets in hem geknapt zijn. Ik weet zeker dat het zo zit.'

Fenna trekt op, zegt helemaal niets.

'Het kan niet anders.'

'Ik zei je toch al dat we eens met Frank moesten praten.'

'Ik dacht dat je het idee had dat Frank…' Het kost me moeite om het te zeggen. 'Dat Frank Fleur pijn deed.'

'Ook dat, maar ik ben er ook van overtuigd dat Roderick iedereen probeerde te manipuleren om zijn zin te krijgen. Hij heeft de Kramers eerst aan een kind geholpen…'

'Mijn kind,' onderbreek ik haar kwaad. 'Het is echt zo ziek. Hoe heeft hij dat ooit kunnen doen. Ik wist dat hij Fleur nooit wilde hebben, maar zijn eigen dochter te koop aanbieden, dat bedenk je toch niet? Daarna is het gebeurd.'

'Ja, en het is nog te begrijpen ook.'

# 46

Frank zit als een geknakte boom voor me. Zijn hangende schouders, vertwijfelde trekken op zijn gezicht, de donkere ogen nu bijna zwart.

'Ank en ik wilden al zo lang een kind, maar het mocht niet zo zijn. Toen Roderick bij ons kwam met het verzoek om een tijdje voor zijn dochter te zorgen, konden we niet weigeren. We hoorden dat de moeder...' Zijn ogen ontmoeten in een flits de mijne. 'Hij vertelde dat je het niet aankon. Hij had zelfs tranen in zijn ogen toen hij aangaf dat je door de scheiding helemaal de weg kwijt was. Fleur zou compleet verwaarloosd worden.'

Ik voel de hand van Fenna op mijn knie. Beheers je.

'We zijn allebei helemaal gek van kinderen, het is niet voor niets dat ik jeugdkampen organiseer en tennisles geef aan de jongste leden van de club. Zijn vraag om pleegouder te worden van Fleur was dus aan het goede adres.'

'Stonden jullie als pleegouders ingeschreven?' Fenna doet het woord, het gaat me allemaal te langzaam. Na bijna een jaar zit ik in de woonkamer waar Fleur haar leven heeft voortgezet in mijn afwezigheid. Hier heeft ze gespeeld, gelachen en misschien ook wel gehuild. In een hoek van de kamer zie ik speelgoed liggen. Een paar barbiepoppen, een stapel gezelschapsspellen, Memory ligt bovenop, alsof ze haar geheugen is blijven trainen om me maar niet te vergeten.

'We hadden er nooit over nagedacht, maar aarzelden geen moment. Ik had Fleur weleens gezien en het leek me een lief meisje.' Frank richt zich op en kijkt me doordringend aan. 'We zijn echt goed voor haar geweest. Ank en ik zijn helemaal gek op haar. We dachten er zelfs over om ons aan te bieden om meer kinderen op te vangen. Het was zo'n mooie tijd, we hebben zo van haar genoten.' Hij slaat zijn ogen neer. 'Juist daarom was het zo wrang...'

Seconden tikken weg. Ik wil wat zeggen. Dat ik dankbaar ben. Dat het zo fijn is om te horen dat ze van Fleur hebben gehouden, maar ik krijg het niet voor elkaar. Eerst moet alles duidelijk zijn.

'We weten al heel veel dingen die Roderick uitgehaald heeft,' geeft Fenna dan aan.

Ik kan me niet meer inhouden. 'Roderick is altijd al een geldwolf geweest. Een bruut, die Fleur en mij om niets in elkaar ramde.' Ik spuug de woorden naar buiten.

'Janna...' De klank in Fenna's stem laat me zwijgen.

Met een monotone stem gaat Frank verder. 'Ik heb nooit in de gaten gehad hoe hij werkelijk was, dat is nog het allermoeilijkst om te accepteren. Hij was een tennismaatje van me en ik vertrouwde hem volledig. Waarom zou hij tegen me liegen? Ank begon als eerste vragen te stellen. Waarom kwam hij zo vaak langs terwijl Janna bij ons weggehouden werd? Waarom nam hij zijn dochter niet zelf in huis; ze had van Judith gehoord dat zij daar totaal geen probleem mee zou hebben. Waarom liet hij nooit enige affectie blijken naar Fleur toe?'

'Hij heeft nooit om haar gegeven,' zeg ik stug. 'In zijn ogen was ze een lastige pop die hij van zich afsloeg als het zo uitkwam.'

Frank wringt zijn handen in elkaar. 'Ik voel me zo schuldig. Pas toen hij geld wilde hebben begon het duidelijk te worden. "Dankzij mij hebben jullie nu een kind," zei hij steeds, alsof Fleur koopwaar was. Hij bleef maar geld eisen, en dreigde uiteindelijk naar Jeugdzorg te stappen. Hij zou vertellen dat ik haar...' Hij slikt hoorbaar. 'Hij zou aangifte doen van mishandeling.'

De woorden van Els komen terug: *Ik moest de pleegvader in de gaten houden. Roderick gaf aan dat Frank het kind mishandelde.*

'Dat heeft hij ook doorgegeven,' breng ik kwaad uit.

'Wat? Heeft hij...? Die man is erger dan ik dacht.' Frank strijkt met beide handen over zijn kale hoofd. Ik zie nu trekken van de machteloosheid die ik een jaar lang met me mee heb gedragen.

'Ik kan me voorstellen dat je heel kwaad was op Roderick,' zegt Fenna zacht.

Zijn ogen flitsen zenuwachtig door de kamer. 'Dat klopt.'

'Zo kwaad dat je hem…?'

Er flikkert iets in zijn ogen. 'We hadden ruzie. Maar ik zou hem nooit… moedwillig iets aan kunnen doen.'

Ik staar naar zijn handen die nerveus in elkaar wringen. Ik zie een dunne witte streep op zijn ringvinger. Ik heb het eerder gezien, maar nu pas besef ik dat het mijn gelijk bewijst. Toch is de eerste aanzet moeilijk.

'Voor zover ik je ken, zul je nooit welbewust mensen pijn doen.'

'Nee, dat zal ik nooit doen. Ik heb echt goed voor Fleur gezorgd.'

Het gaat nu niet om Fleur. Ik moet haar betrokkenheid wegstoppen om de dingen te kunnen doen die nodig zijn. 'Hoe lang waren Roderick en jij al vrienden?'

'Al jaren. Ik kende hem via de tennisclub.'

'De TCU.'

'Ja, maar wat…'

Ik onderbreek hem meteen. 'Roderick was zeer verknocht aan zijn tennismaten. Die waren alles voor hem.' Ik merk dat het onderliggende gevoel bij zijn machtige netwerk nu anders is. Geen oordeel meer, juist zij gaan me nu helpen. Ik voel mijn vroegere kracht terugkeren nu ik merk hoe wrang dat eigenlijk is.

Frank kijkt me aan met een verwonderde glans in zijn ogen. Er ligt iets onbestemds in. Alsof hij weet dat hem iets boven het hoofd hangt, maar dat hij nog niet weet wat hem gaat treffen.

'Om dat verbond te benadrukken droegen jullie elk een ring. Ik weet nog zo goed hoe trots Roderick erop was.'

De beweging zou me ontgaan zijn als ik niet gefixeerd was geweest op zijn handen.

'Dat klopt toch?'

Frank gaat staan en loopt van ons weg. Voor het raam blijft hij staan, de rug naar ons toe. Zijn handen nu diep in zijn zakken gestoken. Als ik Fenna aankijk, zie ik aan de glimlach om haar lippen dat ze begrijpt waar ik heen wil.

'Jij hebt toch ook zo'n ring?'

Het duurt enkele seconden voor Frank zich omdraait. Hij opent zijn mond om iets te zeggen, maar sluit hem meteen weer. Nauwelijks waarneembaar schudt hij zijn hoofd. Zijn ogen bedelen om hulp. Ik sta op en loop heel rustig op hem af. Binnen in mij is het oorlog. Pak ik het goed aan? Moet ik hem nog meer klemzetten? Of moet ik vertrouwen hebben dat er mensen zijn die voor de waarheid uit durven te komen? Dit moment zal beslissend zijn voor mijn toekomst en die van Fleur.

'Herken je dit?' Ik strek mijn hand uit. In het midden ligt de zegelring. Ik voel het klamme zweet in mijn handpalm, maar besef tegelijkertijd dat ik heel zeker ben van mijn zaak. Deze ring maakt alle verdere verklaringen overbodig.

Ik zie hoe Frank zijn verbazing probeert te verbergen. Hij voelt aan zijn ringvinger. Dan buigt hij zijn hoofd.

Mijn ogen ontmoeten die van Fenna. Haar blik zegt genoeg.

Frank zucht diep. 'Ik denk dat het tijd wordt om schoon schip te maken.' Hij loopt terug naar de bank en gaat zitten. 'Roderick en ik kregen steeds vaker ruzie. Zijn bizarre eisen. De dreigementen. De grote hoeveelheid geld die hij vroeg omdat hij ons als pleegouders had voorgedragen waardoor we nu een kind hadden. Het werd steeds erger. Ank werd er doodzenuwachtig van. Op school begonnen mensen vragen te stellen. Roderick knoopte een net om ons heen gevuld met leugens. Pas als we zouden betalen zou hij ons met rust laten. Die avond ben ik naar zijn huis gegaan om hem duidelijk te maken dat hij ermee moest stoppen. Roderick had gedronken. Het liep compleet uit de hand.'

Ik weet wat er nu gaat komen. Sterker nog, ik was vlakbij toen het gebeurde.

'Hij lalde wat over geld en herhaalde alle eerdere dreigementen. Wat ik ook zei, het drong volgens mij niet eens tot hem door. Op een bepaald moment kwam hij met een nieuw dreigement. Hij zou aan Els doorgeven dat ik Fleur misbruikte. Ik wist meteen dat hij het echt zou doen, maar wat nog erger was, ik besefte dat hij mogelijk zélf deze vieze actie zou ondernemen om het dreigement kracht bij te zetten. Hij met onze Fleur. Op dat moment knapte er iets. Voor ik wist wat er gebeurde, lag hij beneden bij de gracht. Bewegingloos.'

Frank wrijft over zijn rechterhand alsof hij de klap nog voelt. 'Ik wist niet wat ik moest doen. Het was helemaal mijn bedoeling niet, ik heb nog nooit iemand geslagen.' Hij kijkt beurtelings naar mij en naar Fenna. 'Dat moeten jullie geloven. Het was alsof er iemand anders in mij zat, iemand die zo enorm kwaad op hem was dat hij…'

'Ik ken het gevoel,' fluister ik. 'Zo buiten zinnen van kwaadheid dat je hem wel kunt vermoorden.'

'Roderick was een maat van me. Ik wilde hem niet dood, ik wilde hem alleen laten stoppen. Hij ging te ver, hij kwam aan Fleur. Het was echt afschuwelijk. Hoe kan een vader zijn dochter zoiets aandoen?'

Frank legt zijn handen op zijn knieën en zucht diep.

'Pas de dag erna kwam ik erachter dat ik mijn ring kwijt was. De link naar die avond heb ik pas later gelegd. Toen besefte ik dat mijn aandeel uit zou kunnen komen.'

Ik ga naast hem zitten en leg de ring op het tafeltje voor ons.

'Sinds die tijd heb ik ermee geworsteld of ik alles op moest biechten. Het was toch een ongeluk? Toen hoorde ik dat jij opgepakt was. Als het tot een veroordeling was gekomen… Ik weet niet wat ik dan gedaan had.'

Er hangt een stilte tussen ons die ik niet wil doorbreken.

'Ik zal naar de politie gaan om mezelf aan te geven. Het was een ongeluk, ik hoop dat ik dat duidelijk kan maken.'

'Roderick heeft op zijn zachtst gezegd geen onberispelijk verleden, misschien helpt dat om het als zelfverdediging te zien.' Terwijl ik het zeg besef ik dat het goed is dat ik aangifte heb gedaan.

'Ach, ik ken wel een paar goede advocaten die me zullen helpen.' Zijn lachje is schor. 'Ik heb steeds het welzijn van Fleur voor ogen gehad. Ik kon het niet verkroppen dat ze naar een nieuw pleeggezin zou moeten, dat wilde ik haar niet aandoen.'

Mijn adem zet zich vast. 'Fleur kan weer bij mij komen. Ik heb haar zo gemist.'

'Ik zal een goed woordje voor je doen. Al die tijd heeft Roderick ons wijsgemaakt dat je niet capabel was, dat hij niet kon instaan voor wat je met haar zou doen. Hij zei dat je haar gruwelijk verwaarloosd had. Ik heb hem al die tijd geloofd en gedacht dat Fleur alleen ons nog had. Nu pas begrijp ik dat hij ons al die tijd leugens heeft verteld. Zelfs Jeugdzorg heeft hij met zijn mooie praatjes ingepalmd.'

De ogen van Frank vragen om iets wat ik niet kan geven. Ik ben nog niet tot vergeving in staat. Ik kijk van hem weg terwijl ik vraag: 'Waar is Fleur?'

'Ik zal haar roepen.' Frank staat op en loopt naar de deur, zijn schouders naar voren, zijn hoofd half gebogen. Een verslagen man. Dan zijn stem, krachtig en vol genegenheid. 'Fleur, kun je even naar beneden komen?'

Was ze hier in huis? Heb ik al die tijd hierbinnen gezeten terwijl mijn dochter boven zat? Als ik opsta merk ik dat mijn knieën trillen. Ik wrijf mijn vochtige handpalmen over mijn benen. Ik ben slechts een paar passen van haar verwijderd, kan ik nog net denken. Dan verschijnt ze al in de deuropening. Haar prachtige herfstrode koppie, haar helblauwe ogen die gaan stralen zodra ze me ziet.

'Mamma!'

Ik ga door mijn knieën, voel hoe ze zich in mijn armen werpt en merk dat ik door de kracht achterovergeduwd word. Lachend neem ik haar mee in mijn val en trek haar bovenop me. Hier heb ik van gedroomd. Dit moment heb ik altijd voor ogen gehouden. Fleur is bij me.

'Ben ik nu klaar met logeren?' fluistert ze in mijn oor.

Ik schiet in de lach. 'Ik hoop het. Ik hoop het zo.'

# Epiloog

Het is een van die mooie nazomerdagen die Nederland rijk kan zijn. Een cadeautje dat je nog net mag innen voor je de donkere gang instapt die winter heet. Een warme dag die ik met diepe teugen inhaleer, alsof het aan wil geven dat ik het verdiend heb.

'Ik was bijna vergeten hoe mooi het hier is,' zeg ik tegen Ilse, die naast me in het zand zit.

'Schiermonnikoog blijft een speciaal eiland.'

'En een speciaal plekje voor mij.'

'Ja, dat weet ik.'

De zwijgende stilte die hierna tussen ons in hangt zegt meer dan ooit met woorden uit te drukken valt. Ik laat mijn ogen over het brede strand glijden dat door de zon in een wit glinsterend tapijt is veranderd. In de verte zie ik zandbanken die door brede geulen omsloten worden. Vlak bij ons zweeft een grote meeuw, die vlak voor de landing zijn kop in de wind draait, hierdoor iets opgetild wordt, waarna hij zijn poten heel bedaard en met een gecontroleerde precisie op het zand neerzet. Boven hem krijsen zijn maatjes alsof ze schaterlachen van plezier.

Ondanks de vredige sfeer op het eiland moet ik denken aan Frank. Het is onwerkelijk dat hij nu in eenzelfde deprimerende cel zit waarmee ik ook kennisgemaakt heb.

'Wat denk je dat er nu met hem gaat gebeuren?'

Ilse begrijpt meteen over wie ik het heb.

'Wat mij betreft laten ze hem direct vrij. Het was toch een ongeluk? Roderick verdiende niets beters.' Ze grijpt naar een sigaret en steekt hem met felle bewegingen aan. 'Die kwal heeft iedereen zand in de ogen gestrooid, met zijn mooie gebaartjes, softe gezwets en dat masker van prince charming.'

Ik denk aan haar eerdere reactie, maar zeg niets.

'Ja, zeg maar niets, ik ben er ook ingestonken.' Een felle haal aan haar sigaret geeft aan hoe erg ze ermee zit. 'Wat een kloothommel om zo met zijn eigen kind om te gaan.'

'Het is uiteindelijk nog meegevallen wat hij Fleur aan heeft kunnen doen, en dat is voor een groot deel ook aan Frank te danken. Ik hoop dat ze dat meenemen tijdens het proces.'

'Als ze mij als getuige vragen zal ik die rechter weleens vertellen wat die Roderick allemaal geflikt heeft. Iemand moest hem stoppen.' Na een laatste diepe haal duwt ze haar peuk uit in het zand en begraaft hem zorgvuldig. Alsof ze Roderick himself onder de grond stopt.

Ik denk aan al die weken dat ik heb gedacht dat ikzelf de schuldige was aan de dood van Roderick. Ik heb zijn dood zo intens gewenst dat het me niet eens verbaasd had als ik uiteindelijk teruggebracht was naar de cel. De steekbewegingen waren zo levensecht dat als ik echt een mes had gehad én als Roderick voor me had gestaan, ik zeker weet dat ik hem om het leven had gebracht. Met liefde.

'Frank heeft gelukkig een goede advocaat.' Ik denk aan het bericht dat het advocatenbureau van Roderick de verdediging op zich zou nemen. 'Roderick zou zich omdraaien in zijn graf als hij wist dat zijn netwerkmaatjes zich zo tegen hem gekeerd hebben.'

'Lekker laten draaien daar in dat donkere hol.'

Het komt er zo hartgrondig uit dat ik in de lach schiet. Ilse draait zich naar me om, strijkt met een hand door haar blonde stekelhaar en lacht dan mee. 'Fijn je weer te horen lachen.'

'Ik heb er weer alle reden toe.'

'Ja, tof van die Els om haar ongelijk te bekennen voor de kinderrechter.'

Ik knik alleen maar. Woorden blijven steken in de brok die mijn keel blokkeert als ik terugdenk aan het pleidooi van Els. Geen enkele twijfel bleef meer over. Fleur mocht terug naar huis. Het enige wat de rechter nog als restrictie aangaf, was dat het de eerste drie maanden op proef was, onder controle van een vaste gezinsvoogd. Het maakte me allemaal niets uit. Dat Jeugdzorg veel te laat was met een goede waarheidsvinding, heb ik niet gezegd. Fleur is weer bij me en dat is wat telt.

'Moet je die twee zien.' Ilse knikt naar Dennis en Fleur die achter elkaar aanrennen over het strand.

'Ik kan je niet vertellen hoeveel ik van zoiets simpels geniet,' zeg ik met een schorre stem. 'Ilse…' Ik slik hoorbaar. 'Dankjewel voor dit weekendje weg.'

Ze draait zich naar me toe en ik zie dat haar ogen vochtig zijn. Even aarzelt ze. Ze klemt haar lippen op elkaar, maar zegt uiteindelijk: 'Het spijt me, Janna, dat ik je in de steek heb gelaten op het moment dat je het zo moeilijk had.'

Ik open mijn armen en voel haar knokige schouders tegen mijn borst, haar harde gelharen tegen mijn wang. Dan schokken haar schouders.

'Je bent er nu,' zeg ik met een door tranen omfloerste stem. 'Ik heb ook fouten gemaakt.'

'Mam, kijk eens!' De stem van Fleur waait naar me toe. Haar gezichtje straalt en haar wangen zijn gekleurd door de zon. Ze houdt haar armen gespreid en rent lachend achter Dennis aan. 'We zijn meeuwen.'

Met de armen nog om elkaar heen kijken Ilse en ik naar onze kinderen.

'Kijk ze eens vrolijk zijn. En dat terwijl wij hier zitten te grienen als een stel… een stel…'

'Een stel vriendinnen,' vul ik aan, terwijl ik met de rug van mijn hand langs mijn neus strijk.

Langzaam zakt de zon, terwijl de lichtbaan op de golven geel begint te kleuren. We zitten gearmd, en genieten zwijgend van de stilte die langzaam over het strand valt nu de meeste mensen hun huisje weer opzoeken. Als strandjutters lopen Fleur en Dennis achter elkaar aan en Fleur bukt af en toe om een schelp of ander kost-baar kleinood op te rapen.

Als de zilte zeelucht in mijn neus doordringt zie ik mezelf door de uitlopers van de golven rennen, de spetters rondom mijn kuiten, het schuim als plukken watten op het zand. Zeven jaar oud, een zomer vol gelukkige momenten. Ik heb een emmertje in mijn hand waarin ik mijn schatten verzamel. Het moment dat ik het steentje vind geeft me een intens geluksgevoel. Met de buit verstopt in mijn hand ren ik naar mijn ouders die tegen de duinenrij zitten. Het picknickkleed is vrolijk geel met rood geblokt en de tas waarin ik allerlei lekkers weet staat klaar.

'Mamma, kijk eens wat ik gevonden heb?'

Haar roestbruine haar waait voor haar gezicht, en ze duwt het met een snel gebaar opzij. Ze lacht. Haar ogen glinsteren in de zon. 'Een hartje. Wat een prachtig steentje, Janna. Die moet je maar bewaren, een mooie herinnering aan onze vakantie.'

Ze heeft nooit geweten hoe sterk de herinnering in mijn hoofd vastgelegd zou blijven, als een eeuwige vingerafdruk van geluk.

'Hé, wat is er?'

De vingers van Ilse strijken over mijn gezicht. De wind krijgt vat op de vochtige sporen op mijn wangen.

'Ik denk dat ik me nu pas realiseer hoe sterk de band is tussen een moeder en haar kind,' zeg ik terwijl ik het figuurtje in de verte met mijn ogen vast blijf houden. 'Nu ik haar weer terugheb kan ik me niet voorstellen dat ik ooit zonder haar doorgeleefd heb.'

'Ik denk dat ik op dat moment die Els helemaal in elkaar geramd had.' Ilse zegt het zo serieus dat ik het zonder enige twijfel geloof.

'Het loslaten was afschuwelijk, maar ik denk dat ik altijd de hoop heb gehouden dat ik haar ooit weer terug zou krijgen.' Terwijl ik het zeg besef ik dat dit het grote verschil is met het verliezen van je ouders door de dood. Die is onherroepelijk. Toen was er geen hoop meer.

Ik staar naar de zon die de wolken in een prachtig roze licht zet. Het silhouet van mijn Fleur steekt er prachtig tegen af. Regelmatig zie ik haar mijn kant op kijken, alsof ze wil controleren of ik er nog ben. Achter ons hoor ik de schorre roep van een fazant, het klinkt als een motor die niet starten wil. Het eiland barst van de prachtig gekleurde vogels, waarvan vaak alleen de mannetjes te spotten zijn. Schierkippen, noemt Fleur ze, sinds ze bij ons huisje aan de rand van het dorp zeker vier mannetjesfazanten heeft zien rondstappen.

Er gaan minuten voorbij waarin we niets zeggen, gewoon omdat het niet nodig is. De stilte op het eiland is intenser dan waar dan ook aan de vaste wal. Het enige wat ik hoor zijn de geluiden van de natuur. De vele vogels, die ik geen naam weet te geven, fluiten het hoogste lied, soms trillend in de hoogte, soms melodisch. De zee fluistert altijd op de achtergrond in een eeuwigdurend geruis.

Dan opeens vraagt Ilse: 'Zeg, hoe zit het eigenlijk met die... Nou ja, je weet wel, met die man onder de trap?'

'Horace.'

'Ja, die. Woont hij daar nog steeds?'

Ik begrijp dat ze eigenlijk iets anders wil weten. Juist omdat ze het woord 'zwerver' niet in de mond heeft genomen. Fleur vond het de eerste keer fantastisch toen hij bij ons over de vloer kwam. Ze sprong juichend door de kamer, trok hem aan zijn hand mee om haar prinsessenkamer te laten zien en wilde door hem voorgelezen worden. Horace keek me aan met een blik waarin zowel onwennigheid als een trotse glimlach verborgen zat. Ik genoot alleen maar.

'Horace heeft hulp gezocht voor zijn alcoholprobleem. De gemeente heeft hem vorige week woonruimte aangeboden dankzij bemiddeling van Loes. Ik hoop dat het hem gaat lukken om zijn leven weer op poten te krijgen, maar het zal niet makkelijk zijn. Hij heeft lang op straat geleefd.'

'En...?' Haar hoofd knikt even opzij. Met haar ogen vult ze de rest van de vraag in.

'We zien wel. Hij komt regelmatig bij ons, dan eten we samen. Voorlopig heb ik echter mijn handen vol om mijn eigen leven weer enige regelmaat te geven. Fleur heeft extra aandacht nodig en ik wil mijn woning goed op orde houden.'

'Je vergeet je werk.'

'Nee, dat vergeet ik niet. Maar dat zal nooit meer mijn belangrijkste tijdsbesteding vormen, ook al hebben ze me gevraagd of ik coördinatrice wil worden bij het schoonmaakbedrijf.'

'Dat is mooi, gefeliciteerd.'

'Het is vooral mooi omdat ik die baan beter kan combineren met de schooltijden van Fleur. Ik heb zelfs geen BSO meer nodig. Mijn dochter is mijn liefste bezit, en zij staat bovenaan. Met stip!'

Op dat moment komen de kinderen aangerend. Fleur ploft naast me neer.

'Kijk eens mam, wat ik gevonden heb?'

Ik kijk in een paar stralende ogen, en voel mijn lijf trillen van geluk. Met mijn vinger duw ik eerst haar krullen achter een oor voordat ik de sproeten streel die als een uitbarsting van vrolijkheid op haar gezicht zijn verschenen.

Ik vouw haar vingers een voor een om de mooie schelp die ze aan me laat zien. 'Die geven we een ereplek in ons kastje,' zeg ik dan. Ik sla mijn arm om haar heen en voel haar warme lijfje tegen me aan. Ik sla deze herinnering op in mijn hoofd, zodat ik het nooit meer zal vergeten.

# Met dank aan:

Ine Aasted-Madsen
Wim van den Brink
Ingrid van Galen
Pim de Waard
Arnold van Troost
Els Buntsma
Eva Krap
Wim Krings
Heleen van der Kemp
Astrid van der Helm
En natuurlijk: Ilse Karman

# Nawoord

Het begon in 2010 met een berichtje op Hyves. Marelle Boersma schreef dat ze bezig was met de afronding van haar thriller *De Babymakelaar*. In die periode was ik als Tweede Kamerlid betrokken bij de wetswijziging Kinderbeschermingsmaatregelen. Ik reageerde op haar Hyves-bericht met 'als je dit boek hebt afgerond weet ik nog wel een onderwerp'. Dit leidde al snel tot een telefonisch contact en daarna maakten we een afspraak in de stationsrestauratie van Utrecht Centraal. In dit gesprek heb ik mijn zorgen geuit over de genoemde wetswijziging. De wetgever beoogde hiermee onder andere dat er bij een uithuisplaatsing in een eerder stadium duidelijkheid moet komen voor het kind, de ouder(s) en de eventuele pleegouders. Een doelstelling die ik van harte onderschreef, maar ik maakte me grote zorgen over het ontbreken van waarheidsvinding in trajecten die uiteindelijk leiden tot uithuisplaatsing van kinderen. Veel persoonlijke verhalen die ik hoorde riepen bij mij de reactie op van 'dit kan toch niet waar zijn'. Vaak werden die verhalen door ouders ondersteund met aantoonbare feitelijke onjuistheden in rapportages. En steeds weer was het ontbreken van waarheidsvinding de bottleneck.

Veel kamervragen en televisie-uitzendingen over dit onderwerp later, en na de oproep van de Nationale Ombudsman om te komen tot waarheidsvinding, is de wet aangenomen door beide Kamers. Helaas is de eis om aangeleverde informatie te verifiëren er niet in opgenomen.

*Vals Alarm* is een boek geworden waarin het gevecht van een moeder om de waarheid boven tafel te krijgen op een heel realistische manier is beschreven. In de wetenschap dat het een fictief verhaal is en alle punten van herkenning op toeval berusten, roept het toch een gevoel op van 'het zou zomaar zo kunnen gebeuren'. En dat is voor mij typisch iets wat bij de stijl van Marelle Boersma past. In juni 2011 kreeg ik een flashback naar *De Babymakelaar* bij het nieuwsbericht 'Babyfabriek opgerold in Nigeria'. En ook de situaties die in *Vals Alarm* naar voren komen zijn voor mij, na het voeren van veel gesprekken met ouders, op veel punten heel herkenbaar.

Ik hoop dat door dit boek de discussie over waarheidsvinding opnieuw gevoerd gaat worden, met name in de politiek, en dat dit uiteindelijk gaat leiden tot een wettelijke verankering hiervan.

Ine Aasted-Madsen – van Stiphout

# Maak kans op een gratis boek

Elke maand wordt onder de ambassadeurs van Marelle een boek verloot.

**Hoe word je ambassadeur?**

Meld je aan via www.marelleboersma.nl of stuur je mailadres naar ambassadeurs.marelle@gmail.com.
  Het kost niets.

**Wat levert het je op?**

- Elke maand wordt onder de nieuwe ambassadeurs een boek verloot
- Je wordt op de hoogte gehouden van alle nieuwtjes
- Je krijgt als eerste informatie over leuke acties
- Het geeft je een kijkje achter de schermen
- Regelmatig iets extra's, zoals een kort verhaal of een tekstfragment

# Lees meer van Marelle:

## De Babymakelaar

EEN JONGE VROUW VECHT VOOR ONGEBOREN KIND

Het leven van musicalster Femke van Dam is bijna volmaakt. Alleen haar grote kinderwens is onvervuld. Ze ziet zich gedwongen haar toevlucht te nemen tot het illegale circuit van commercieel draagmoederschap. Maar het wordt haar al snel duidelijk dat in de wereld van de babymakelaar andere regels gelden. Als haar echtgenoot bij een raadselachtig ongeluk om het leven komt, beseft Femke dat ook haar ongeboren kind gevaar loopt.

ISBN 978 94 6109 003 4

## Stil water

Zeeland wordt geteisterd door een hittegolf. Rona, fervent duikster, kampt met ademhalingsproblemen en vreemde duizelingen. En zij is niet de enige die ziek wordt. Als er ook nog onverklaarbaar veel dode bruinvissen aanspoelen, gaat Rona op onderzoek uit. Ze moet achter de oorzaak van de problemen komen voordat er slachtoffers vallen…

ISBN 978 94 6109 015 7

Beide boeken zijn ook als ebook verkrijgbaar!